MONDES

Monde contemporain

2e cycle du secondaire · 3e année

Chantal Gauthier
Maude Ladouceur
France Lord
Geneviève Paiement-Paradis

Avec la collaboration de
Nancy Marando et
François-Nicolas Pelletier

Manuel de l'élève

GRAFICOR
CHENELIÈRE ÉDUCATION

Mondes

Monde contemporain
2e cycle du secondaire, 3e année

Chantal Gauthier, Maude Ladouceur, France Lord,
Geneviève Paiement-Paradis

© 2009 Chenelière Éducation inc.

Édition : Audrée-Isabelle Tardif
Coordination : Christiane Gauthier, Marie-Noëlle Hamar,
    Dominique Lapointe et Solange Tétreault
Coordination à l'Atlas : Julie Benoit
Révision linguistique : Jean-Pierre Leroux et Claire St-Onge
Correction d'épreuves : Michèle Levert
Conception graphique et infographie : Matteau Parent graphisme
    et communication inc. (Chantale Richard-Nolin)
Conception de la couverture : Matteau Parent graphisme et communica-
    tion inc. (Chantale Richard-Nolin)
Recherche iconographique : Marie-Chantal Laforge, Melina Schoenborn
    et Rachel Irwin
Cartographie : Carto-Média et Yanick Vandal (Groupe Colpron)
Impression : Imprimeries Transcontinental

Remerciements

L'Éditeur tient à remercier Alain Parent et Stéphanie Béreau pour
leur précieuse collaboration.

Pour leur travail de révision scientifique réalisé avec soin et
promptitude, l'Éditeur remercie les personnes suivantes :

Ari Van Assche, HEC Montréal, Service de l'enseignement des
    affaires internationales (Introduction au monde contemporain) ;

Christopher Bryant, Université de Montréal, Département
    de géographie (Chapitre 1 : L'environnement) ;

Pierre Monforte, Université de Montréal, chercheur
    (Chapitre 2 : La population) ;

Patrice Régimbald, Cégep du Vieux Montréal, Département
    d'histoire (Survol de l'histoire du xxe siècle).

Pour leur généreuse contribution à titre de consultants
pédagogiques, l'Éditeur remercie également :

Danielle Bellemare, École Thérèse-Martin, C.S. des Samares ;

Daniel Leblanc, Polyvalente C.-E. Pouliot, C.S. des Chics-Chocs ;

Martin Olivier, École Beaurivage, C.S. des Navigateurs ;

ainsi que tous les enseignantes et les enseignants qui ont
participé aux différentes étapes d'élaboration de ce manuel.

GRAFICOR

CHENELIÈRE ÉDUCATION

7001, boul. Saint-Laurent
Montréal (Québec) Canada H2S 3E3
Téléphone : 514 273-1066
Télécopieur : 450 461-3834 / 1 888 460-3834
info@cheneliere.ca

ISBN 978-2-7652-1057-3

Dépôt légal : 2e trimestre 2009
Bibliothèque et Archives nationales du Québec
Bibliothèque et Archives Canada

Imprimé au Canada

1 2 3 4 5 ITIB 13 12 11 10 09

Nous reconnaissons l'aide financière du gouvernement du Canada par
l'entremise du Programme d'aide au développement de l'industrie de l'édition
(PADIÉ) pour nos activités d'édition.

Gouvernement du Québec – Programme de crédit d'impôt pour l'édition de
livres – Gestion SODEC.

Membre du CERC

Membre de
l'Association nationale
des éditeurs de livres

ASSOCIATION NATIONALE DES ÉDITEURS DE LIVRES

TABLE DES MATIÈRES

Chapitre 3 LA RICHESSE XX

Chapitre 4 LE POUVOIR XX

Chapitre 5 LES TENSIONS ET LES CONFLITS XX

L'ORGANISATION
du manuel

Votre manuel comprend une introduction au monde contemporain présentant les concepts communs et les deux compétences disciplinaires à développer, cinq chapitres et cinq sections de référence : le Survol de l'histoire du XXe siècle, l'Atlas, Les clés de l'info, les Statistiques des pays du monde et le Glossaire-index.

Chaque chapitre permet d'aborder un thème selon un problème et deux enjeux. De plus, chacun correspond à une situation d'apprentissage et d'évaluation.

Le début d'un chapitre

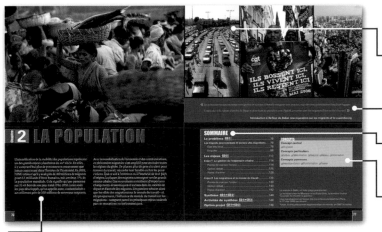

L'ouverture du chapitre présente en un coup d'œil le thème à l'étude.

Les documents iconographiques mettent en évidence les principaux éléments de contenu.

La citation sert de piste de réflexion sur le thème.

Le sommaire donne un aperçu du contenu du chapitre et des compétences disciplinaires mobilisées.

Les concepts abordés dans le chapitre apparaissent sous forme de liste.

Le court texte introduit le thème, le problème et les enjeux du chapitre.

Le problème

Les pages « Le problème » présentent, en deux parties, les contenus relatifs au problème (objet d'interprétation) du chapitre.

La partie « État des lieux » propose une vue d'ensemble pour cerner le problème (manifestations du problème, contexte global, acteurs, etc.).

La partie « Enquête » présente le contenu nécessaire pour analyser le problème (causes, conséquences, intérêts des acteurs, rapports de force, etc.).

Le texte suivi et les nombreux documents (documents écrits et iconographiques, cartes, graphiques, tableaux, etc.) permettent d'interpréter le problème selon l'objet d'interprétation.

Les concepts au programme figurent en marge de certains titres.

Les pictogrammes **CD 1** et **CD 2** indiquent la ou les compétences disciplinaires qui peuvent être mobilisées dans la partie.

La rubrique « Questions d'interprétation » pose des questions relatives au contenu lié à la compétence disciplinaire 1 (Interpréter un problème du monde contemporain).

La rubrique « Vu d'ici » établit un lien avec un aspect de contenu relatif au Québec ou au Canada.

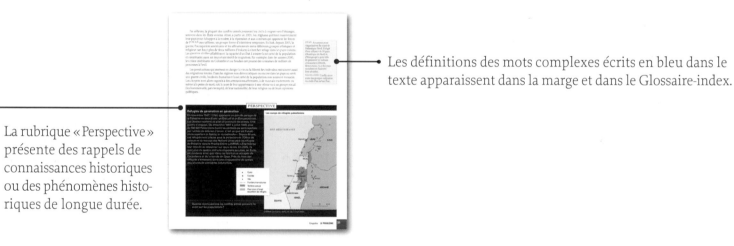

Les définitions des mots complexes écrits en bleu dans le texte apparaissent dans la marge et dans le Glossaire-index.

La rubrique « Perspective » présente des rappels de connaissances historiques ou des phénomènes historiques de longue durée.

Les enjeux

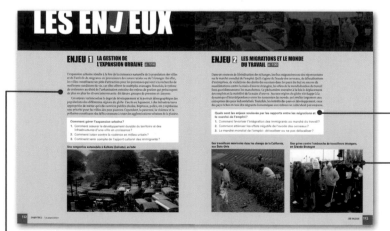

Les pages d'ouverture présentent brièvement les deux enjeux qui sont au choix.

Le sommaire de l'enjeu apparaît dans un encadré.

Les documents iconographiques montrent un aperçu d'un ou de deux aspects de l'enjeu.

Le texte résume le contenu abordé dans l'enjeu.

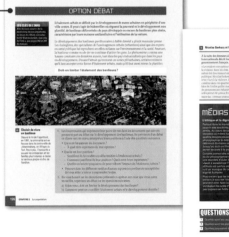

La partie « Points de vue sur l'enjeu » permet aux élèves d'examiner différents points de vue de façon à prendre position sur un enjeu.

Chacun des deux enjeux comprend trois parties distinctes.

Le texte suivi et les nombreux documents (documents écrits et iconographiques, cartes, graphiques, tableaux, etc.) permettent d'aborder l'enjeu et de prendre position.

La rubrique « Brève culturelle » met en valeur des éléments de culture générale du monde contemporain.

La partie « Option débat » propose une activité qui incite les élèves à élaborer une argumentation pertinente en vue de débattre d'un aspect de l'enjeu.

La rubrique « Médias » amène les élèves à exercer leur sens critique quant au traitement de l'information dans les médias.

La rubrique « Questions de point de vue » pose des questions relatives au contenu lié à la compétence disciplinaire 2 (Prendre position sur un enjeu du monde contemporain).

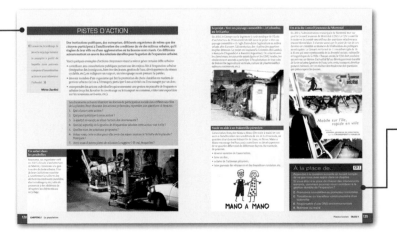

La partie « Pistes d'action » est une activité qui amène à réfléchir à des solutions possibles de l'enjeu.

La rubrique « À la place de... » permet de reconnaître des types d'actions qui pourraient servir de pistes de solution à l'enjeu.

La fin d'un chapitre

La Synthèse fournit un résumé des contenus du chapitre sous forme de phrases clés.

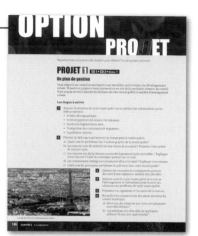

L'Option projet présente les deux projets facultatifs du chapitre.

Les Activités de synthèse proposent des activités portant sur les concepts et les objets d'apprentissage liés au problème et à chacun des enjeux.

Les sections de référence du manuel

Le Survol de l'histoire du XXᵉ siècle fournit les renseignements nécessaires pour comprendre sept événements ou thèmes de l'histoire de ce siècle.

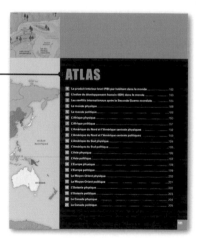

L'Atlas comprend des cartes thématiques et des cartes géographiques pertinentes.

Les clés de l'info présentent du contenu relatif aux médias et des clés portant sur des techniques utiles en univers social.

- Les Statistiques des pays du monde rassemblent des données qui permettent d'avoir une vue d'ensemble du monde contemporain.

- Le Glossaire-index regroupe toutes les définitions mentionnées dans le manuel. Il renvoie aux pages où les mots définis apparaissent pour la première fois.

INTRODUCTION
au monde contemporain

Le monde **contemporain** est de moins en moins cloisonné. Même si des particularités régionales persistent, la mondialisation des marchés et des cultures efface peu à peu les frontières et rapproche les sociétés humaines. Par conséquent, les problèmes et les enjeux du monde touchent un nombre croissant d'États, de groupes et de citoyens.

Pour comprendre le monde qui nous entoure, il faut donc bien saisir les différentes facettes des problèmes et des enjeux du monde d'aujourd'hui. C'est ce que les différentes disciplines de l'univers social nous permettent de faire.

Ainsi, l'histoire nous aide à retracer les origines des problèmes que doivent affronter les sociétés modernes. La géographie nous permet de mieux saisir les réalités humaines et physiques de la planète tout en situant les enjeux sur des territoires précis. Quant à la dimension économique, elle nous éclaire entre autres sur l'effet de l'accroissement des rapports économiques dans le monde. Enfin, la dimension politique nous fait comprendre la nature des rapports entre les États et les relations de pouvoir dans le monde d'aujourd'hui. Grâce à ces différentes façons d'analyser les enjeux du monde contemporain, nous pouvons envisager leurs répercussions tant sur le plan local que régional, national et international.

De façon générale, cette analyse des problèmes et des enjeux du monde contemporain nous aide à mieux appréhender le futur et contribue à faire de nous des citoyens informés, conscients et responsables.

Contemporain Relatif à l'époque actuelle, au monde d'aujourd'hui.

Des concepts communs

Les différentes disciplines de l'univers social (histoire et éducation à la citoyenneté, géographie) s'organisent autour de concepts communs: mondialisation, interdépendance et pouvoir. Ces trois concepts permettent de recourir à un même vocabulaire pour décrire certaines réalités fondamentales. Ils seront utilisés dans le traitement de tous les thèmes à l'étude.

> « La mondialisation est l'expression conjointe de l'État et du marché, du privé et du public, des logiques nationales et transnationales. »
>
> **Jean-Christophe Graz**

■ Mondialisation

La mondialisation n'est pas un nouveau concept. Déjà, au XVIᵉ siècle, des empires échangeaient des marchandises, des idées et des techniques sur leur immense territoire. Toutefois, le processus s'est considérablement accentué depuis les années 1980, en particulier depuis l'arrivée des nouvelles technologies de l'information et des communications (Internet, liaisons par satellite, téléphonie par câble, etc.), la libéralisation de la finance ainsi que la réduction des coûts de transport et des barrières tarifaires. Sur le plan économique, la mondialisation atténue l'importance des frontières, rendant ainsi les pays plus interdépendants. Mais la mondialisation fait aussi sentir ses effets dans les domaines de la vie sociale et culturelle.

Sur le plan économique

Sur le plan économique, la mondialisation accélère la production et la vente de biens entre plusieurs pays. La mondialisation économique se caractérise donc entre autres par une multiplication des importations et des exportations. Quant au processus de distribution, il profite des améliorations dans le domaine du transport. Enfin, avec le développement des nouvelles technologies, les échanges de capitaux peuvent se dérouler 24 heures sur 24.

Pour certains, la mondialisation a des effets bénéfiques, car elle contribue à créer de la richesse et à réduire les prix de certains produits. D'autres la considèrent comme néfaste parce qu'elle peut avoir des répercussions sur les emplois, par exemple.

1 La mondialisation de la mode

Japon, Arabie saoudite, Égypte, Chine, Canada, France, Suède : depuis la mondialisation des marchés, la mode n'a plus de frontières. De grandes chaînes ont désormais des boutiques un peu partout sur la planète.

Sur les plans social et culturel

Sur les plans social et culturel, l'efficacité des moyens de communication, le réseau Internet notamment, facilite la circulation des idées et des cultures. Par exemple, grâce au cyberespace, deux personnes situées à des milliers de kilomètres peuvent discuter de politique, d'environnement, etc.

Par ailleurs, certaines cultures exercent une influence internationale. Ainsi, le mode de vie à l'américaine est largement répandu par l'entremise de franchises alimentaires et de productions culturelles, qu'il s'agisse de musique ou de cinéma.

Certains estiment que la circulation des idées est bénéfique aux sociétés, puisqu'elle leur permet de se développer et d'innover. D'autres croient que la mondialisation entraîne une uniformisation de la culture qui met en péril les identités nationales. Chose certaine, la mondialisation présente des enjeux qui touchent l'ensemble des populations du globe.

■ Interdépendance

Le monde contemporain se caractérise par une multiplication des rapports économiques, politiques, sociaux et culturels. En accélérant les échanges, la mondialisation ouvre les frontières et atténue certaines caractéristiques nationales. Les interactions constantes qui en découlent témoignent de l'interdépendance des États, des structures politiques, des populations et des activités humaines.

L'interdépendance est évidente dans la production de biens et de produits. Ainsi, un produit fabriqué en Asie, à partir de ressources naturelles en provenance d'Afrique et consommé en Amérique du Nord, peut rapporter des bénéfices à une compagnie européenne qui en organise la production.

Le phénomène est aussi présent dans la gestion d'enjeux de société, telle la pollution atmosphérique. Qu'elles soient favorables ou nuisibles à l'environnement, les politiques des différents pays dans ce domaine ont des répercussions sur l'ensemble de la planète, puisque la pollution n'a pas de frontières. La gestion des problèmes environnementaux nécessite donc la coopération entre les pays afin que des normes environnementales globales soient mises en place.

Dans tous les domaines, les conséquences des enjeux de société sont interdépendantes et interreliées. Ces enjeux exigent donc la coopération des pays dans la mise sur pied de solutions globales.

2 | **Des militants de Greenpeace font connaître leurs idées**

Les flux continus d'information favorisent la circulation des idées. Certains groupes profitent des médias pour faire connaître leur point de vue et gagner des appuis partout dans le monde. C'est le cas de l'organisme Greenpeace, qui organise des actions à la grandeur de la planète afin d'attirer l'opinion publique sur ce qu'il considère comme des menaces à l'environnement.

《 Avec la mondialisation, nous sommes tous interdépendants. On disait autrefois: lorsque les États-Unis éternuent, le Mexique s'enrhume. Aujourd'hui lorsque les États-Unis éternuent, une grande partie du monde attrape la grippe. 》

Joseph Stiglitz

3 | **Production et surpopulation**

La multiplication des échanges dans le monde augmente le bassin de main-d'œuvre nécessaire à la production de biens et de services. Toutefois, l'affluence de main-d'œuvre vers les villes, principaux lieux de production, peut entraîner une surpopulation des centres urbains, comme ici à Lagos au Nigeria, et dépeupler les campagnes.

■ Pouvoir

Les enjeux du monde contemporain sont également définis par les rapports au pouvoir qu'entretiennent les différents acteurs d'une société. Le pouvoir permet d'obtenir des autres ce que l'on veut.

Il existe trois types de pouvoir: le pouvoir de force, le pouvoir de persuasion ou d'influence, et le pouvoir de rémunération. L'État est le seul à détenir le pouvoir d'imposer sa volonté par la force. En effet, lui seul peut formuler des lois et les faire appliquer, donc utiliser la force pour faire respecter ses décisions. Toutefois, tous les acteurs (États, organisations internationales, médias, entreprises, citoyens) peuvent exercer un pouvoir de persuasion ainsi qu'un pouvoir de rémunération, qui permet d'obtenir un service ou un bien en échange d'argent. Par exemple, lorsque des consommateurs apprennent que les produits qu'ils se sont procurés sont fabriqués par des enfants dans un pays en développement, ils peuvent exercer un pouvoir de persuasion en boycottant l'entreprise fautive.

Par ailleurs, la mondialisation a un effet sur le pouvoir des États. En effet, les multinationales exercent un contrôle sur l'exploitation des ressources et de la main-d'œuvre, grâce à leur pouvoir sur l'économie mondiale. Leur poids économique (certaines multinationales possèdent des revenus supérieurs au budget de certains États) leur permet d'influencer les décisions des gouvernements. Les ONG (Oxfam, par exemple) et les organisations internationales (l'ONU, notamment) jouent aussi un rôle sur la scène internationale. Elles influencent les décisions des États en ce qui concerne le développement durable, l'immigration, etc.

La notion de pouvoir est aussi présente dans les relations politiques entre États. Des pays qui vivent des tensions ou des conflits peuvent voir leur souveraineté menacée lorsque des organisations internationales comme l'Organisation des Nations Unies (ONU) ou le Fonds monétaire international (FMI) décident d'intervenir en envoyant des troupes ou encore en refusant d'accorder un prêt. Les États sont alors confrontés à d'autres acteurs plus puissants qu'eux.

L'équilibre des pouvoirs, qui s'exprime de diverses façons, constitue un défi de taille dans la recherche de solutions aux enjeux du monde contemporain.

4 Un pouvoir d'influence

Un artiste, tel Bono, peut utiliser sa tribune et sa popularité pour influencer l'opinion publique. Il exerce alors un pouvoir d'influence.

5 Fuir le pouvoir

Lorsque le pouvoir exerce des pressions sur les collectivités, il arrive que des populations, comme ici au Darfour, doivent se déplacer pour fuir la répression.

Développer ses compétences

Le programme *Monde contemporain* vise le développement de deux compétences disciplinaires.

CD 1 Interpréter un problème du monde contemporain

Cette compétence vise à comprendre un problème du monde contemporain. Une démarche de recherche permettra de faire ressortir les différents aspects du contexte dans lequel le problème se manifeste dans le monde. À partir de sources d'information variées et pertinentes, il s'agit d'interpréter un problème en analysant les points de vue de différents acteurs et en reconnaissant le rapport de force qui s'établit entre eux. Interpréter un problème, c'est aussi comprendre ses origines et ses effets sur le monde, que ce soit sur un plan local, régional, national ou international, afin de dégager de grandes tendances mondiales. C'est enfin mettre en relation différents regards (historique, géographique, économique et politique) afin d'envisager le problème dans sa complexité.

Dans le manuel, cette compétence peut être développée dans les sections suivantes.
- L'ouverture des chapitres
- La partie « Le problème » et ses sections « État des lieux » et « Enquête »
- Les rubriques « Questions d'interprétation », « Brève culturelle » et « Vu d'ici »
- La Synthèse et les Activités de synthèse
- La section « Option projet »
- La partie « Survol de l'histoire du XXe siècle »
- La partie « Les clés de l'info »

CD 2 Prendre position sur un enjeu du monde contemporain

Le développement de cette compétence nécessite la prise en compte de divers points de vue liés au problème à l'étude. Il s'agit de déceler les valeurs et les intérêts de chacun pour ensuite prendre position sur ces enjeux, soit en participant à un débat ou en déterminant des façons d'agir pour résoudre l'enjeu. Pour ce faire, il est essentiel de s'appuyer sur des arguments clairs, élaborés à partir d'informations pertinentes. De plus, il est important de savoir reconnaître l'influence des messages diffusés par les médias sur sa propre opinion, de façon à exprimer une position nuancée.

Dans le manuel, cette compétence peut être développée dans les sections suivantes.
- La partie « Les enjeux » et ses sections « Points de vue sur l'enjeu », « Option débat » et « Pistes d'action »
- Les rubriques « Questions de point de vue » et « À la place de… »
- Les parties « Synthèse » et « Activités de synthèse »
- La partie « Option projet »
- La partie « Les clés de l'info »

Chapitre 1 L'ENVIRONNEMENT

L'environnement correspond à tout ce qui compose le milieu de vie de l'être humain. Il désigne autant les milieux social, économique et culturel que les composantes du milieu biophysique. Or, l'environnement est sans cesse modifié par les activités humaines.

Aujourd'hui, la communauté internationale reconnaît que de nombreux problèmes environnementaux, tels les changements climatiques, la désertification ou la pollution de l'eau et de l'air, affligent le monde contemporain. Ces problèmes, qui se manifestent tant à l'échelle locale que mondiale, résultent en bonne partie des modes d'utilisation et de consommation des ressources.

Dans la recherche de solutions aux problèmes environnementaux, le défi du monde d'aujourd'hui consiste à envisager un développement qui réponde aux besoins des sociétés actuelles sans compromettre la capacité des générations futures de répondre aux leurs. La gestion de l'environnement implique des choix économiques, politiques et sociaux. Ces choix appartiennent aux États, mais également aux différents intervenants (organisations, groupes sociaux et individus), qui font face à deux enjeux fondamentaux : d'une part, la recherche d'un équilibre entre l'utilisation et la consommation des ressources et la préservation de l'environnement ; d'autre part, l'harmonisation des normes environnementales.

« Nous n'héritons pas de la Terre de nos ancêtres, nous l'empruntons à nos enfants. »

Attribué à Antoine de Saint-Exupéry

SOMMAIRE

CONCEPTS

Concept central

▫ Développement durable

Concepts particuliers

▫ Consommation ▫ Dépendance ▫ Régulation ▫ Responsabilité

Concepts communs

▫ Interdépendance ▫ Mondialisation ▫ Pouvoir

Une mosaïque réalisée par Les Amis de la Terre à l'occasion de la Conférence des Nations Unies sur les changements climatiques qui s'est tenue à Montréal en 2005 (page précédente) ;

Une photographie infrarouge montrant la perte d'énergie liée à la combustion de l'essence dans les automobiles (à gauche) ;

Rencontre entre le président américain, Barack Obama, et le secrétaire général des Nations Unies, Ban Ki-moon, en mars 2009 à la Maison Blanche. Leurs discussions ont porté, entre autres, sur les changements climatiques (à droite).

LE PROBLÈME

Les choix économiques, politiques et sociaux dans la gestion de l'environnement

ÉTAT DES LIEUX

CONCEPTS
- Consommation
- Développement durable

1 Gérer l'environnement, une préoccupation mondiale

Selon le World Wildlife Fund (WWF), en 2005, la demande mondiale en ressources dépassait d'environ 30 % la capacité des écosystèmes à se renouveler et à absorber les pollutions. Si aucun changement majeur ne survient dans les choix de société, il faudra l'équivalent de deux planètes en 2030 pour satisfaire la demande de l'humanité en biens et en services.

La surexploitation des ressources entraîne des problèmes environnementaux qui mettent en péril les écosystèmes et le développement humain. Pour répondre aux besoins des habitants de la planète sans compromettre la capacité des générations futures de répondre aux leurs, il importe d'effectuer des choix économiques, politiques et sociaux guidés par le principe de développement durable.

1.1 L'avenir de la Terre

En 2008, environ 6,7 milliards d'individus vivaient sur la Terre. La population mondiale s'accroît rapidement, et ce, principalement dans les pays en développement. Selon les estimations de l'ONU, la planète comptera plus de 9 milliards d'individus en 2050. Or, la demande accrue de ressources qui accompagne cet essor démographique, combinée à la croissance économique, crée de fortes pressions sur l'environnement. Comme les ressources sont limitées, si tous les habitants de la Terre égalaient le niveau de consommation et utilisaient les modes de production des plus riches, la planète pourrait à peine subvenir aux besoins de quelque 600 millions de personnes.

Empreinte écologique
Indicateur qui mesure la surface productive terrestre nécessaire pour répondre aux besoins d'une population.

La pression exercée par les êtres humains sur l'environnement peut être mesurée grâce à l'empreinte écologique. Celle-ci correspond à la somme de toutes les terres, forêts et zones de pêche qui sont exploitées dans le but de produire la nourriture et les matières qu'utilise la population, de fournir l'espace pour les infrastructures et d'absorber les déchets.

1 La dégradation d'un récif corallien au large des îles Fidji

En 2000, Kofi Annan, alors secrétaire général de l'ONU, a commandé une étude en vue d'établir la base scientifique des actions à entreprendre pour restaurer et conserver l'environnement, et pour assurer l'utilisation durable des ressources. Publié en 2005 sous le titre l'*Évaluation des écosystèmes pour le millénaire*, le rapport d'étude réunit les contributions de plus de 1360 experts de près de 50 pays. Selon ce rapport, environ 60 % des écosystèmes sont dégradés ou utilisés de manière non durable. Cette détérioration pourrait s'aggraver de manière significative avant 2050, en raison de l'augmentation rapide de la demande en ressources, mais aussi à cause de la pollution croissante et des changements climatiques.

L'empreinte écologique dans le monde, en 2005

En 2005, l'empreinte écologique mondiale était de 2,7 hectares globaux par personne, alors que la surface productive totale de la Terre était de 2,1 hectares globaux par personne.

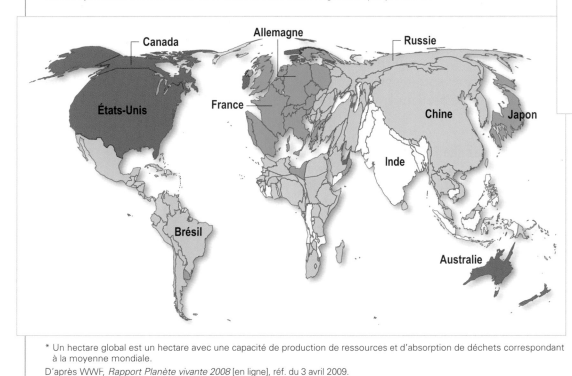

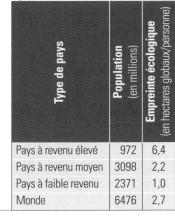

Hectares globaux*/ personne

■	9,5
■	6
■	4
■	2
□	1
□	0
□	Aucune donnée

2B **L'empreinte écologique par type de pays**

Type de pays	Population (en millions)	Empreinte écologique (en hectares globaux/personne)
Pays à revenu élevé	972	6,4
Pays à revenu moyen	3098	2,2
Pays à faible revenu	2371	1,0
Monde	6476	2,7

* Un hectare global est un hectare avec une capacité de production de ressources et d'absorption de déchets correspondant à la moyenne mondiale.
D'après WWF, *Rapport Planète vivante 2008* [en ligne], réf. du 3 avril 2009.

D'après WWF, *Rapport Planète vivante 2008* [en ligne], réf. du 3 avril 2009.

● **Quels pays exercent la plus forte pression sur l'environnement par habitant ? Selon vous, pourquoi ?**

1.2 Le bien-être des populations

La dégradation de l'environnement menace tous les aspects du bien-être humain, c'est-à-dire la capacité pour les individus de vivre le type de vie qu'ils ont choisi. Le bien-être inclut notamment la santé, l'accès aux moyens de combler ses besoins matériels ainsi que la sécurité.

Ainsi, selon les estimations de l'Organisation mondiale de la santé (OMS), chaque année près de 13 millions de décès dans le monde sont attribuables à des causes environnementales. La gestion non durable des ressources naturelles peut aussi mettre en péril les moyens de subsistance de plus de 1,3 milliard de personnes qui dépendent de la pêche, des forêts ou de l'agriculture (ce qui représente presque la moitié de tous les emplois mondiaux). Par ailleurs, les changements environnementaux, qui peuvent par exemple forcer des communautés à émigrer lors de catastrophes naturelles (ouragans, sécheresses, inondations, etc.), engendrent un sentiment d'insécurité et augmentent la vulnérabilité des populations. La raréfaction des ressources peut également donner lieu à des conflits entre des pays.

QUESTIONS d'interprétation   CD 1

1 Quelles sont les conséquences de la dégradation de l'environnement pour l'humanité ?

2 Quelles sont les conséquences de certains choix de société, en particulier la consommation de masse et la production de biens, sur l'environnement ?

2 Le développement durable : l'origine du concept

Au cours des années 1970 et 1980, la population prend peu à peu conscience de l'interdépendance entre l'environnement et le développement humain. Des découvertes scientifiques révèlent des problèmes environnementaux jusqu'alors pratiquement inconnus, tels le trou dans la couche d'ozone et les changements climatiques, qui font les manchettes des médias dans le monde entier. L'opinion mondiale prend conscience du fait que certains choix économiques entraînent la dégradation de l'environnement, ce qui nuit au bien-être des populations. C'est dans ce contexte que prend forme le concept de développement durable.

3 Une des nombreuses victimes de la catastrophe de Bhopal, en Inde

En 1984, une fuite de produit toxique dans une usine à Bhopal, en Inde, fait des milliers de morts et de blessés. Au cours des années 1980, une succession de catastrophes écologiques ayant un impact important sur la santé des populations vient modifier les rapports que les sociétés entretiennent avec l'environnement.

2.1 La Conférence des Nations Unies sur l'environnement humain

En 1972 a lieu à Stockholm, en Suède, la Conférence des Nations Unies sur l'environnement humain. Sous la devise « Une seule Terre », la rencontre rassemble près de 6000 personnes provenant de 113 pays. Pour la première fois, la protection de l'environnement est à l'ordre du jour des préoccupations internationales, alors que les États acceptent de jouer un rôle de premier plan en matière de gestion de l'environnement.

Cette conférence jette les bases d'un nouveau modèle de développement économique qui tiendra compte des dimensions sociale et environnementale. Ce nouveau modèle découle de deux principaux constats : l'important écart de richesse entre l'hémisphère nord et l'hémisphère sud, et la dégradation de l'environnement.

Les participants adoptent une déclaration de 26 principes destinés à orienter les choix des États et des populations en matière de développement et d'environnement. Ces principes insistent en particulier sur l'importance de la coopération entre tous les pays pour gérer l'environnement. Ils soulignent également le devoir des États de s'assurer que les activités exercées sur leur territoire n'aient pas de répercussions sur l'environnement hors de leurs frontières.

PERSPECTIVE

Le Club de Rome

En 1968, une trentaine de scientifiques, économistes, gens d'affaires et politiciens fondent le Club de Rome, une organisation internationale non gouvernementale qui se penche sur les problèmes auxquels l'humanité se trouve confrontée. Dans un monde où les pays sont de plus en plus dépendants les uns des autres, le Club de Rome est la première organisation qui se préoccupe des conséquences à long terme de la croissance planétaire.

En 1972, le Club publie *Halte à la croissance ?*, un rapport-choc qui vise à sensibiliser les décideurs politiques et l'opinion mondiale aux conséquences, pour l'avenir de la Terre, de la croissance économique et démographique soutenue. Jugeant le développement économique incompatible avec la préservation de l'environnement, les auteurs tirent des conclusions alarmistes et prônent la croissance zéro, ce qui soulève la controverse. Quoi qu'il en soit, le rapport du Club de Rome aura une influence majeure dans la réflexion qui va mener à l'établissement du concept de développement durable.

Pourquoi les conclusions du rapport *Halte à la croissance* ont-elles déclenché une controverse ?

2.2 La Commission mondiale sur l'environnement et le développement

En 1983, l'Assemblée générale des Nations Unies met sur pied la Commission mondiale sur l'environnement et le développement. Celle-ci a pour mandat de recommander à la communauté internationale des moyens pour préserver l'environnement tout en prenant en considération l'inter-dépendance entre environnement et développement. Dans son rapport, publié en 1987 et intitulé *Notre avenir à tous*, la Commission définit le concept de développement durable tel qu'il est connu aujourd'hui.

Plus de 20 ans plus tard, le développement durable est devenu un concept à la mode. Que ce soit pour justifier des choix économiques, politiques ou sociaux, de nombreux décideurs n'hésitent pas à s'appuyer sur les trois piliers du développement durable. Malgré tout, ce concept demeure relativement flou et difficile à appliquer.

4 **Les trois piliers du développement durable**

Le développement durable vise à trouver un équilibre à long terme entre trois éléments : l'efficacité économique, le respect de l'environnement et la solidarité sociale.

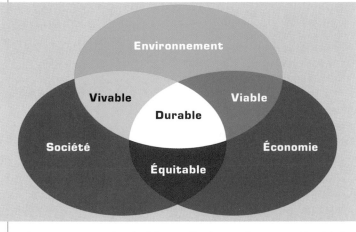

• Le commerce équitable est-il nécessairement durable ?

Brève culturelle

Notre avenir à tous

Paru en 1987, le rapport de la Commission mondiale sur l'environnement et le développement a exercé une grande influence à long terme, grâce à sa définition du développement durable : un développement qui répond aux besoins du présent sans compromettre la capacité des générations futures de répondre aux leurs. Ce rapport est également connu sous le nom de « rapport Brundtland », du nom de la présidente de la Commission, Mme Gro Harlem Brundtland, alors première ministre de Norvège.

> « La Commission est persuadée que l'humanité peut créer un avenir plus prospère, plus juste, plus sûr. [...] Nous envisageons [...] la possibilité d'une nouvelle ère de croissance économique, s'appuyant sur des politiques qui protégeraient, voire mettraient en valeur la base même des ressources. Nous estimons que cette croissance est absolument indispensable pour soulager la misère qui ne fait que s'intensifier dans une bonne partie du monde en développement.
>
> Mais l'espoir que la Commission place en l'avenir est conditionné par la prise immédiate de mesures politiques décisives pour commencer à gérer les ressources de l'environnement de manière à assurer un progrès durable et à garantir la survie de l'humanité. »

Commission mondiale sur l'environnement et le développement, *Notre avenir à tous*, Éditions du Fleuve, Les Publications du Québec, 1988.

• Quelle importance le rapport Bruntland accorde-t-il aux choix politiques pour atteindre le développement durable ?

QUESTIONS d'interprétation   CD 1

1 De quels constats découle le concept de développement durable ?

2 Selon vous, que signifie la devise « Une seule Terre », de la conférence des Nations Unies sur l'environnement humain ?

3 Quels sont les principaux événements qui ont mené à la formation du concept de développement durable ?

Norme environnementale
Règle, principe, mesure spécifique, directive ou standard destiné à uniformiser des méthodes ou des moyens d'action dans un souci de protection de l'environnement.

Accord international
(ou multilatéral) Accord conclu entre plusieurs États.

Organisation internationale
Organisation fondée en vertu d'un traité ou d'un accord intergouvernemental, et qui rassemble des représentants des gouvernements nationaux.

3 Les États, des acteurs clés dans la gestion de l'environnement

Bien que la gestion durable de l'environnement implique la participation de tous les acteurs de la société, le rôle des États dans ce domaine demeure déterminant. Les choix de ces derniers reposent en bonne partie sur les valeurs et les habitudes de consommation des membres de la société.

Ce sont principalement les États qui assurent la régulation environnementale, en mettant en place des **normes environnementales** ainsi que des mécanismes de gestion. Les actions qu'ils entreprennent sont souvent établies sur la base d'**accords internationaux**.

3.1 La régulation environnementale

Les choix des États se traduisent notamment par l'élaboration de politiques, de même que par l'adoption de lois et de règlements relatifs à la gestion de l'environnement. La législation peut, par exemple, préciser des normes pour les émissions de polluants, prévoir une procédure pour évaluer les impacts de divers projets sur l'environnement, établir des modalités pour protéger des espèces menacées ou vulnérables, etc. Les États ont aussi la responsabilité de s'assurer que les entreprises et les individus respectent les lois et les règlements.

Les normes environnementales varient considérablement d'un pays à l'autre. La plupart des pays industrialisés se sont dotés de normes sévères pour garantir la protection de l'environnement, notamment en ce qui regarde la lutte contre la pollution. Dans les pays en développement, ces normes s'avèrent généralement moins contraignantes, voire parfois inexistantes.

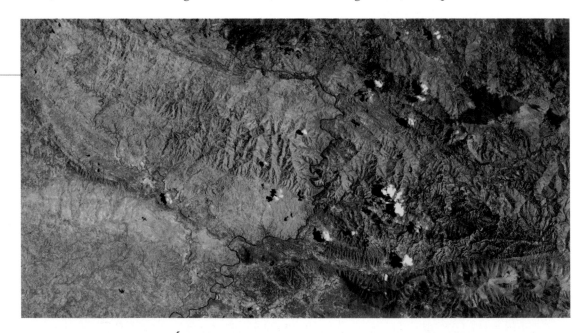

5 Haïti et la République dominicaine : une différence marquée dans la gestion de la forêt

Sur cette image satellite, la frontière entre Haïti et la République dominicaine est reconnaissable à l'état du couvert forestier. L'absence d'une véritable politique environnementale en Haïti a entraîné la surexploitation du bois et la dégradation de l'environnement.

● En quoi les choix politiques sont-ils responsables de la déforestation en Haïti ?

3.2 L'implication des États dans les organisations internationales

Les États établissent leurs propres normes environnementales. Toutefois, afin que la gestion de l'environnement soit abordée dans un esprit de coopération entre tous les pays, des **organisations internationales** coordonnent les actions impliquant plusieurs États. Elles n'ont cependant pas le mandat d'arbitrer les conflits de nature environnementale entre les pays.

On compte un grand nombre d'organisations internationales. Certaines, comme le Programme des Nations Unies pour l'environnement (PNUE), jouent un rôle à l'échelle planétaire, alors que d'autres, telle l'Agence européenne sur l'environnement (AEE), interviennent au niveau régional.

Sur le plan international, l'ONU a organisé depuis le début des années 1970 plusieurs conférences sur l'environnement. L'une des plus marquantes a eu lieu en 1992 à Rio de Janeiro, au Brésil. Il s'agit du premier Sommet de la Terre, aussi appelé Conférence des Nations Unies sur l'environnement et le développement (CNUED). Cette rencontre, qui réunissait des représentants de 173 États et un grand nombre d'**organisations non gouvernementales (ONG)**, visait principalement à proposer des actions concrètes pour appliquer les principes du développement durable.

> **Organisation non gouvernementale (ONG)**
> Organisation sans but lucratif, généralement présente sur la scène internationale, et qui ne relève ni d'un État ni d'une organisation internationale.

6 **Un extrait des 27 principes de la Déclaration de Rio**

La Déclaration de Rio sur l'environnement et le développement a été adoptée par les chefs d'État présents au Sommet de la Terre. Elle définit les priorités à l'échelle internationale en matière de développement durable. L'extrait suivant est une synthèse de quelques principes de cette déclaration.

« • Les États, qui doivent coopérer de bonne foi (27)*, ont le droit souverain d'exploiter leurs ressources sans nuire aux autres États (2) qu'ils doivent avertir de toute catastrophe (18) ou activités dangereuses pouvant les affecter (19).

• La protection de l'environnement est partie intégrante du processus de développement (4); elle est conditionnée par la lutte contre la pauvreté (5) et concerne tous les pays (6) selon des responsabilités communes mais différenciées (7). Les modes de production et de consommation non viables (*non durables*) doivent être éliminés (8) au profit de ceux qui seraient viables [et] dont la diffusion doit être favorisée (9). »

* Les chiffres entre parenthèses renvoient aux principes énoncés dans la Déclaration de Rio.
Agora 21, *Les 27 principes de la Déclaration de Rio* [en ligne], réf. du 22 avril 2009.

• Quel est le rôle des États, selon cette déclaration ?

Brève culturelle

Action 21

Adoptée lors du Sommet de la Terre de Rio en 1992, l'Action 21, aussi appelée « Agenda 21 », est un programme global d'actions à entreprendre pour parvenir à un développement durable au XXIe siècle. Ce programme contient 2500 recommandations réparties en 40 chapitres traitant des problématiques du développement social et économique, de la protection de l'environnement, de la gestion des ressources et de la participation de la société civile au processus décisionnel. Par exemple, le chapitre 25 précise que les jeunes doivent prendre part aux décisions touchant les questions environnementales, et que les États doivent créer des lieux de rencontre où ils pourront être entendus.

Aujourd'hui, un peu partout dans le monde, plusieurs initiatives en faveur du développement durable découlent d'Action 21. Par exemple, les conférences Tunza des enfants visent à informer les jeunes des questions environnementales et des moyens d'action qui s'offrent à eux. Ces conférences sont organisées par le PNUE, en collaboration avec d'autres organismes.

Un groupe de jeunes lors de la cérémonie d'ouverture de la conférence internationale Tunza des enfants sur l'environnement, en Norvège

En 2008, une conférence Tunza a réuni en Norvège des jeunes de partout dans le monde.

3.3 Les accords internationaux

Les États ont le pouvoir de signer des accords visant à accroître la protection ou à promouvoir la qualité de l'environnement sur le plan mondial. Ces engagements auprès de la communauté internationale prennent généralement la forme de conventions ou de protocoles. Les protocoles se présentent habituellement comme des compléments aux dispositions générales des conventions. Il existe plus de 500 accords internationaux sur l'environnement, dont environ 300 à caractère régional.

7 La désertification dans le nord de la Chine

La Convention des Nations Unies contre la désertification fait suite à l'engagement de la communauté internationale, lors du Sommet de Rio de 1992, de lutter contre ce fléau qui représente l'un des plus grands défis environnementaux du XXIᵉ siècle. Dans le cadre de cet accord, les pays touchés par la désertification doivent élaborer des plans d'action nationaux.

● **En quoi cette convention influence-t-elle les choix des pays touchés par la désertification ?**

Un accord international entre en vigueur seulement lorsqu'un nombre suffisant de pays l'ont signé. Ce nombre, qui varie d'un accord à l'autre, est précisé dans le texte de l'accord. Il arrive qu'un accord soit adopté par un pays, mais non ratifié. C'est le cas du protocole de Kyōto (1997), que les États-Unis et l'Australie ont adopté, mais qu'ils n'ont pas ratifié. En ratifiant un accord, les États s'engagent à respecter toutes les recommandations qu'il contient, ce qui peut se traduire par l'élaboration de nouvelles lois nationales.

8 Les principaux accords internationaux en environnement

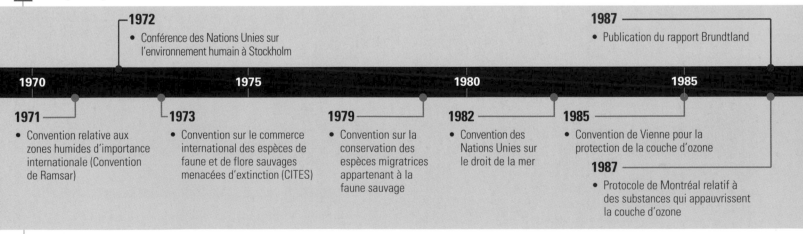

1972
● Conférence des Nations Unies sur l'environnement humain à Stockholm

1987
● Publication du rapport Brundtland

1970   1975   1980   1985

1971
● Convention relative aux zones humides d'importance internationale (Convention de Ramsar)

1973
● Convention sur le commerce international des espèces de faune et de flore sauvages menacées d'extinction (CITES)

1979
● Convention sur la conservation des espèces migratrices appartenant à la faune sauvage

1982
● Convention des Nations Unies sur le droit de la mer

1985
● Convention de Vienne pour la protection de la couche d'ozone

1987
● Protocole de Montréal relatif à des substances qui appauvrissent la couche d'ozone

D'après PNUE, *Global Environmental Agreements* [en ligne], réf. du 22 avril 2009.

● **Sur quelles problématiques ces accords portent-ils ?**

Brève culturelle

Le protocole de Kyōto

Signé en 1997, le protocole de Kyōto est un complément de la Convention-cadre des Nations Unies sur les changements climatiques. Cette convention, conclue à Rio en 1992, vise à stabiliser les concentrations de gaz à effet de serre dans l'atmosphère à un niveau qui limite le réchauffement mondial à moins de 2 °C.

Le protocole de Kyōto fixe des objectifs concrets de réduction des gaz à effet de serre pour une trentaine de pays industrialisés pour la période de 2008 à 2012. Les pays en développement, quant à eux, doivent faire l'inventaire de leurs émissions, mais n'ont pas l'obligation de les réduire. Ce protocole est entré en vigueur en 2005.

Les engagements du protocole de Kyōto, en 2008

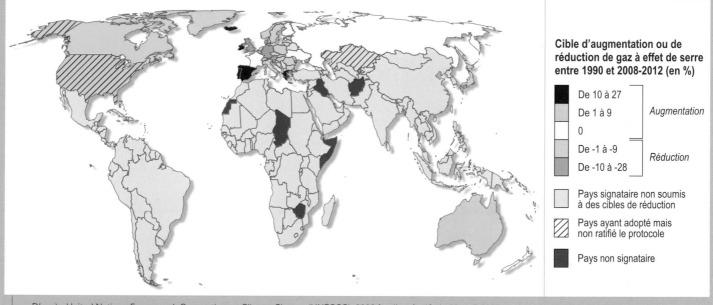

D'après United Nations Framework Convention on Climate Change (UNFCCC), 2009 [en ligne], réf. du 22 avril 2009.

Dans quelles régions du monde sont situés les pays qui doivent réduire leurs émissions de gaz à effet de serre ? Et ceux qui ne sont pas soumis à cette contrainte ? Selon vous, pourquoi ?

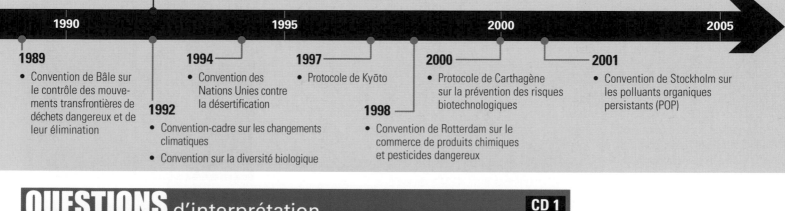

1992
• Sommet de la Terre à Rio de Janeiro

1990 — 1995 — 2000 — 2005

1989
• Convention de Bâle sur le contrôle des mouvements transfrontières de déchets dangereux et de leur élimination

1992
• Convention-cadre sur les changements climatiques
• Convention sur la diversité biologique

1994
• Convention des Nations Unies contre la désertification

1997
• Protocole de Kyōto

1998
• Convention de Rotterdam sur le commerce de produits chimiques et pesticides dangereux

2000
• Protocole de Carthagène sur la prévention des risques biotechnologiques

2001
• Convention de Stockholm sur les polluants organiques persistants (POP)

QUESTIONS d'interprétation   CD 1

1 Quelle est la responsabilité des États dans la gestion de l'environnement ?

2 Quelle est l'utilité de la régulation environnementale ?

3 Quel rôle les organisations internationales œuvrant en environnement jouent-elles ?

4 La gestion de l'environnement, une responsabilité partagée

La protection et l'amélioration de l'environnement ne reposent pas uniquement sur les choix des États. Elles exigent une participation et un partage de responsabilités entre les pays, les individus et les entreprises. Elles impliquent également d'autres intervenants, dont les groupes environnementaux.

VU D'ICI

Les groupes environnementaux, au Québec

Le Québec compte de nombreux groupes environnementaux. Près de 80 d'entre eux sont réunis au sein du Réseau québécois des groupes écologistes. Parmi les principaux groupes québécois se trouvent l'Association québécoise de lutte contre la pollution atmosphérique, la Coalition QuébecKyoto, Équiterre, la Fédération québécoise de la faune, Greenpeace et Nature Québec.

Réseau
Québécois des
Groupes
Écologistes

4.1 Les groupes environnementaux

Un grand nombre de groupes environnementaux se sont formés au cours des dernières décennies. Certains concentrent leurs activités dans une localité ou une région en particulier, tandis que d'autres ont une portée nationale ou internationale. D'autres encore ne s'intéressent qu'à une seule problématique (par exemple, les changements climatiques ou la protection de la faune sauvage) ou œuvrent à la protection de l'environnement en général. Tous ces groupes cherchent à influencer les choix politiques, économiques et sociaux des gouvernements, des individus et des entreprises en matière d'environnement. Plusieurs de ces groupes se définissent comme des organisations non gouvernementales (ONG). Parmi les plus connus figurent Greenpeace, les Amis de la Terre et le WWF. Les groupes environnementaux ont la possibilité de s'organiser en réseaux internationaux pour coordonner leurs actions. Par exemple, le Réseau action climat rassemble plus de 450 ONG préoccupées par les changements climatiques.

MÉDIAS

Les campagnes médiatiques

Les groupes environnementaux sont passés maîtres dans l'art de tirer parti des médias pour transmettre leur message. Outre les médias traditionnels (journaux, télévision, radio), ils se servent de plus en plus du réseau Internet pour mener leurs campagnes.

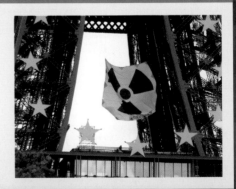

Un coup d'éclat de Greenpeace à Paris

En juillet 2008, des membres de Greenpeace ont suspendu une immense banderole affichant le symbole nucléaire sur la tour Eiffel, à Paris. Cette action avait pour but de dénoncer la position du président français, Nicolas Sarkozy, très favorable au nucléaire.

« Dans l'espoir que les pressions de l'opinion publique contribueront à faire changer les politiques, Greenpeace cherche à donner le plus de visibilité possible à ses activités en attirant l'attention des médias. [...] La réaction du public est très variée, allant d'un appui presque unanime lors des campagnes antinucléaires ou contre la chasse à la baleine, à une très forte opposition, surtout lorsqu'il s'agit d'enjeux plus locaux. »

Philip Dearden, « Greenpeace », *L'Encyclopédie canadienne* [en ligne], réf. du 7 avril 2009.

- Cherchez dans les médias un exemple d'une campagne médiatique lancée par un groupe environnemental.
- Qui organise cette campagne ? Quel est son but ?
- Les informations véhiculées sont-elles validées par d'autres sources ? La campagne fait-elle l'unanimité ? Pourquoi ?

4.2 Les individus

En tant que citoyens et consommateurs, les individus sont appelés à contribuer à la protection de l'environnement. Par leurs choix de consommation, les gens disposent d'un pouvoir économique. En tant que citoyens-électeurs, ils peuvent choisir ceux qui gouvernent et, par conséquent, influencer les choix politiques. Ils peuvent également adhérer à un groupe environnemental, militer au sein d'une de ces organisations, ou encore s'engager ponctuellement pour dénoncer des projets non respectueux de l'environnement.

D'ailleurs, certaines personnalités impliquées dans la protection de l'environnement profitent de leur popularité pour sensibiliser la population et les décideurs aux problématiques environnementales.

Brève culturelle

Une vérité qui dérange

Al Gore, ancien vice-président des États-Unis (1993-2001), est une figure politique bien connue aux États-Unis et ailleurs dans le monde. Son engagement dans la cause environnementale est au cœur du documentaire intitulé *Une vérité qui dérange (An Inconvenient Truth)*, réalisé par Davis Guggenheim en 2006.

Dans ce film, Al Gore fait la démonstration que la menace du réchauffement climatique sur la planète est réelle et qu'il est urgent d'agir. Selon Gore, les États-Unis ont tout ce dont ils ont besoin pour résoudre la crise climatique, sauf peut-être la volonté politique. « La vérité de la crise climatique dérange parce qu'elle signifie que nous allons devoir changer nos modes de vie. » Le film a remporté l'Oscar du meilleur documentaire en 2007.

Gore et le Groupe intergouvernemental d'experts sur l'évolution du climat (GIEC) ont remporté le prix Nobel de la paix en 2007 pour « leurs efforts afin de mettre en place et diffuser une meilleure compréhension du changement climatique causé par l'homme, et de jeter les bases des mesures nécessaires pour contrecarrer un tel changement ».

- Selon Al Gore, pourquoi la crise climatique dérange-t-elle ? En quoi les changements climatiques auront-ils une influence sur les choix de société ?

4.3 Les entreprises

Le secteur privé occupe une place de plus en plus importante dans les questions relatives à l'environnement. Le respect des normes environnementales signifie généralement des coûts d'exploitation additionnels pour les entreprises. Celles-ci sont néanmoins de plus en plus nombreuses à prendre l'initiative de mettre sur pied des programmes et des politiques internes afin de réduire l'impact de leurs activités sur l'environnement. Par ailleurs, plusieurs banques choisissent de financer uniquement des entreprises qui se préoccupent de protection environnementale et sociale.

QUESTIONS d'interprétation   CD 1

1 De quelle manière les groupes environnementaux interviennent-ils dans la gestion de l'environnement ?

2 Quels choix peuvent faire les citoyens pour protéger l'environnement ?

3 Comment les choix économiques et sociaux des individus, des entreprises et des groupes environnementaux peuvent-ils influencer les choix politiques des États ?

CONCEPTS
- Consommation □ Dépendance
- Interdépendance

1 Quelle est l'importance de la coopération internationale dans la gestion de l'environnement ?

Depuis la conférence de Stockholm en 1972, la communauté internationale reconnaît que la coopération entre tous les pays est essentielle pour faire face aux changements environnementaux.

1.1 La lutte contre la pollution

Les États doivent coopérer, car la pollution ne connaît pas les frontières. En effet, plusieurs polluants sont véhiculés par les vents dominants et les courants marins sur de grandes distances. Cette situation explique pourquoi la plupart des pays sont dépendants de la coopération internationale pour atteindre leurs propres objectifs nationaux en matière de gestion de l'environnement.

9 Le déplacement d'une tempête de poussières de l'Afrique vers l'océan Atlantique, le 6 mars 2004

Le processus de désertification peut entraîner la formation de poussières dans l'air, qui risquent de se transporter sur des milliers de kilomètres. Des scientifiques ont constaté que les tempêtes de poussières qui proviennent du Sahel en Afrique ont été associées à des problèmes respiratoires en Amérique du Nord et à la dégradation de récifs de coraux dans les Caraïbes.

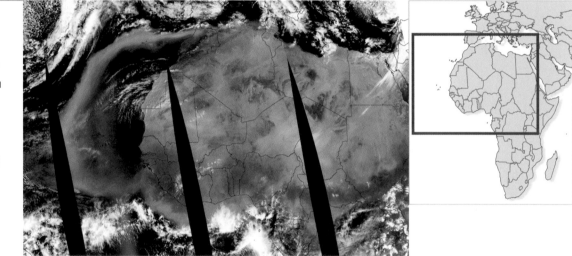

10 L'archipel de Tuvalu menacé par la hausse du niveau de la mer

Les petits États insulaires sont directement menacés par les conséquences de la hausse du niveau de la mer. Certains d'entre eux se sont regroupés au sein de l'Alliance des petits États insulaires (AOSIS) afin d'augmenter leur visibilité dans les négociations internationales liées aux changements climatiques.

« Notre environnement est en train de changer de manière tragique. Les anciens ont remarqué ces changements : des plages ont disparu, des îlots ont été recouverts, des récifs coralliens sont en train de disparaître et les cultures meurent à cause de l'intrusion de l'eau salée. Le dernier rapport du Groupe d'experts intergouvernemental sur l'évolution du climat (GIEC) a confirmé toutes ces observations et prévoit des conditions pires pour l'avenir. [...] Le Tuvalu fait face à un avenir incertain.

Alors que nous partageons la responsabilité de protéger notre environnement, les effets du changement climatique sont causés par les émissions libérées par des pays qui se trouvent à des milliers de kilomètres. Nous sommes à la merci de la communauté internationale. »

Apisai Ielemia [premier ministre du Tuvalu], « Le point de vue du Tuvalu sur le changement climatique », *Chronique de l'ONU* [en ligne], 2007, réf. du 9 avril 2009.

Pourquoi le premier ministre du Tuvalu est-il préoccupé par les choix en matière environnementale qui doivent être faits à des milliers de kilomètres de chez lui ?

1.2 L'inégalité dans la répartition des ressources

Ce sont les populations pauvres des pays en développement qui sont les plus touchées par la dégradation de l'environnement. Pourtant, ce sont les pays industrialisés qui, par leur mode d'utilisation et de consommation des ressources, notamment la consommation de masse, exercent le plus de pression sur l'environnement mondial. En outre, ces pays ont davantage de ressources techniques et financières pour faire face aux problèmes.

Le Fonds pour l'environnement mondial (FEM) est le principal organisme qui permet de financer des projets visant à améliorer l'état de l'environnement et à promouvoir le développement durable dans les pays en développement. Par exemple, le FEM a investi dans plus de 1600 aires protégées à travers le monde, soit une superficie de 300 millions d'hectares, ou l'équivalent de la Mongolie et du Groenland réunis. Il s'agit de la plus importante source de financement des zones protégées dans les pays en développement. Le FEM réunit 178 États membres qui travaillent en collaboration avec des organisations internationales, des ONG et le secteur privé. Son financement provient de pays donateurs, mais aussi d'autres partenaires tels des ONG et des entreprises.

11 **Les pays qui financent le FEM**

En 2006, les 32 pays donateurs se sont engagés à verser 3,13 milliards de dollars de 2006 à 2010 pour financer les activités du Fonds pour l'environnement mondial.

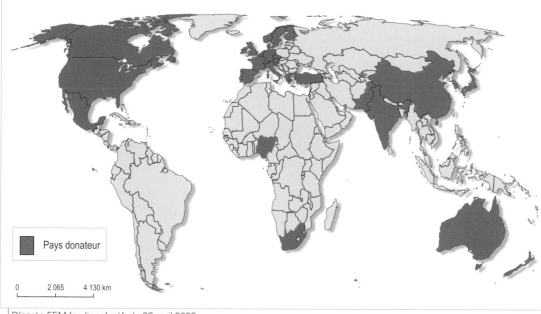

Pays donateur

0   2 065   4 130 km

D'après FEM [en ligne], réf. du 23 avril 2009.

• Dans quelle partie du monde sont situés les principaux pays donateurs ? Pourquoi ?

12 **Le financement du FEM, de 1991 à 2007**

De 1991 à 2007, le Fonds pour l'environnement mondial a financé près de 2200 projets dans 165 pays.

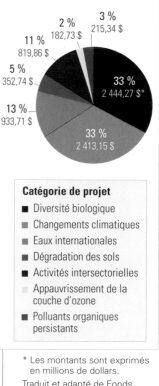

Catégorie de projet

■ Diversité biologique
■ Changements climatiques
■ Eaux internationales
■ Dégradation des sols
■ Activités intersectorielles
□ Appauvrissement de la couche d'ozone
■ Polluants organiques persistants

* Les montants sont exprimés en millions de dollars.

Traduit et adapté de Fonds pour l'environnement mondial, *Rapport annuel 2006-2007* [en ligne], réf. du 23 avril 2009.

• Quels types de projets le FEM finance-t-il le plus ? le moins ?

QUESTIONS d'interprétation   CD 1

1 Pourquoi la coopération internationale est-elle importante pour gérer l'environnement ?

2 En quoi le Fonds pour l'environnement mondial est-il un exemple de coopération internationale ?

2 Quelle est la portée des accords internationaux ?

Les accords internationaux sont des solutions à des problèmes environnementaux qui débordent les frontières d'un pays. Le choix d'un État d'adhérer à ces accords indique qu'il reconnaît l'importance de la coopération internationale en matière d'environnement. Ces accords contiennent essentiellement des objectifs généraux qui devraient se traduire partout à travers le monde par des actions concrètes.

2.1 Les difficultés de mise en œuvre des accords internationaux

En 2002, le rapport du Secrétariat général de la Commission du développement durable de l'ONU soulignait que les États n'ont pas réussi à atteindre les objectifs qu'ils s'étaient fixés à Rio en 1992. Dans certains domaines, la situation a même empiré : poursuite de la dégradation des sols et de la perte de biodiversité, croissance des émissions de gaz à effet de serre, détérioration des écosystèmes littoraux, etc.

En 2008, la situation n'était guère mieux. Par exemple, selon l'Union internationale pour la conservation de la nature (UICN), 12 % des espèces d'oiseaux, 21 % des mammifères, 30 % des amphibiens et un tiers des espèces de conifères sont menacés d'extinction mondiale. Ainsi, malgré l'adoption en 1992 de la Convention sur la diversité biologique, la biodiversité diminue au niveau mondial, et ce, notamment à cause de choix politiques inadéquats ou inexistants.

13 Le point de vue d'une ONG sur la mise en œuvre du développement durable

En 2002, l'ONU a organisé un autre Sommet de la Terre, le Sommet mondial pour le développement durable, à Johannesburg en Afrique du Sud, aussi appelé « Rio + 10 » en référence au Sommet de la Terre de 1992. Une centaine de chefs d'État et quelque 40 000 délégués se sont alors réunis pour faire le bilan des engagements internationaux pris depuis Rio. De nombreuses ONG ont pris part au débat.

« "Deux ingrédients clés ont fait cruellement défaut à la promotion d'un développement durable depuis la conférence de Rio : l'argent et la volonté politique des pays développés", a déclaré à une conférence de presse M. Furtado Marcelo, représentant de Greenpeace international. Il a regretté qu'Action 21 n'ait pas été mis en œuvre par ceux à qui cela incombait. De plus, les pays riches n'ont pas fait preuve de la volonté politique nécessaire à la réussite de ces objectifs. »

ONU, Conférence de presse des ONG et leur contribution aux débats sur le développement durable, dans le cadre du Sommet mondial pour le développement durable de Johannesburg [en ligne], 26 août 2002, réf. du 16 avril 2009.

- Quelles raisons soulève le représentant de Greenpeace pour expliquer la difficile mise en œuvre du développement durable ?

14 La difficile mise en œuvre de la Convention sur la diversité biologique

La mise en œuvre de la Convention sur la diversité biologique prend des formes différentes d'un pays à l'autre. Elle se traduit par des changements de comportements plutôt limités.

« Cette situation ne signifie pas que les États aient cyniquement adhéré à un traité (dont la grande majorité des clauses sont volontaires) auquel ils savaient qu'ils ne donneraient pas suite. Un défaut de mise en œuvre peut avoir d'autres causes, telles que des priorités politiques différentes (on ne met en œuvre que les aspects du traité qui nous conviennent), des capacités humaines et économiques limitées, l'ambiguïté du texte, l'absence d'instruments de suivi, la simple ignorance ou des rivalités bureaucratiques internes. »

Philippe Le Prestre, « La Convention sur la diversité biologique à un tournant », Le Devoir [en ligne], 6 septembre 2005, réf. du 16 avril 2009.

- Selon cet extrait, quels sont les obstacles à la mise en œuvre de la Convention sur la diversité biologique ?

2.2 La couche d'ozone : un exemple réussi de coopération internationale

En 1985, la découverte d'un « trou » dans la couche d'ozone au-dessus de l'Antarctique alerte la communauté internationale. L'amincissement de la couche d'ozone entraîne une augmentation des rayons ultraviolets qui atteignent la surface de la Terre. Ces rayons peuvent causer des problèmes de santé, dont des cancers de la peau. En 1987, 24 pays ont signé le protocole de Montréal, un accord international qui vise à éliminer les substances destructrices de l'ozone, dont les chlorofluorocarbures (CFC). Plus de 20 ans plus tard, les spécialistes estiment que le protocole de Montréal est un succès : 193 États l'ont adopté et ont mis en place des mesures pour éliminer la production de ces substances et, par conséquent, pour réduire leur concentration dans l'atmosphère.

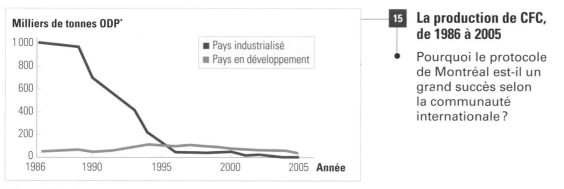

* Tonne ODP : unité de mesure du potentiel de destruction d'ozone.
Traduit et adapté de PNUE/GRID-Arendal [en ligne], 2008, réf. du 24 avril 2009.

15 La production de CFC, de 1986 à 2005

Pourquoi le protocole de Montréal est-il un grand succès selon la communauté internationale ?

16 Le trou dans la couche d'ozone, en 2007

Malgré les efforts consentis pour éliminer la production des substances destructrices de l'ozone, un trou dans la couche d'ozone est toujours visible. Si le protocole de Montréal est entièrement respecté, les scientifiques pensent que d'ici 2075 la couche d'ozone devrait retrouver son niveau d'avant 1980.

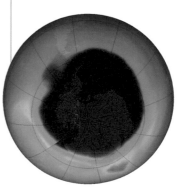

PERSPECTIVE

La pollution de l'eau des Grands Lacs

Dans les années 1960 et 1970, la pollution de l'eau des Grands Lacs a suscité beaucoup d'inquiétudes, certains médias affirmant même que le lac Érié était mort. Cette situation a amené le Canada et les États-Unis à signer, en 1972, un des premiers accords internationaux en environnement : l'Accord relatif à la qualité de l'eau dans les Grands Lacs (AQEGL). L'Accord a été révisé deux fois depuis sa signature, en 1978 et en 1987, afin de tenir compte de nouvelles préoccupations.

La communauté internationale considère cet accord comme un exemple de réussite de la coopération internationale en matière de gestion de l'environnement, car la qualité de l'eau des Grands Lacs s'est grandement améliorée à la suite des différentes mesures prises pour réglementer, contrôler et réduire la pollution. Par exemple, la pêche au doré, qui était interdite dans les années 1970 sur le lac Érié, est aujourd'hui la plus importante pêche de cette espèce dans le monde.

QUESTIONS d'interprétation   CD 1

1 Les accords internationaux en environnement permettent-ils d'atteindre le développement durable ? Justifiez votre réponse.

2 Quels choix devraient être faits pour assurer la mise en œuvre des accords internationaux ?

3 Qu'est-ce qui motive les choix en matière de gestion de l'environnement?

Bien que le bilan de la mise en œuvre des accords internationaux soit globalement négatif, il reste que depuis le début des années 1990, des États, des entreprises et des citoyens ont fait, selon leurs intérêts, des choix qui ont permis d'améliorer l'environnement.

3.1 Les États

L'engagement politique d'un État dans la mise en œuvre de moyens pour lutter contre un problème environnemental témoigne de l'importance qu'il accorde à ce problème. Il reflète également les valeurs de la société.

17 Le Niger lutte contre la désertification

Le phénomène de la désertification est très préoccupant pour le gouvernement nigérien. Le pays a une vocation agricole et les trois quarts de son territoire sont occupés par le désert, qui gagne six kilomètres chaque année. Les autorités ont donc lancé un plan national visant à remettre en valeur les terres touchées par la surexploitation et la déforestation. À terme, ce plan devrait assurer des apports en nourriture suffisants pour combler les besoins de la population, et ainsi éviter les crises alimentaires et les famines dans le pays.

• Pourquoi le Niger a-t-il fait le choix politique de lutter contre la désertification?

3.2 Les entreprises

Les entreprises ont l'obligation de respecter les lois environnementales. Il arrive aussi qu'elles adoptent des mesures volontaires plus sévères que ce qu'exige la loi. Leurs motivations sont diverses: nouvelles contraintes réglementaires prévisibles, diminution des coûts ou augmentation de la productivité, pressions du public, amélioration de l'image de l'entreprise, etc.

Ce sont surtout les grandes entreprises qui adoptent des mesures volontaires, car elles ont davantage de capacités humaines, technologiques et financières que les petites et moyennes entreprises (PME).

Un extrait des principes du Pacte mondial

Les mesures volontaires prises par les entreprises peuvent revêtir différentes formes. Par exemple, plusieurs entreprises adoptent des codes de conduite écologique, tel le Pacte mondial des Nations Unies. Cette initiative a été lancée en 1999 par l'ancien secrétaire général de l'ONU, Kofi Annan, lors du Forum économique mondial de Davos, en Suisse. Depuis, plus de 4700 entreprises dans le monde ont souscrit aux principes du Pacte mondial relatifs notamment aux droits de l'homme, aux normes du travail et à la protection de l'environnement.

« Droits de l'homme

1. Les entreprises sont invitées à promouvoir et à respecter la protection du droit international relatif aux droits de l'homme dans leur sphère d'influence ; et
2. À veiller à ce que leurs propres compagnies ne se rendent pas complices de violations des droits de l'homme.

Normes du travail

3. Les entreprises sont invitées à respecter la liberté d'association et à reconnaître le droit de négociation collective ;
4. L'élimination de toutes les formes de travail forcé ou obligatoire ;
5. L'abolition effective du travail des enfants ; et
6. L'élimination de la discrimination en matière d'emploi et de profession.

Environnement

7. Les entreprises sont invitées à appliquer l'approche de précaution face aux problèmes touchant l'environnement ;
8. À entreprendre des initiatives tendant à promouvoir une plus grande responsabilité en matière d'environnement ; et
9. À favoriser la mise au point et la diffusion de technologies respectueuses de l'environnement. »

ONU, *Le Pacte mondial* [en ligne], réf. du 24 avril 2009.

- En quoi les principes 1 à 9 du Pacte mondial reflètent-ils les trois composantes du développement durable ?

Un exemple d'engagement environnemental

La multinationale en alimentation Nestlé a fait le choix d'améliorer sa gestion environnementale.

« Quand il n'existe pas de législation [environnementale dans un pays], Nestlé applique ses propres normes. Ainsi, Nestlé investit systématiquement dans les stations d'épuration dans les pays en développement, même si la loi ne l'exige pas. En outre, près de 40 millions de francs [suisses] sont injectés annuellement dans la sensibilisation environnementale, la formation et les améliorations techniques. Le groupe incite aussi ses partenaires d'affaires à mettre en application des systèmes de gestion environnementale [...] pour leurs propres activités, ce qui permet de réduire considérablement l'empreinte environnementale à tous les stades de la production. »

Nestlé, « Nestlé et l'environnement : une culture d'entreprise » [en ligne], réf. du 17 avril 2009.

Le progrès environnemental de Nestlé, entre 1998 et 2007

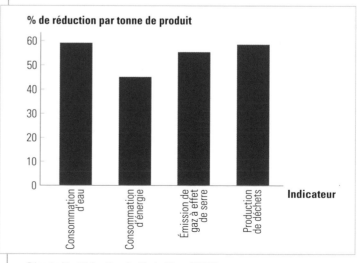

D'après Nestlé [en ligne], réf. du 17 avril 2009.

- Quels choix la compagnie Nestlé fait-elle par rapport à l'environnement ?
- Selon vous, quels avantages retire Nestlé de ces engagements ?

3.3 Les collectivités locales

En 2002, plus de 6500 collectivités locales avaient fait le choix de donner suite au programme Action 21 en élaborant un Agenda 21 local. Un Agenda 21 local s'établit à travers un partenariat entre divers acteurs, dont les élus municipaux et régionaux, des citoyens, des entreprises, des groupes environnementaux, des organismes communautaires et des experts. Il implique l'élaboration et la mise en œuvre d'un plan d'action à long terme. Ce plan doit traiter des enjeux locaux reconnus comme prioritaires par une collectivité pour mettre en œuvre un développement durable.

21 **Des exemples de raisons justifiant l'engagement d'une communauté dans une démarche d'Agenda 21 local**

Communauté (pays)	Raison
Herning (Danemark)	La municipalité voulait se doter d'une image de «municipalité verte».
Olympia (États-Unis)	Un groupe de pression écologique voulait mieux connaître l'impact des activités humaines.
Ilo (Pérou)	La population faisait des pressions pour obtenir de meilleures conditions de vie socioéconomiques.
Durban (Afrique du Sud)	Les acteurs socioéconomiques du milieu ont pris conscience de la nécessité d'améliorer la qualité de l'environnement pour attirer de nouvelles activités industrielles et commerciales.
Rufisque (Sénégal)	Des ONG et des représentants de la population locale aspiraient à une meilleure qualité de vie.
Tucson (États-Unis)	La ville voulait s'assurer une santé financière municipale à long terme.
Whyalla (Australie)	La municipalité voulait réduire la dépendance économique de la ville en stimulant la création d'emplois à partir des ressources locales.

Adapté de Vincent Roche (sous la direction de Christiane Gagnon), *Éléments d'argumentation en faveur de l'introduction des Agendas 21 locaux au Québec,* Projet en collaboration avec le RLLD, le GRIR-UQAC et GEIGER-UQÀM [en ligne], 2004, réf. du 19 avril 2009.

- Dans une communauté, quels acteurs prennent l'initiative d'élaborer un Agenda 21 local?
- Quelles sont leurs principales motivations?

VU D'ICI

L'Agenda 21 local de Baie-Saint-Paul

Au Québec, quelques municipalités, dont Baie-Saint-Paul, se sont engagées depuis le début des années 2000 dans une démarche d'Agenda 21 local.

En 2006, Baie-Saint-Paul a été la première ville du Québec à se doter d'un plan d'action dans le cadre d'un Agenda 21 local. Pour concevoir ce plan d'action, les responsables ont demandé à plus de 200 citoyens, quelle était leur conception de Baie-Saint-Paul, ville rêvée.

Cela a permis de dégager les grandes orientations pour l'Agenda 21 local de Baie-Saint-Paul, dont les suivantes: la protection et la valorisation du patrimoine culturel; l'accessibilité à la nature et la conservation d'un environnement sain et respectueux de la biodiversité; la solidarité, l'entraide et la participation citoyenne; le développement d'un modèle d'écoresponsabilité dans les domaines où la ville maîtrise la décision et l'action.

AGENDA 21 · Baie-Saint-Paul
VILLE D'ART ET DE PATRIMOINE

STRATÉGIE DE DÉVELOPPEMENT DURABLE
RÉSERVE MONDIALE DE LA BIOSPHÈRE DE CHARLEVOIX (UNESCO)

Ville de Baie-Saint-Paul, *Agenda 21 de Baie-Saint-Paul, Stratégie de développement durable* [en ligne], réf. du 27 avril 2009.

QUESTIONS d'interprétation   CD 1

1 Donnez des exemples de choix économiques, politiques et sociaux effectués par des acteurs dans le domaine de l'environnement.

2 Qu'est-ce qui motive les choix de ces acteurs?

4 Combien coûte la protection de l'environnement ?

Les coûts associés à la protection de l'environnement sont souvent invoqués par les États et les entreprises pour justifier leurs choix en matière d'environnement. Ces acteurs prennent toutefois rarement en considération les coûts à long terme liés à la dégradation de l'environnement. En effet, il peut paraître difficile de justifier les coûts immédiats de la protection de l'environnement, car les retombées bénéfiques de ces choix ne se manifestent souvent qu'à long terme. Pour citer l'ancien secrétaire général de l'ONU, Kofi Annan, « protéger l'environnement coûte cher, ne rien faire coûte encore plus cher ».

4.1 Protéger l'environnement coûte cher...

La gestion de l'environnement engendre des dépenses importantes. Les gouvernements doivent assumer les coûts associés à la régulation environnementale alors que les entreprises et les ménages doivent débourser des sommes parfois considérables pour se conformer aux normes environnementales.

Selon une étude de l'Institut français de l'environnement, le secteur public, les entreprises et les ménages de France ont dépensé 36,2 milliards d'euros en 2006 pour des activités liées à la prévention, à la réduction ou à la suppression des dégradations environnementales. Cette somme représente 2 % du produit intérieur brut (PIB) du pays. La plus grande part de ces dépenses a été consacrée à la gestion des eaux usées et des déchets.

22 **Les dépenses de protection de l'environnement des pays de l'Union européenne, en 2003**

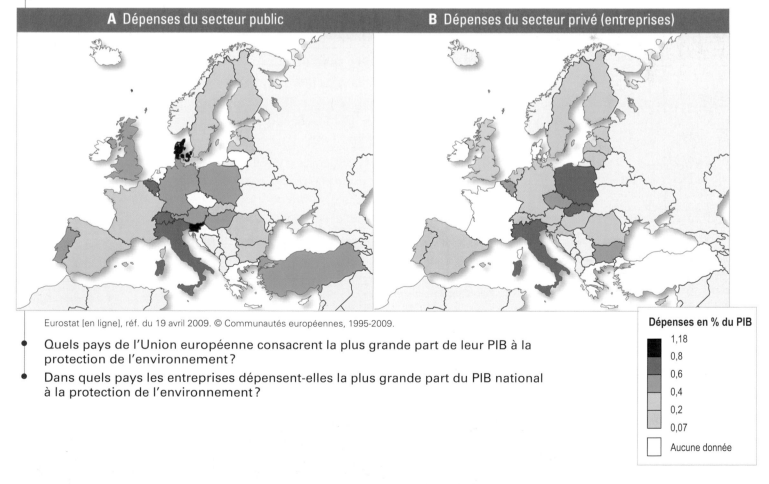

A Dépenses du secteur public   **B** Dépenses du secteur privé (entreprises)

Eurostat [en ligne], réf. du 19 avril 2009. © Communautés européennes, 1995-2009.

Dépenses en % du PIB
- 1,18
- 0,8
- 0,6
- 0,4
- 0,2
- 0,07
- Aucune donnée

- Quels pays de l'Union européenne consacrent la plus grande part de leur PIB à la protection de l'environnement ?
- Dans quels pays les entreprises dépensent-elles la plus grande part du PIB national à la protection de l'environnement ?

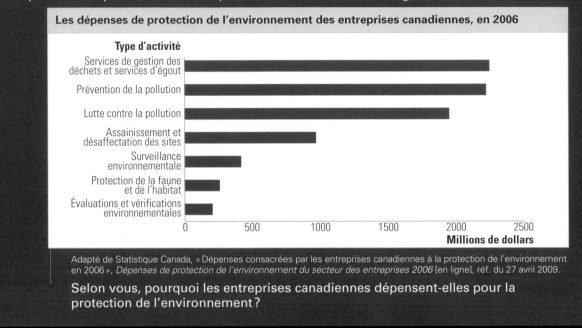
4.2 Ne rien faire coûte encore plus cher...

L'analyse des coûts ne doit pas seulement tenir compte des dépenses directes rattachées à la protection de l'environnement. Elle devrait inclure également les coûts sociaux, par exemple les problèmes de santé et les conséquences écologiques à moyen et long terme des dégradations environnementales.

Bien qu'elles soient difficiles à évaluer, les conséquences économiques associées à la perte des **services écologiques fournis par les écosystèmes** peuvent être importantes pour l'économie des pays. Globalement, la valeur de ces services est estimée entre 200 et 1000 dollars américains par hectare, annuellement.

> **Services écologiques fournis par les écosystèmes**
> Bienfaits que les êtres humains obtiennent des écosystèmes.

23 La pollinisation d'un caféier par une abeille

Selon l'Organisation des Nations Unies pour l'alimentation et l'agriculture (FAO), 70 % des cultures sont pollinisées par les abeilles, en particulier par les abeilles sauvages. Cette situation permet d'assurer le rendement et la qualité des productions et contribue aux moyens d'existence de nombreux agriculteurs dans le monde. Par exemple, selon une étude menée au Costa Rica, la pollinisation des caféiers par les abeilles sauvages augmente le rendement des plantations de café de 20 %. La valeur de ce service écologique est estimée à 361 $ US par hectare par an. Depuis plusieurs années, les populations d'abeilles sauvages diminuent de manière inquiétante à travers le monde à cause de l'intensification de l'agriculture, de la destruction de leur habitat naturel et de l'utilisation massive de pesticides.

- Quel est le coût écologique de la diminution des populations d'abeilles sauvages pour les producteurs de café ?

Plusieurs études démontrent que le coût global de l'inaction en matière de lutte contre les changements climatiques est considérable. Par exemple, le GIEC estime que le coût des dégâts attribuables aux changements climatiques pourrait atteindre de 1 % à 2 % du PIB dans les pays industrialisés, et de 4 % à 8 % dans les pays en développement, alors que le coût des mesures prises pour limiter le réchauffement à moins de 2 °C est estimé à 0,12 % du PIB mondial.

Brève culturelle

Le rapport Stern sur les aspects économiques des changements climatiques

À la demande du gouvernement britannique, un groupe d'experts de ce pays, sous la direction de Sir Nicholas Stern, l'ancien économiste en chef de la Banque mondiale, a publié en 2006 une étude sur le coût global des changements climatiques. Cette étude prévoit que le réchauffement climatique coûtera 7500 milliards de dollars à l'économie mondiale si aucune mesure politique draconienne n'est prise d'ici 10 ans. Elle estime que ces mesures coûteraient environ 1 % du PIB mondial annuel. Par contre, en l'absence de ces mesures, elle estime que le PIB mondial reculera de 5 % à 20 % par an.

Bien qu'ils s'entendent tous sur la nécessité de lutter contre le réchauffement climatique et sur l'existence des coûts associés à l'inaction en ce domaine, plusieurs grands économistes internationaux ont remis en question les résultats de cette étude, la qualifiant d'alarmiste. Ils considèrent notamment que ce rapport a surestimé les coûts des dommages potentiels liés aux changements climatiques.

Sir Nicholas Stern

Les changements climatiques ne constituent pas le seul problème environnemental ayant de lourdes conséquences économiques. Par exemple, la désertification cause chaque année dans le monde des pertes de revenu de l'ordre de 42 milliards de dollars américains, selon une étude de la Banque mondiale. Une étude financée par l'Union européenne estime pour sa part que la perte de biodiversité coûte déjà 50 milliards d'euros chaque année dans le monde.

QUESTIONS d'interprétation `CD 1`

1 Pourquoi la protection de l'environnement engendre-t-elle des coûts ?

2 Comment les considérations économiques sont-elles prises en compte dans les choix politiques associés à la gestion de l'environnement ?

3 Quelles sont les conséquences des choix associés à la gestion de l'environnement basés uniquement sur des préoccupations économiques ?

5 Quelles sont les conséquences de la mondialisation sur la gestion de l'environnement ?

Aujourd'hui, dans le contexte de la mondialisation, tous les pays sont interdépendants. La mondialisation a modifié l'organisation des activités économiques, politiques et sociales à travers le monde ainsi que les rapports de force entre les États, les organisations et les individus. Par conséquent, ce phénomène a un impact sur la qualité de l'environnement et sur les choix relatifs à sa gestion.

5.1 La dégradation de l'environnement

La croissance économique, avec l'augmentation de la population, est l'une des principales causes de la dégradation de l'environnement, car elle entraîne une plus grande pression sur les écosystèmes de même qu'une augmentation des émissions polluantes. Étant donné que la mondialisation stimule la croissance économique, elle est susceptible d'accentuer ce phénomène.

En effet, avec la mondialisation, les matières premières et les produits finis peuvent être transportés sur de longues distances. Par exemple, le bois coupé dans un pays peut être transformé dans un autre pays, pour finalement être vendu à un consommateur dans un troisième pays. Comme le secteur des transports est celui qui contribue le plus aux émissions de gaz à effet de serre, le transport sur une si longue distance a un coût environnemental important.

24 La déforestation, en Indonésie

L'image satellite de 2002 montre une plantation de palmiers à huile dans la province de Papouasie occidentale, en Indonésie. L'image de 1990 montre le même territoire, 12 ans auparavant. L'Indonésie est depuis peu le premier producteur mondial d'huile de palme. L'huile de palme entre dans la composition de nombreux produits alimentaires ou cosmétiques (biscuits, soupes, savons, etc.). Pour répondre à la forte croissance de la demande mondiale d'huile de palme, l'Indonésie, comme d'autres pays en développement, a choisi de convertir de grandes superficies forestières en plantations de palmiers à huile. En plus de détruire les forêts tropicales, ces plantations menacent d'extinction des espèces végétales et animales, comme l'orang-outan.

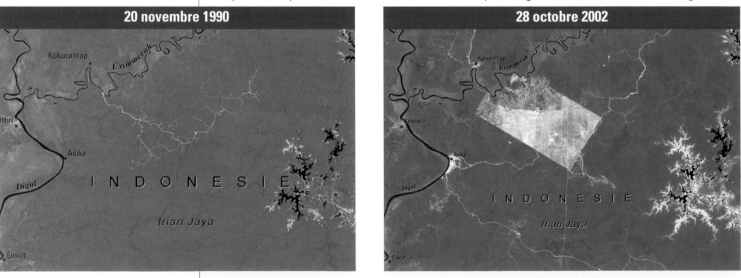

Quel choix a fait l'Indonésie pour répondre aux besoins mondiaux en huile de palme ? Quelles sont les conséquences de ce choix sur l'environnement ? Peut-on affirmer que ces conséquences sont liées à la mondialisation ? Pourquoi ?

5.2 Les technologies de l'information et de la communication.

La mondialisation a entraîné des progrès rapides dans les technologies de l'information et de la communication. Grâce à Internet et à la messagerie électronique, les gouvernements, les autres décideurs et les citoyens ont accès facilement à un grand nombre d'informations qui leur permettent de prendre des décisions mieux éclairées en matière d'environnement et, par conséquent, de mieux gérer celui-ci.

25 **Des déchets électroniques dans un dépotoir, au Ghana**

La croissance rapide des technologies de l'information et de la communication engendre aussi des problèmes. On estime que 50 millions de tonnes de déchets électroniques chargés de matériaux toxiques sont produites chaque année, quand les consommateurs remplacent leur matériel électronique comme les ordinateurs ou les téléphones portables par des modèles plus récents.

● Quelles sont les conséquences des progrès rapides dans les technologies de l'information et de la communication sur les choix relatifs à la gestion de l'environnement?

5.3 La régulation environnementale

À l'heure de la mondialisation, les normes environnementales peuvent être considérées comme un frein aux échanges économiques entre les pays.

Pour inciter des entreprises étrangères à venir s'installer sur leur territoire, certains gouvernements décident d'imposer des normes moins sévères. Des multinationales peuvent ainsi être tentées de délocaliser une partie de leur production vers des pays où les normes sont moins strictes. Selon l'**OCDE**, cette stratégie est toutefois peu répandue, car le niveau de normes environnementales n'est pas un facteur déterminant pour les entreprises dans leur choix d'implantation.

26 **La paralysie réglementaire**

Il arrive qu'un gouvernement refuse d'adopter des normes environnementales contraignantes par crainte de nuire à la compétitivité des entreprises de son pays.

« [...] en 1992, la Commission européenne a présenté une proposition de taxation du dioxyde de carbone. Cette proposition était subordonnée à l'adoption de taxes similaires par les principaux partenaires commerciaux de l'Union européenne. Toutefois, les initiatives prises à cet effet, aux États-Unis, en Australie, ou au Japon, ont été combattues, avec succès, par les représentants des industriels qui ont soutenu que cette mesure nuirait à leur compétitivité par rapport aux pays ne prenant pas part à l'initiative (**pays émergents** notamment). En définitive, la proposition a été retirée. »

Serge Lepeltier, « Mondialisation : une chance pour l'environnement ? », *Rapport d'information n° 233 (2003-2004) fait au nom de la délégation du Sénat pour la planification* [en ligne], déposé le 3 mars 2004, réf. du 22 avril 2009.

> **OCDE** Acronyme pour Organisation de coopération et de développement économiques. L'organisme regroupe les gouvernements de 30 pays attachés aux principes de la démocratie et de l'économie de marché.
>
> **Pays émergent** Pays dont le PIB par habitant est inférieur à celui des pays développés, mais qui connaît une importante croissance économique. Il en résulte une amélioration du niveau de vie de sa population et de ses infrastructures, qui se rapprochent de ceux des pays développés.

● Selon vous, quel rapport de force existe-t-il entre les États et les entreprises ? Entre les États entre eux ?

La mondialisation peut aussi inciter les gouvernements à relever leurs normes environnementales pour avoir accès aux marchés d'autres pays où les normes sont plus sévères. Par exemple, la Corée du Sud a resserré les normes d'émissions polluantes pour son industrie automobile de manière qu'elles soient au même niveau que celles du Japon, des États-Unis et de l'Union européenne afin de pouvoir vendre ses voitures dans ces pays.

27 Une mine d'or de la multinationale Lihir en Papouasie-Nouvelle-Guinée

L'exploitation d'une mine peut avoir un impact environnemental important. Par ailleurs, la législation dans ce domaine est souvent moins sévère dans les pays en développement que dans les pays développés. Même que dans certains pays en développement comme le Zimbabwe, l'Indonésie ou la Papouasie-Nouvelle-Guinée, l'industrie minière n'est soumise à pratiquement aucune réglementation. Ces pays utiliseraient cette situation pour attirer des compagnies minières étrangères. La législation environnementale n'est toutefois qu'un facteur parmi d'autres qui motivent les choix de localisation de ces entreprises.

• Comment la réglementation environnementale peut-elle expliquer le choix d'une compagnie minière de s'installer dans un pays plutôt que dans un autre ?

28 Les multinationales, des leaders en gestion environnementale ?

Les multinationales ont parfois plus de poids que les États pour imposer des normes à leurs sous-traitants des pays en développement.

« Alors qu'on les accusait d'investir dans les pays en développement pour profiter des réglementations environnementales laxistes – et d'être par conséquent responsables de nombreux problèmes environnementaux – les multinationales sont de plus en plus considérées comme des leaders de l'introduction de bonnes pratiques de gestion environnementale et de la diffusion de technologies sans danger pour l'environnement. [...] Cependant, leur gestion environnementale réelle dépend de l'âge des équipements, [...] de la réglementation en vigueur dans le pays d'accueil et de son application, de la disponibilité des technologies de prévention de la pollution, et enfin de leurs propres politiques environnementales mondiales. »

Daniel Chudnovsky, « Investir dans l'environnement », *Our Planet* [en ligne], 2003, réf. du 22 avril 2009.

• Quelles sont les conséquences de l'implantation de multinationales respectueuses de l'environnement dans les pays en développement ?

5.4 L'influence de la société civile

La demande de produits plus « verts » de la part des consommateurs des pays industrialisés peut encourager une multinationale à modifier ses modes de production dans des pays en développement, et ce, même si les gouvernements de ces nations n'exigent pas le respect de normes strictes.

Les consommateurs sont encouragés à changer leurs habitudes de consommation par les campagnes médiatiques des groupes environnementaux. Ils peuvent aussi choisir de le faire de leur propre gré.

29 **Le succès d'une campagne de Greenpeace**

Greenpeace veut empêcher la déforestation en Indonésie causée par la multiplication des plantations de palmiers à huile. En avril 2008, cette ONG a lancé une campagne pour faire pression sur le groupe Unilever, dont les produits Dove contiennent de l'huile de palme provenant des forêts indonésiennes. Unilever est le plus important utilisateur d'huile de palme du monde. Greenpeace a demandé que cette multinationale s'engage à ne pas développer de nouvelles plantations en Indonésie.

À la suite de cette campagne, Unilever s'est engagé à n'utiliser dans ses produits que de l'huile de palme durable d'ici 2015.

• Comment un groupe environnemental peut-il influer sur les choix d'une multinationale ?

30 **Une action du Rainforest Action Network à Boston, en avril 2007**

L'ONG américaine Rainforest Action Network est très active à travers le monde pour protéger les forêts tropicales. À la fin des années 1990, elle a mené avec succès une campagne d'opinion dans les médias pour qu'une multinationale américaine œuvrant dans le secteur des matériaux de construction cesse de vendre des produits fabriqués à partir de bois issu de forêts anciennes. Depuis les années 2000, elle travaille à convaincre les grandes banques du monde d'améliorer leurs politiques environnementales pour qu'elles cessent de financer des projets qui dégradent l'environnement.

QUESTIONS d'interprétation   CD 1

1 Quel lien pouvez-vous établir entre la mondialisation et la dégradation de l'environnement ?

2 Donnez des exemples des influences positive et négative de la mondialisation sur la gestion de l'environnement.

3 Dans le contexte de la mondialisation, comment les choix des consommateurs exercent-ils une influence sur ceux des multinationales en matière de gestion de l'environnement ?

6 Étude de cas : les changements climatiques

Les changements climatiques constituent l'un des principaux défis environnementaux auxquels feront face les sociétés partout sur la Terre au XXIe siècle. La coopération internationale est essentielle pour affronter ce problème. Tous les pays doivent faire un effort pour contrer le réchauffement planétaire. C'est le protocole de Kyōto qui encadre les choix relatifs à la lutte contre le changement climatique d'ici 2012.

6.1 Les positions sur le protocole de Kyōto

La mise en œuvre du protocole de Kyōto est très inégale à travers le monde, car les pays ont une marge de manœuvre nationale pour atteindre les objectifs qui y sont fixés.

6.1.1 L'Union européenne

Au niveau mondial, l'Union européenne est à l'avant-garde dans la lutte contre les changements climatiques. En 2005, elle a lancé le premier marché du carbone qui permet d'acheter et de vendre des droits d'émissions de dioxyde de carbone (CO_2), le Système européen d'échange de droits d'émissions de CO_2. Ce système fixe des limites obligatoires sur la quantité de CO_2 que les industries et les centrales électriques peuvent émettre. Les entreprises obtiennent un quota de crédits de carbone gratuits leur permettant d'émettre du CO_2 jusqu'à une limite établie. Si elles en émettent moins, elles peuvent revendre les crédits non utilisés, mais si elles dépassent la limite, elles doivent acquérir des crédits d'autres entreprises. Selon l'Union européenne, ce système devrait permettre de réduire, d'ici 2012, les émissions de 3,3 % par rapport à 1990.

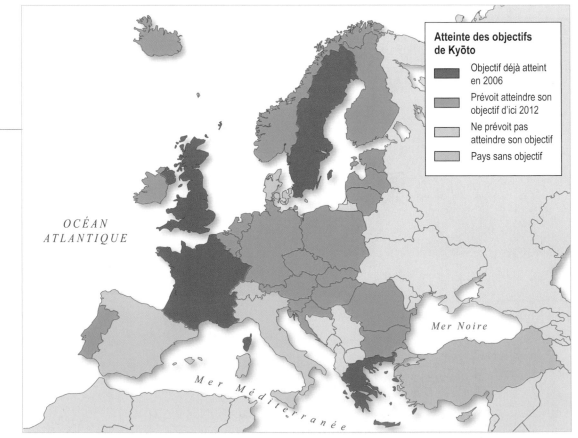

31 L'atteinte des objectifs du protocole de Kyōto en Europe

Les pays de l'Union européenne prévoient respecter leur engagement collectif de réduire de 8 % leurs émissions de gaz à effet de serre pendant la période 2008-2012 grâce à une combinaison de politiques nationales (promotion de l'électricité produite à partir des énergies renouvelables, des biocarburants dans les transports, etc.), et de crédits pour des projets qui réduisent les émissions dans les pays en développement.

D'après Agence européenne pour l'environnement (AEE) [en ligne], 2008, réf. du 22 avril 2009.

32 **La position européenne sur les changements climatiques et la croissance économique**

L'Union européenne (UE) s'inspire du rapport Stern (*voir* p. 23) pour justifier ses choix dans la lutte contre les changements climatiques.

« Une action appropriée dans le domaine du changement climatique serait en effet source de bénéfices considérables, y compris en termes de dommages évités. Ainsi, une réduction de l'utilisation des sources d'énergie fossiles (pétrole et gaz en particulier) permettra de diminuer les coûts liés à l'importation de ces ressources et renforcera de manière significative la sécurité des approvisionnements énergétiques. De même, la réduction des émissions de CO_2 contribuera à l'amélioration de la qualité de l'air, générant ainsi des gains énormes sur le plan de la santé. En outre, la plupart des études montrent que la politique de lutte contre le changement climatique aura des répercussions positives sur l'emploi, par exemple dans le domaine des énergies renouvelables ou des technologies de pointe. [...]

L'UE a déjà prouvé, par son action interne, qu'il était possible de réduire les émissions de gaz à effet de serre sans compromettre la croissance économique. »

Europa, « Stratégie sur le changement climatique : mesures de lutte jusqu'en 2020 et au-delà » [en ligne], 2007, réf. du 22 avril 2009.

Quels sont les avantages de limiter le réchauffement climatique, selon l'Union européenne ?

6.1.2 Les États-Unis et le Canada

Sous la présidence de Bill Clinton, les États-Unis s'étaient engagés à ratifier le protocole de Kyōto, mais en 2001, le nouveau président élu George W. Bush annonce que son pays ne le ratifiera pas. Bush considérait que ce protocole causerait un sérieux préjudice à l'économie américaine. Les États-Unis exigeaient également que certains pays en développement qui sont des pays émergents, comme l'Inde et la Chine, s'engagent à réduire leurs émissions de gaz à effet de serre.

Cette décision a mis en péril l'application du protocole, car, pour entrer en vigueur, il devait être ratifié par au moins 55 pays comptant pour au moins 55 % des émissions de gaz à effet de serre. Or, les États-Unis étaient le plus important émetteur de gaz à effet de serre, tandis que le deuxième, la Chine, n'avait pas l'obligation de réduire ses émissions. Sans la ratification surprise de la Russie en 2005, le protocole ne serait pas entré en vigueur.

33 **Des participants à la marche « Kyōto pour l'espoir », à Montréal, en 2007**

À l'occasion du Jour de la Terre, le 22 avril 2007, des milliers de personnes ont pris part à la marche « Kyōto pour l'espoir », à Montréal. Cet événement visait à dénoncer la politique environnementale du gouvernement de Stephen Harper.

34 **La position du gouvernement canadien sur le protocole de Kyōto**

Le Canada a ratifié le protocole de Kyōto en 2002 sous le règne libéral de Jean Chrétien. Le gouvernement conservateur de Stephen Harper a toutefois annoncé en 2007 qu'il ne pourra pas respecter l'engagement de réduire de 6 % ses émissions par rapport à 1990. Depuis, sa position n'a pas changé.

« Le ministre canadien de l'Environnement, John Baird, soutient que le respect intégral des objectifs que le Canada doit atteindre en vertu du protocole de Kyōto plongerait le pays dans une grave récession qui se traduirait par la perte de 275 000 emplois d'ici 2009.

Si le gouvernement devait agir de la sorte, a-t-il soutenu, les Canadiens subiraient de nombreux contrecoups. Par exemple :

– le PIB du pays chuterait de 4 % ;

– le prix de l'électricité augmenterait de 50 % ;

– le prix de l'essence à la pompe bondirait de 60 % ;

– le coût du chauffage d'une maison alimentée au gaz naturel doublerait ;

– et le revenu réel d'une famille de quatre diminuerait de 4000 $. »

« Un scénario catastrophe, selon John Baird », *Radio-Canada* [en ligne], 19 avril 2007, réf. du 22 avril 2009.

Quel argument invoque le Canada pour ne pas respecter ses objectifs qui ont été fixés dans le protocole de Kyōto ?

Le refus des gouvernements canadien et américain de respecter le protocole de Kyōto ne signifie pas que rien n'est fait dans ces pays pour lutter contre les changements climatiques. En 2002, le gouvernement américain a adopté un plan d'action qui prévoit réduire les émissions de gaz à effet de serre de 18 % en 10 ans. Ce plan est toutefois jugé insatisfaisant par les groupes environnementaux, notamment parce qu'il est moins contraignant que Kyōto.

Ces positions gouvernementales ont favorisé l'émergence d'initiatives aux niveaux régional et local. Par exemple, plusieurs États américains, comme le New Hampshire, le Massachusetts et la Californie, ont adopté leur propre plan d'action pour respecter Kyōto, alors que plus de 900 villes américaines regroupées au sein de la Conférence des maires se sont engagées à réduire leurs émissions de 7 % d'ici 2012.

35 La Western Climate Initiative

Créée en 2007, la Western Climate Initiative est un regroupement d'États américains et de provinces canadiennes dont le but est de mettre en place un marché nord-américain d'échange de crédits d'émissions de gaz à effet de serre, aussi appelé «bourse du carbone». Cette initiative vise à réduire les émissions de 15 % d'ici 2020 par rapport à 2005. Ce marché devrait débuter en 2012.

Légende :
- Partenaire
- Observateur

0   750 km

D'après Western Climate Initiative [en ligne], 2007, réf. du 22 avril 2009.

VU D'ICI

La position du gouvernement du Québec

Le 28 novembre 2007, les députés des trois formations politiques représentées à l'Assemblée nationale ont voté une motion qui réitère la position du Québec face aux changements climatiques :

«Que l'Assemblée nationale exprime son désaccord quant à la position du gouvernement canadien dans le dossier des changements climatiques; qu'elle réitère son appui au protocole de Kyōto et à sa mise en œuvre; et qu'elle affirme que le processus de négociation post-Kyōto doit se faire sous l'égide de l'ONU, doit comprendre des cibles contraignantes de réduction ou de limitation d'émissions de GES et doit mobiliser l'ensemble des pays dans la lutte contre les changements climatiques. »

Québec, ministère du Développement durable, de l'Environnement et des Parcs, «Motion sur les changements climatiques» [en ligne], 28 novembre 2007, réf. du 22 avril 2009.

Line Beauchamp, ministre du Développement durable, de l'Environnement et des Parcs.

6.1.3 Les pays en développement

Le G-77 regroupe les pays en développement comme la Chine et l'Inde qui ont ratifié le protocole de Kyōto mais qui n'ont pas l'obligation de réduire leurs émissions. Ces pays considèrent que ce sont les pays industrialisés qui doivent agir en priorité, car ce sont eux les responsables de l'augmentation des gaz à effet de serre dans l'atmosphère. De plus, ils ne veulent pas se faire imposer des contraintes, de peur que cela nuise à leur développement.

Le protocole de Kyōto prévoit que, en vertu du « mécanisme de développement propre », les pays industrialisés peuvent obtenir des crédits d'émissions s'ils financent des projets de réduction des gaz à effet de serre dans les pays en développement. Par exemple, une cimenterie française ayant l'obligation de réduire ses émissions pourrait payer une vieille cimenterie indienne pour effectuer la même réduction, mais à moindre coût. Ce mécanisme permet à la fois de réduire les émissions globales et de favoriser la croissance économique des pays en développement. En mai 2009, il existait plus de 1600 projets de ce type.

6.2 L'après-Kyōto

Chaque année, les représentants des États signataires de la Convention-cadre sur les changements climatiques et du protocole de Kyōto se rencontrent pour en faire le suivi. En 2005, la conférence des Nations Unies sur les changements climatiques a eu lieu à Montréal. Les participants se sont entendus sur la nécessité d'entamer des discussions pour élaborer une suite au protocole de Kyōto, dont l'échéance est prévue en 2012.

36 **Une mosaïque en faveur de l'application du protocole de Kyōto**

Le groupe environnemental Les Amis de la Terre a fait installer cette mosaïque de 50 mètres à l'occasion de la conférence de Montréal sur les changements climatiques, qui s'est tenue en novembre 2005.

6.2.1 La conférence de Bali (2007)

Pour éviter que les États se retrouvent sans cible de réduction des gaz à effet de serre après 2012, ils ont entamé en 2007 à Bali, en Indonésie, un cycle de négociations devant aboutir en décembre 2009 à l'adoption d'un nouvel accord à la conférence qui aura lieu à Copenhague, au Danemark. Ce délai est nécessaire afin que tous les pays puissent ratifier cet accord à temps. L'enjeu prioritaire de ces négociations est de fixer une nouvelle cible contraignante de réduction des gaz à effet de serre. Pour limiter le réchauffement climatique à moins de 2 °C, le rapport du GIEC recommande que les pays industrialisés réduisent leurs émissions de 25 % à 40 % d'ici 2020, et que l'ensemble des pays du monde les réduisent de 50 % d'ici 2050.

37 Des activistes déguisés en ours polaires lors de la conférence de Bali, en Indonésie, en 2007

La 13e conférence des Nations Unies sur les changements climatiques a réuni des représentants de 180 pays. Elle s'est terminée par une entente qualifiée par plusieurs de mitigée, car elle ne comprend aucune cible contraignante de réduction des gaz à effet de serre pouvant servir de base de négociation. L'entente se limite à souligner l'urgence d'agir et de prendre des actions appropriées.

Quels choix ont été faits à la conférence de Bali ? Selon vous, quelles sont les conséquences de ces choix ?

Les positions des différents pays du monde concernant l'après-Kyōto sont divergentes. L'Europe est le leader des négociations. En 2007, les 27 pays de l'Union européenne se sont engagés à réduire leurs émissions de 20 % d'ici 2020 et de 30 % si les États-Unis, la Chine et les autres importants émetteurs de gaz à effet de serre font de même. Le groupe des pays dits « parapluie », constitué principalement des États-Unis, du Japon, du Canada et de la Russie, refuse de suivre l'engagement européen et insiste pour que les pays en développement comme la Chine et l'Inde, qui connaissent une forte croissance économique, aient eux aussi des cibles contraignantes à respecter.

6.2.2   La conférence de Poznan (2008)

La conférence qui s'est tenue à Poznan, en Pologne, en décembre 2008 avait comme objectif de planifier l'après-Kyōto. Son bilan est mitigé. Les participants n'ont toujours pas réussi à s'entendre sur des engagements chiffrés de réduction des gaz à effet de serre. Toutefois, ils ont accepté de financer un fonds pour aider les pays en développement à s'adapter aux changements climatiques. Les pays en développement estiment toutefois que les 60 millions de dollars prévus seront insuffisants. Selon eux, des dizaines de milliards de dollars seraient nécessaires. Ils voudraient plutôt qu'une taxe de 2 % sur les transactions du marché du carbone soit mise en place, une demande remise à plus tard par les pays industrialisés. Par ailleurs, pour la première fois, cinq pays (Afrique du Sud, Brésil, Chine, Corée du Sud et Mexique), qui n'ont pas l'obligation de réduire leurs émissions en vertu du protocole de Kyōto, se sont montrés prêts à le faire, sans pour autant avancer de chiffres.

Plusieurs séances de négociations sont prévues en 2009 pour permettre l'adoption d'un accord à la fin de l'année. C'est un dossier à suivre...

38   Les positions à Poznan

Plus de 11 000 personnes venant de 190 pays ont participé à la conférence de Poznan en décembre 2008.

« C'est un long convoi en difficulté qui s'est arrêté à Poznan, en Pologne. [...]

À sa tête, la locomotive européenne, qui vient de se fixer de nouveaux objectifs chiffrés de réduction d'émissions. En queue du convoi, [...] il y avait jusqu'à présent le wagon américain qui refusait sous l'administration Bush tout engagement chiffré tant que les pays émergents n'y seraient pas contraints également. [...] l'équipe d'Obama devrait, de l'avis général, lui donner un coup d'accélérateur.

Entre ces deux extrémités, plusieurs wagons suivent en marche dispersée : ceux des pays en voie de développement, pour qui c'est aux pays industrialisés de réduire leurs émissions et de réparer leurs erreurs. Parmi eux, certains sont de gros émetteurs de CO_2 et commencent à parler de réductions d'émissions (Chine) ; certains sont beaucoup plus réticents à s'engager dans des engagements chiffrés (Inde) ; d'autres ne participent quasiment pas aux émissions mondiales mais sont les premiers concernés par les impacts du changement climatique et demandent des transferts de technologie ainsi que des appuis financiers pour les aider à combattre le réchauffement (pays d'Afrique). »

Lise Barnéoud, « Poznan : quel plan de route pour la planète ? », *Science Actualités* [en ligne], 19 décembre 2008, réf. du 22 avril 2009.

Selon vous, pourquoi les États n'ont pas réussi à s'entendre, à Poznan, sur des objectifs chiffrés de réduction des émissions ?

Brève culturelle

L'élection de Barack Obama

Élu en novembre 2008, le nouveau président des États-Unis suscite beaucoup d'espoir dans les milieux environnementaux à travers le monde. Il s'est engagé à faire de son pays un leader dans la lutte contre les changements climatiques et à faire prendre à l'économie américaine un virage vert. Lors de sa campagne électorale, il s'est notamment engagé à réduire de 80 % les émissions de gaz à effet de serre d'ici 2050.

Dès son arrivée au pouvoir, en janvier 2009, il a demandé à l'Agence de protection de l'environnement (EPA) d'arrêter de s'opposer à la décision de la Californie de soumettre l'industrie automobile à des normes d'émissions de gaz à effet de serre plus strictes que les normes nationales. En effet, sous l'administration de l'ancien président George W. Bush, l'EPA bloquait les efforts de la Californie.

Le 26 janvier 2009, le président Barack Obama a signé une série de décrets, dont un sur l'environnement .

39 | Le plan d'action de l'Union européenne (UE)

À Poznan, les dirigeants de l'Union européenne se sont mis d'accord sur un plan d'action qui pourrait servir d'exemple pour les négociations internationales.

« Le plan d'action adopté doit permettre à l'UE d'atteindre d'ici 2020 le triple objectif qu'elle s'était fixé en 2007 : réduire de 20 % les émissions de gaz à effet de serre par rapport à leurs niveaux de 1990, porter la part des énergies renouvelables à 20 % de la consommation et réaliser 20 % d'économies d'énergie.

L'Allemagne, l'Italie et la Pologne, les trois grands pays qui avaient brandi des menaces de veto au plan européen avant le sommet, ont finalement accepté le compromis.

Ils s'étaient particulièrement inquiétés des contraintes imposées par ce plan en pleine crise économique à leurs industriels [...] »

Catherine Triomphe, « Les dirigeants de l'UE s'entendent sur le plan climat », *Cyberpresse* [en ligne], 12 décembre 2008, réf. du 22 avril 2009.

- Pourquoi l'Allemagne, l'Italie et le Pologne ont-elles menacé de s'opposer au plan d'action de l'Union européenne ?

40 | 100 dirigeants de multinationales réclament un accord post-Kyōto

Les dirigeants de plus de 100 entreprises du monde entier font pression sur les gouvernements des pays développés afin qu'ils mettent en place un accord post-Kyōto.

« Les 100 exhortent les dirigeants politiques à se mettre d'accord sur "un objectif intermédiaire clair" tout en affirmant soutenir la mise en place de marchés d'échange de droits d'émissions de carbone.

Un nouvel accord "nous permettrait d'accélérer le lancement des investissements nécessaires et des stratégies de réduction d'émissions", font remarquer les PDG. "Un accord bien ficelé, déterminé par le marché dans les pays développés et permettant l'instauration d'un marché international au carbone, pourrait aider à attirer les fonds nécessaires", laissent-ils entrevoir. »

« 100 dirigeants de multinationales réclament un accord post-Kyoto », *Canoë* [en ligne], 20 juin 2008, réf. du 22 avril 2009.

- Quels sont les intérêts des entreprises qui réclament un nouvel accord sur le climat ?

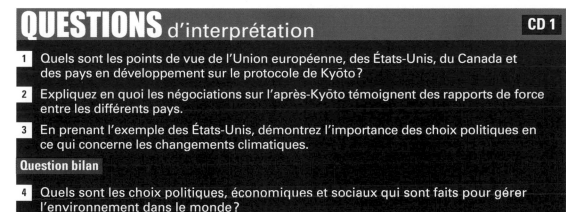

QUESTIONS d'interprétation   CD 1

1 Quels sont les points de vue de l'Union européenne, des États-Unis, du Canada et des pays en développement sur le protocole de Kyōto ?

2 Expliquez en quoi les négociations sur l'après-Kyōto témoignent des rapports de force entre les différents pays.

3 En prenant l'exemple des États-Unis, démontrez l'importance des choix politiques en ce qui concerne les changements climatiques.

Question bilan

4 Quels sont les choix politiques, économiques et sociaux qui sont faits pour gérer l'environnement dans le monde ?

ENJEU 1 — L'utilisation et la consommation des ressources

POINTS DE VUE SUR L'ENJEU

1 Comment concilier la gestion durable des ressources et le développement économique ?

Les ressources naturelles sont essentielles pour combler les besoins des êtres humains et développer leurs activités économiques. En effet, selon le PNUE, près de la moitié des emplois dans le monde étaient liés à la pêche, à la forêt et à l'agriculture en 2007. Si rien n'est fait pour réorienter l'exploitation des ressources naturelles selon une perspective de développement durable, ces emplois pourraient disparaître.

1.1 La consommation dans les pays industrialisés

L'accroissement de la population mondiale, combiné à l'utilisation et à la consommation non responsables des ressources, exerce une pression importante sur l'environnement. De nombreux groupes environnementaux prédisent même que ces pressions vont s'intensifier si les pays en développement adoptent le modèle de production et de consommation en vigueur dans les pays industrialisés.

Les populations des pays industrialisés consomment de nombreuses ressources pour se nourrir, s'éclairer, se déplacer, etc. C'est sans compter celles qu'utilisent les entreprises (eau, bois, pétrole, métaux) pour produire des biens de consommation. La croissance économique est indissociable de l'exploitation accrue des ressources naturelles, qui sont souvent non renouvelables. Cette situation entraîne une surexploitation des ressources de la planète.

PERSPECTIVE

La société de consommation

Au lendemain de la Seconde Guerre mondiale, les pays industrialisés entrent dans une ère de consommation de masse. La hausse des salaires, l'amélioration des conditions de travail, l'instauration de programmes sociaux et la généralisation de l'accès au crédit assurent à la population une sécurité financière et un pouvoir d'achat accru. Les entreprises investissent de plus en plus dans la publicité afin d'inciter les consommateurs à se procurer une foule de biens périssables.

La prolifération des produits de consommation, dont la fabrication nécessite des quantités toujours plus grandes de ressources, est entre autres à l'origine de la dégradation des écosystèmes. De plus, comme la majorité de ces nouveaux produits de masse a une « durée de vie » très courte, il s'ensuit des problèmes de gestion des déchets et de pollution.

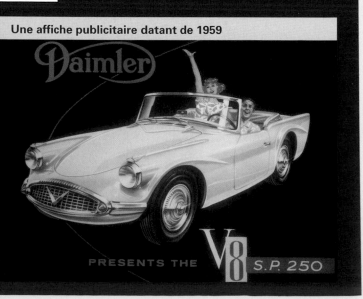

Une affiche publicitaire datant de 1959

De plus, la multiplication des activités industrielles entraîne une augmentation importante de la pollution. Par exemple, dans un contexte de mondialisation, l'augmentation des échanges entre les différentes régions du monde a pour effet de décupler les activités de transport, ce qui provoque en retour une hausse des émissions de dioxyde de carbone (CO_2), une des principales sources de gaz à effet de serre.

41 Les dépenses de consommation des ménages (en $ US), de 1988 à 2004

Année	États-Unis	Niger
1988	13 716,21	202,68
1990	15 382,80	245,41
1992	16 511,00	199,40
1994	18 026,73	136,64
1996	19 513,43	165,66
1998	21 313,81	159,04
2000	23 879,61	127,32
2002	25 490,60	141,91
2004	27 972,58	184,68

D'après Nationmaster.com, *Economic Statistics* [en ligne], réf. du 15 avril 2009.

- Comparez les dépenses de consommation aux États-Unis et au Niger : que pouvez-vous dire sur la consommation dans les pays développés ? Dans les pays en développement ?

42 Le moment estimé d'épuisement de certaines ressources

Si le rythme d'utilisation et de consommation actuel se maintient, certaines ressources naturelles non renouvelables pourraient s'épuiser dans les années à venir.

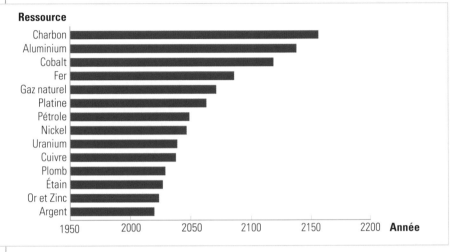

D'après *Science et vie*, Hors série, juin 2008.

- En quoi l'épuisement des ressources nuirait-il au développement économique ?

43 La nature : une aire d'extraction

Certains estiment que l'environnement devrait faire partie intégrante des stratégies économiques de production.

« En son état actuel, le système productiviste* traite la nature comme une simple aire d'extraction et un produit jetable de l'économie. L'enjeu tient à un renversement de perspective : intégrer l'économie aux limites de l'environnement et cesser de considérer la nature comme une source inépuisable de croissance économique. »

* Système qui prône la productivité.
Atlas du Monde diplomatique, 2008.

- Quelle est la solution mise de l'avant pour modifier la façon d'utiliser les ressources ?

44 Préserver les ressources naturelles

La mesure de l'empreinte écologique peut permettre d'évaluer les défis à relever pour atteindre le développement durable tout en contribuant au développement économique.

« Cet indice [l'empreinte écologique] montre que les modes d'exploitation, de production et de consommation dépassent de 30 % les capacités des ressources naturelles à se renouveler et à absorber les pollutions. Sans un changement de cap radical, cette surconsommation globale conduira à l'épuisement de la planète. [...] L'empreinte écologique montre les défis que les sociétés doivent résoudre pour préserver les ressources indispensables à la vie des générations présentes et futures. Pour transformer la croissance en développement durable. »

Anne-Marie Sacquet, *Atlas mondial du développement durable*, 2002.

- Comment l'empreinte écologique peut-elle servir à évaluer les défis en matière de consommation ?

1.2 Une consommation différente dans les pays en développement

La consommation de ressources diffère considérablement entre les pays industrialisés et les pays en développement. Un habitant d'un pays industrialisé consomme en moyenne 9 fois plus d'énergie, 6 fois plus de bœuf et de veau, 20 fois plus d'aluminium et 2 fois et demie plus de bois qu'un habitant d'un pays en développement. Par ailleurs, près de 800 millions de personnes vivant dans des pays en développement sont sous-alimentées.

Plus densément peuplés que les pays développés, les pays en développement profitent moins des ressources dont ils disposent. Désireux de bonifier leurs revenus, certains de ces pays cèdent des parties de leur territoire ou des droits d'exploitation des ressources à des entreprises de pays industrialisés. En agissant ainsi, ils ouvrent la porte à la surexploitation des ressources qui, si elles étaient gérées autrement, pourraient servir à améliorer les conditions de vie de leur population.

Par ailleurs, la diminution des ressources naturelles, l'instauration de normes peu exigeantes en matière d'environnement ainsi que certaines activités des multinationales engendrent de graves problèmes environnementaux, dont la dégradation de l'environnement, dans les pays en développement.

45 La consommation par classe de population, en 2005

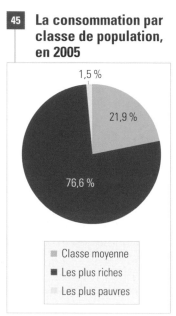

1,5 %
21,9 %
76,6 %

- Classe moyenne
- Les plus riches
- Les plus pauvres

Global Issues, *Consumption and Consumerism* [en ligne], septembre 2003, réf. du 15 avril 2009.

46 Une multinationale en Guinée

Des multinationales s'implantent dans des pays en développement où elles extraient les matières premières utilisées dans leur processus de production. Ainsi, la Compagnie des Bauxites de Guinée, détenue à 51 % par le consortium Halco Mining (qui regroupe la société américaine Alcoa et la canadienne Alcan) exploite la majorité des gisements de bauxite du pays. Vitale pour l'économie du pays, l'exploitation des mines est par ailleurs aussi source de graves problèmes environnementaux.

- Quelles sont les conséquences de la présence de multinationales dans les pays en développement ?

47 Une croissance globale et un développement mondial

Pour l'Agence canadienne de développement international (ACDI), les pays riches comme les pays pauvres doivent se préoccuper de l'environnement.

« Tous les pays doivent se concerter pour venir à bout des agressions qui menacent l'environnement mondial et de celles qui, à une échelle plus réduite, sapent les fondements du développement durable. Les pays industrialisés doivent réduire leur consommation et continuer à améliorer la gestion de leurs ressources naturelles. Les pays en développement continuent de rechercher des arrangements de coopération avec les pays mieux nantis pour pouvoir s'attaquer à leurs priorités en matière de développement durable. Chaque pays doit faire sa juste part, selon le principe de l'avantage et de l'obligation mutuels et à la mesure de ses capacités financières et techniques. »

ACDI, *La politique environnementale de l'ACDI en matière de développement durable* [en ligne], dernière mise à jour 2006, réf. du 15 avril 2009.

● Comment les pays industrialisés peuvent-ils atteindre leurs objectifs de développement durable ? Les pays en développement ?

48 Pour un développement durable dans les pays en développement

Selon la Banque mondiale, le développement économique dans les pays en développement va de pair avec une gestion durable des ressources naturelles.

« Le débat consistant à distinguer développement et durabilité environnementale et sociale est manifestement clos : les deux aspects sont indissociables. Dans la réalité des choses, les ressources naturelles constituent pour beaucoup de pays en développement un facteur de croissance (forêts, services afférents aux écosystèmes) et de réduction de la pauvreté. Mais si les pays n'en font pas un usage approprié, leurs perspectives de croissance s'en trouveront compromises. »

Banque mondiale, *Actualités Médias*, « Développement durable » [en ligne], 2009, réf. du 6 avril 2009.

● Pourquoi les pays en développement doivent-ils se préoccuper de la gestion durable des ressources ?

49 La population et la consommation en hausse dans les pays émergents

L'intensification des activités commerciales dans les pays émergents (comme la Chine et l'Inde), combinée à la croissance rapide de la population, exerce une pression accrue sur les ressources naturelles et l'environnement.

« Les pays en développement, qui ont la croissance économique et démographique la plus rapide, participent à hauteur de 74 % à l'accroissement de la consommation mondiale d'énergie primaire (charbon, gaz naturel, pétrole) [...], dont 45 % imputables à la Chine et à l'Inde. »

Agence internationale de l'Énergie, *World Energy Outlook 2007* [en ligne], réf. du 15 avril 2009.

● En quoi le développement des pays émergents pose-t-il un problème de gestion des ressources ?

50 Une manifestation contre les désastres écologiques en Indonésie

En 2009, des citoyens indonésiens revendiquent des compensations financières à la suite de l'éruption d'un volcan de boue qui serait reliée à des forages de puits de pétrole par la compagnie Lapindo Brantas.

● Pourquoi ces citoyens indonésiens réclament-ils des compensations ?

1.3 Le capital naturel : une source de richesse

Dans les pays industrialisés, le développement économique est basé essentiellement sur la capacité de production et de consommation d'un pays. La transformation des ressources naturelles en produits de consommation est donc synonyme de richesse et de croissance économique. Ces ressources naturelles que l'on transforme constituent le **capital naturel** d'une société.

Le lien entre la disponibilité du capital naturel et la croissance économique est central au processus de production. Les sociétés humaines dépendent donc du capital naturel afin d'assurer leurs activités économiques. Or, la valeur du capital naturel s'accroît lorsque les ressources naturelles sont surexploitées, qu'elles se raréfient ou encore lorsque la demande augmente plus rapidement que la capacité de les exploiter. La gestion de l'environnement, dans le but d'assurer le maintien du capital naturel, devient donc un élément crucial dans les processus de production et le développement économique d'un pays.

> **Capital naturel** Ensemble des ressources naturelles essentielles au développement des activités économiques.

51 Une forêt de mangrove en Birmanie (Myanmar), en 2000

La dégradation du capital naturel peut nuire à l'économie d'une région. Par exemple, les activités humaines (transformation en terres agricoles, tourisme côtier, utilisation du bois comme source d'énergie) peuvent détruire les mangroves où vivent de nombreuses espèces marines. Cette situation entraîne parfois des pertes énormes pour l'industrie de la pêche dans les régions touchées.

- Comment expliquer que les êtres humains contribuent à la dégradation du capital naturel?

VU D'ICI

La pêche à la morue

Pendant longtemps, la pêche à la morue au large de l'île de Terre-Neuve a constitué un des principaux moteurs économiques de la région. Elle est notamment à l'origine de l'installation de plusieurs colons sur les côtes des futures provinces maritimes du Canada.

Toutefois, au fil du temps, la surpêche a contribué à la diminution des stocks de morue dans l'Atlantique. En 1992, le gouvernement canadien a décrété un premier moratoire sur la pêche de cette espèce à Terre-Neuve. Puis, en 1994, le flétan et le sébaste ont été inclus dans le moratoire, dont la portée a été étendue à l'ensemble du Canada atlantique. L'effondrement de la pêche a fait perdre des dizaines de milliers d'emplois dans les provinces atlantiques. En Europe, la surpêche a également conduit à une surexploitation des ressources.

Pierre Laffitte et Claude Saunier, « Les apports de la science et de la technologie au développement durable, Tome II : La biodiversité : l'autre choc ? l'autre chance ? » *Sénat français* [en ligne], 2007, réf. du 15 avril 2009.

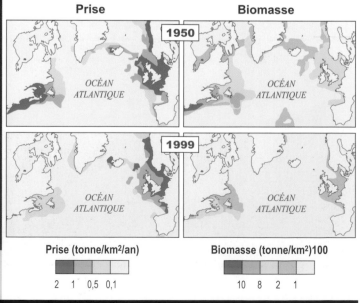

L'IMPACT DE LA PÊCHE INDUSTRIELLE DANS L'OCÉAN ATLANTIQUE

Prise — Biomasse

1950 — 1999

Prise (tonne/km²/an)
2 1 0,5 0,1

Biomasse (tonne/km²)100
10 8 2 1

52 Concilier des objectifs environnementaux et économiques

Certains États considèrent la gestion de l'environnement comme un frein à leur croissance économique. Toutefois, de plus en plus d'institutions, telle la Banque mondiale, s'accordent pour dire que le développement durable est indissociable du progrès économique.

« Bien qu'il existe de nombreux moyens de concilier les objectifs économiques, sociaux et environnementaux sans léser personne, les décisions quotidiennes font inévitablement intervenir des jugements de valeur et des choix de société qui exigent souvent des compromis difficiles. Ces compromis entre générations, groupes sociaux et pays influent sur l'opinion que chacun se fait du développement durable.

La surexploitation des ressources halieutiques [de la pêche], par exemple, peut provisoirement améliorer les revenus des pêcheurs. De ce point de vue, l'effort de conservation peut paraître coûteux, mais on en recueillera les fruits lorsque les mesures prises auront permis d'éviter l'effondrement de l'industrie de la pêche, qui priverait à terme les pêcheurs de nourriture et de moyens d'existence. »

Banque mondiale, *La foire aux questions* [en ligne], 2007, réf. du 15 avril 2009.

- Pourquoi la Banque mondiale favorise-t-elle le développement durable ?

53 La valeur du capital naturel

Conscients de la valeur du capital naturel, certains pensent que les politiciens et les entrepreneurs pourraient concevoir des mécanismes financiers qui tiendraient compte de la valeur réelle du capital naturel dans les processus de production.

« [...] nous nous efforçons toujours de découvrir quelle est la "valeur de la nature". La nature est une source de valeur importante au quotidien mais il n'en demeure pas moins qu'elle n'apparaît guère sur les marchés, échappe à la tarification et représente un défi pour l'évaluation. Nous sommes en train de nous apercevoir que cette absence d'évaluation constitue une cause sous-jacente de la dégradation observée des écosystèmes et de la perte de biodiversité. »

Pavan Sukhdev, *L'économie des biosystèmes et la biodiversité* [en ligne], 2008, réf. du 15 avril 2009.

- En quoi le fait de tenir compte de la valeur du capital naturel contribuerait-il au développement durable ?

54 La valeur des services fournis par les écosystèmes

Les services fournis par les écosystèmes correspondent aux bienfaits qu'il est possible de retirer des écosystèmes. Ils font donc partie du capital naturel et sont indispensables au développement économique de l'ensemble des sociétés.

Service fourni par les écosystèmes	Valeur en milliards de dollars US
Prise annuelle de poissons dans le monde	58
Agents anticancéreux issus d'organismes marins	1 par an
Marché mondial des plantes médicinales	Environ 43 (en 2001)
Abeilles comme pollinisateurs pour les cultures	De 2 à 8 par an
Récifs coralliens pour les pêches et le tourisme	30 par an

PNUE, *GÉO4 L'environnement pour le développement 2007* [en ligne], réf. du 15 avril 2009.

- Quelles seraient les conséquences de la dégradation des écosystèmes sur l'économie mondiale ?

QUESTIONS de point de vue   CD 2

1 Quelles sont les conséquences de l'utilisation et de la consommation non durable des ressources sur l'économie des pays industrialisés ? Des pays en développement ?

2 Pourquoi les processus de production dépendent-ils de l'environnement ?

3 Selon vous, peut-on parvenir à une gestion durable des ressources naturelles sans nuire au développement et à la croissance économiques ? Justifiez votre réponse.

2 Est-il possible d'utiliser et de consommer des ressources de façon durable ?

Le capital naturel est nécessaire au processus de production. C'est pourquoi il est essentiel que les sociétés comprennent vraiment l'utilisation et la consommation qu'elles font des ressources naturelles, de façon à suggérer des solutions orientées vers le développement durable.

2.1 L'utilisation et la consommation d'énergie

Toute activité humaine requiert de l'énergie. Les combustibles fossiles (charbon, pétrole, gaz) fournissent près de 95 % de l'énergie consommée dans le monde. D'après l'Agence internationale de l'énergie (AIE), la consommation de combustibles fossiles a quintuplé depuis les années 1950 et devrait augmenter de plus de 50 % d'ici 2030.

Le monde d'aujourd'hui fait face à quatre enjeux principaux en matière énergétique :

1. L'augmentation constante de la demande en énergie.
2. La raréfaction des ressources énergétiques.
3. La difficulté d'approvisionnement, notamment en combustibles fossiles, par exemple, le pétrole.
4. La dégradation de l'environnement provoquée par la surconsommation de combustibles fossiles.

La solution à court terme semble être une diminution de la production, mais aussi de la consommation. À plus long terme, les sociétés devront envisager l'utilisation de sources d'énergie alternatives (géothermie, piles à hydrogène), renouvelables (capteurs solaires, éoliennes) et moins polluantes.

55 **Les types d'énergie primaire consommée en 2005**

Région	Combustibles fossiles			Énergies renouvelables		Autre (nucléaire)
	Charbon	Produits pétroliers	Gaz naturel	Hydroélectricité ; énergies solaire et éolienne ; géothermie	Biomasse*	
Pays en développement	32,5 %	31,0 %	14,1 %	2,9 %	18,0 %	1,4 %
Pays de l'OCDE	20,4 %	40,5 %	21,8 %	2,7 %	3,5 %	11,0 %
Monde	25,3 %	35,0 %	20,7 %	2,6 %	10,0 %	6,3 %

*Matières organiques qui, une fois désintégrées ou transformées, peuvent servir de source d'énergie primaire.
PNUD, *Rapport mondial sur le développement humain 2007/2008* [en ligne], réf. du 14 avril 2009.

- Quelle est la principale différence entre la consommation d'énergie dans les pays en développement et dans les pays membres de l'OCDE ? Pourquoi ?
- Selon vous, pourquoi les énergies renouvelables ne sont-elles pas davantage utilisées ?

56 **La consommation d'énergie**

La perte d'énergie est souvent à l'origine de la surconsommation. Le rayonnement rouge illustre l'énergie perdue par les automobiles.

57   Efficaces, les énergies renouvelables ?

Le recours à des sources d'énergie renouvelables et non polluantes constitue une solution à la surconsommation d'énergie fossile. Cependant, les coûts associés au développement des technologies et à la mise en place des infrastructures de production demeurent considérables.

« L'énergie hydraulique, la conversion du rayonnement solaire en électricité, la capture de l'énergie du vent par les éoliennes, la géothermie conçue à partir de la chaleur du sous-sol. La biomasse (et ses différents composants : l'énergie du bois, le biogaz issu de la fermentation des déchets organiques, les biocarburants), la pile à combustible qui convertit l'énergie chimique en énergie électrique, la pile à hydrogène : autant de sources d'énergie qui proposent des solutions alternatives à la consommation de l'énergie fossile. Peut-on pour autant tout espérer d'elles ? Pour l'heure, elles n'offrent pas de solutions uniques, simples et souples. Des problèmes de stockage, de rendement et de localisation des ressources en limitent le développement. D'ailleurs, l'énergie solaire et l'énergie éolienne ne seront vraiment inépuisables que quand elles deviendront stockables. »

Henri Proglio (sous la direction de), *Les 100 mots de l'environnement*, PUF, 2007.

●   Quelles sont les limites du développement des énergies renouvelables ?

58   Hydro-Québec et son plan d'efficacité énergétique

Des politiques d'économie d'énergie sont mises en place par différents États qui encouragent la population à adhérer à des plans d'efficacité énergétique.

●   Que propose Hydro-Québec pour encourager la consommation de l'énergie de façon durable ?

2.2   L'utilisation et la consommation de l'eau

Les réserves d'eau douce correspondent à un maigre 0,3 % des eaux de la planète, et seulement 10 pays se partagent 60 % de ces réserves. Toutefois, le fait de disposer de ressources en eau douce ne donne pas l'assurance de pouvoir en consommer, puisque certaines sont polluées. Ainsi, plus d'un milliard de personnes dans le monde n'ont pas accès à l'eau potable. Pourtant, les êtres humains dépendent de cette ressource renouvelable pour leur survie, notamment pour la production de denrées alimentaires. En outre, la consommation d'eau ne cesse d'augmenter. Selon le PNUE, d'ici 2025, les prélèvements d'eau augmenteront de 50 % dans les pays en développement et de 18 % dans les pays développés.

59   Les différents usages de l'eau

Usage agricole

Il faut :
- jusqu'à 100 000 litres d'eau pour produire un kilo de viande de bœuf ;
- 4500 litres d'eau pour produire un kilo de riz ;
- 1500 litres d'eau pour produire un kilo de blé ;
- 1 000 000 de litres d'eau pour produire une tonne de légumes.

Usage industriel

Il faut :
- en moyenne 200 mètres cubes d'eau pour produire une tonne d'acier ;
- de 50 à 300 mètres cubes d'eau pour produire une tonne de papier ;
- près de 30 000 litres d'eau pour fabriquer une automobile.

Usage résidentiel

- Les douches et les bains comptent pour 35 % de l'eau consommée ;
- La chasse d'eau compte pour 30 % ;
- La lessive compte pour 20 % ;
- La cuisine et la consommation directe comptent pour 10 % ;
- Le nettoyage compte pour 5 %.

D'après *Onedrop* [en ligne], réf. du 14 avril 2009.

●   Comment les entreprises peuvent-elles réduire leur consommation en eau ?

60   L'usage de l'eau par secteur

Pour répondre aux besoins de la population mondiale, on accroît sans cesse la superficie des terres destinées à l'agriculture, en particulier dans les pays industrialisés.

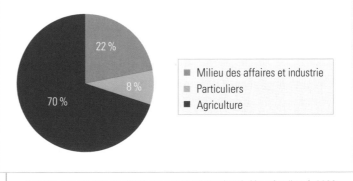

Agence canadienne de développement international, *L'eau* [en ligne], 2008, réf. du 14 avril 2009.

●   La consommation d'eau des particuliers est-elle négligeable ? Expliquez votre réponse.

●   Pourquoi la consommation des particuliers augmente-t-elle ?

Le monde d'aujourd'hui fait face à quatre enjeux principaux liés à l'eau :

1. La croissance de la population et le développement industriel font augmenter la demande pour la ressource.
2. La dégradation des écosystèmes et la pollution menacent la ressource.
3. L'utilisation de la ressource est plus rapide que son renouvellement.
4. L'accès inégal ou irrégulier à l'eau peut provoquer des pénuries, des problèmes d'alimentation et de santé publique.

Il est possible de protéger l'accès à l'eau potable en diminuant la consommation et en appliquant des restrictions quant à son utilisation. La désalinisation de même que le recyclage des eaux usées font également partie des solutions.

61 Le problème de l'eau au Kenya

Les habitants des pays en développement dépendent principalement des services rendus par les écosystèmes pour assurer leur subsistance, ce qui les rend vulnérables à la rareté des ressources, telle l'eau. Des organismes humanitaires fournissent des fonds et de l'aide pour la construction de puits, générant ainsi des activités économiques qui contribuent à améliorer la qualité de vie de ces populations.

- Comment la construction de puits peut-elle améliorer la qualité de vie des populations ?

62 L'eau : droit ou ressource négociable ?

Devant l'augmentation des ventes d'eau embouteillée, certains se demandent si l'eau est une ressource à exploiter ou un droit fondamental pour la population de la planète.

« Deux conceptions diamétralement opposées s'affrontent : l'eau est vue comme une marchandise par certains, comme un droit par d'autres. De la première conception découle une approche financière très lucrative et soucieuse d'engranger rapidement des dividendes. De la seconde, une approche sociale fondée sur la conscience de l'importance vitale de l'eau, ressource limitée et en voie de dégradation. »

Roger Lenglet et Jean-Luc Touly, *L'eau des multinationales : les vérités inavouables*, Fayard, 2006.

- Quels sont les différents points de vue sur l'utilisation de l'eau ?

QUESTIONS de point de vue CD 2

1 Quel type d'énergie est le plus consommé dans le monde ? Pourquoi ?

2 Quels sont les enjeux particuliers liés à la consommation d'énergie dans le monde ? À la consommation des ressources en eau ?

3 Quelles sont les solutions envisagées ?

2.3 L'utilisation des terres et la consommation de produits forestiers

La Terre contient environ quatre milliards d'hectares de forêt qui couvrent environ 30 % de la superficie de la planète. Seulement entre 1990 et 2005, 3 % du couvert forestier a disparu. La croissance démographique mondiale de même que l'augmentation de la consommation des ressources expliquent en partie cette diminution. En effet, l'utilisation de produits issus des ressources forestières (papier, carton, bois d'œuvre, bois exotique, etc.) contribue à la dégradation des forêts. La principale cause de la déforestation demeure toutefois la transformation des sols forestiers en terres agricoles.

63 **Le couvert forestier et la superficie des plantations, en Amérique latine et dans les Caraïbes**

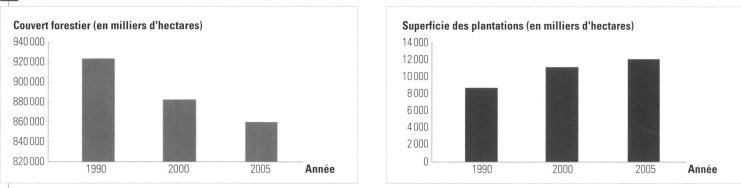

D'après Organisation des Nations Unies pour l'alimentation et l'agriculture, *Situation des forêts dans le monde 2007, Amérique latine et Caraïbes* [en ligne], réf. du 15 avril 2009.

- Quelle est la tendance générale par rapport à la superficie du couvert forestier en Amérique latine et dans les Caraïbes ? Par rapport à la superficie des plantations d'arbres ?
- La plantation d'arbres constitue-t-elle une solution suffisante pour contrer la dégradation du couvert forestier ? Expliquez votre réponse.

Le monde d'aujourd'hui fait face à cinq enjeux liés à l'utilisation des ressources forestières :

1. Le changement de vocation des territoires forestiers menace l'environnement.
2. L'utilisation intensive des sols mène à leur épuisement et contribue à la pauvreté.
3. Les agriculteurs appauvrissent les sols qu'ils exploitent par manque d'information sur la vitesse de renouvellement et de dégradation des terres.
4. Les subventions de certains États dans le domaine de l'agriculture peuvent inciter à la surproduction et à une mauvaise utilisation des sols.
5. L'augmentation des prix des combustibles fossiles incite les gens à utiliser le bois comme source d'énergie.

Dans l'immédiat, la solution la plus simple pour protéger les forêts consiste à réduire la consommation de produits forestiers. Quant aux territoires forestiers abîmés, ils peuvent être restaurés en partie par des plantations, mais le processus de renouvellement exige du temps.

64 **L'appauvrissement des sols en Chine**

Pour certains producteurs pauvres, le rendement immédiat devient une question de survie. Ils utilisent donc des techniques agricoles qui épuisent les sols, tel le brûlis, pratiqué par ce paysan du Hunan, en Chine. Bien qu'à court terme cette technique améliore le rendement agricole, à long terme, elle détruit les écosystèmes et peut nuire au développement économique.

- Comment expliquer que des producteurs pauvres contribuent à l'appauvrissement des sols ?

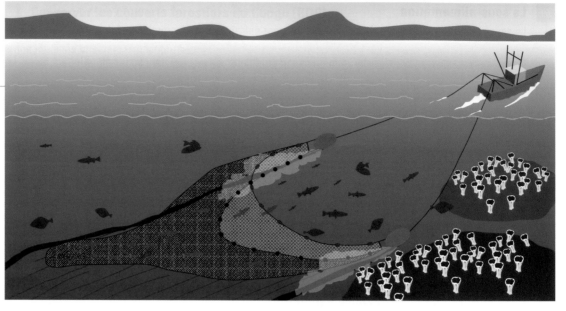

2.5 La gestion des déchets : vers le développement durable

L'utilisation et la consommation durables des ressources de la planète passe par une meilleure gestion des déchets. La capacité de l'environnement à éliminer les déchets demeure limitée. En réduisant la quantité de déchets produits et en réutilisant les produits ou ressources qui peuvent l'être, les sociétés peuvent éviter le gaspillage des ressources. Pour ce faire, de nombreux écologistes prônent la stratégie des 3 R :

- Réduire la quantité de produits utilisés, par exemple en limitant les emballages.
- Réutiliser des produits ou certaines de leurs composantes, qui deviendraient autrement des déchets.
- Recycler les matières premières issues des déchets afin de les réinsérer dans le cycle de production et de leur donner une nouvelle « vie ».

Certains ajoutent aux 3 R un V pour Valorisation. Il s'agit de tirer profit de la valeur des déchets auxquels ne peut être appliquée la stratégie des 3 R, par exemple en compostant les déchets organiques et en réutilisant les produits issus du compostage pour enrichir les sols. Il est aussi possible de récupérer les biogaz émis par les centres d'enfouissement des déchets afin de les utiliser comme sources d'énergie.

MÉDIAS

Le rôle des médias dans la consommation

Il est important de reconnaître le rôle des médias dans les habitudes de consommation. Par les publicités qu'ils diffusent (environ 12 minutes par heure de télédiffusion), les médias incitent la population à consommer. Toutefois, ils sont aussi en mesure d'informer le public et de l'encourager à adopter de saines habitudes de consommation. Par exemple, les médias peuvent renseigner les consommateurs sur les produits qu'ils consomment (la provenance, la composition, les conditions de fabrication), sensibiliser la population aux problèmes environnementaux causés par la surconsommation et encourager la consommation durable en montrant des exemples de solution et de réussite.

● Quelle est la place accordée à la surconsommation dans les médias ? Comment les médias abordent-ils le thème de la consommation ?

● Avez-vous l'impression que la publicité influence vos choix et vos habitudes de consommation ? Comment et pourquoi ?

● Est-ce que les médias doivent proposer des solutions aux problèmes dont ils sont en partie responsables, par exemple la surconsommation ? Expliquez votre réponse.

72 Du biogaz en électricité

L'édifice de la TOHU (la cité des Arts du cirque) à Montréal utilise les gaz émis par le Complexe environnemental de Saint-Michel, situé à proximité, pour les transformer en électricité.

- Quelle est la solution adoptée par la TOHU?

73 Le recyclage en crise

L'ensemble des sociétés reconnaît l'importance de la gestion des déchets et du recyclage. Mais les entreprises qui gèrent les déchets ne sont pas à l'abri des effets des fluctuations économiques. Leurs difficultés fragilisent les choix de société en matière de gestion de l'environnement.

« Malgré les mesures annoncées cette semaine par le gouvernement du Québec pour assurer la pérennité du système de recyclage dans la province, l'avenir du plus important centre de tri du Québec, situé à Montréal et exploité par Rebuts Solides Canadiens (RSC), demeure incertain.

"L'effondrement des marchés des matières recyclées, découlant de la récession internationale et de la crise financière mondiale, fait en sorte que RSC perd depuis trois mois des sommes substantielles, l'entreprise ne pouvant plus compter sur les revenus attendus de la vente des matières recyclées pour couvrir ses frais d'exploitation, déclare M. Pierre Lemoine, président-directeur général de RSC. [...] Ne pouvant presque plus trouver de débouchés pour les matières recyclables (papier, carton, plastique et métal), RSC est maintenant contrainte de les entreposer, afin d'éviter qu'elles ne se retrouvent dans les sites d'enfouissement". »

CNW Telbec, « Recyclage des matières résiduelles: l'avenir du centre de tri de Montréal reste incertain » [en ligne], janvier 2009, réf. du 20 avril 2009.

- L'État devrait-il être responsable de la gestion des matières recyclables? Pourquoi?
- Les fluctuations économiques et la loi du marché peuvent-elles menacer les acquis des dernières décennies en matière de recyclage? Comment?

QUESTIONS de point de vue   CD 2

1 Quels sont les enjeux liés à l'utilisation des terres et à la consommation des produits forestiers dans le monde? À la consommation alimentaire?

2 Quelles sont les solutions proposées?

3 Quel peut être l'impact des choix des consommateurs en ce qui regarde l'environnement? Des choix des producteurs? Des choix des États?

4 Comment la gestion des déchets peut-elle diminuer les effets de la surconsommation?

5 Comment les ressources naturelles sont-elles exploitées ou consommées dans le monde? Ce mode d'exploitation est-il durable? Expliquez votre réponse.

OPTION DÉBAT

LES CLÉS DE L'INFO

Afin de vous assurer de la pertinence de vos arguments au cours du débat, consultez la clé 10 de la section « Les clés de l'info », aux pages 242 et 243 du manuel.

La consommation et l'utilisation des ressources de la planète soulèvent de nombreux débats. En effet, modifier ses habitudes de consommation peut s'avérer difficile, et certains se demandent si l'idée d'une consommation responsable est réaliste.

Le principe du développement durable fait généralement consensus : personne en effet ne se prononcerait en faveur d'un développement qui nuirait aux générations futures. Cependant, les idées divergent quant à la façon d'y arriver. Pour certains, le développement durable est lié à la modification des habitudes de consommation et d'utilisation des ressources. Pour d'autres, ce processus doit absolument s'accompagner d'une transformation en profondeur du système économique mondial. Étant donné ces opinions divergentes, beaucoup se demandent si la consommation responsable est un objectif réalisable.

Selon vous, la consommation responsable est-elle possible ?

74 Faciliter la consommation

La construction d'immenses centres commerciaux, avec stationnements incitatifs, la publicité et la prolongation des heures d'ouverture des commerces encouragent les gens à consommer davantage.

1. Les intervenants qui expriment leur point de vue dans les documents qui suivent prennent part au débat sur la consommation responsable. En prévision d'un débat en classe sur cet enjeu, interprétez leurs positions à l'aide des questions suivantes.

   • Qui sont les personnes qui expriment leur opinion sur le sujet ?

   • Quelle est leur position ?
     – Considèrent-ils que la consommation responsable est possible ?
     – Selon eux, quels sont les avantages et les désavantages de la consommation responsable ?
     – Comment justifient-ils leur position ? Quels sont leurs arguments ?

   • Trouvez dans les différents médias d'autres arguments pertinents susceptibles de vous aider à mieux comprendre l'enjeu.

2. En vous basant sur les documents suivants et sur ceux que vous aurez recueillis, organisez un débat sur les questions suivantes.

   a) Selon vous, est-il possible de consommer de façon responsable sans avoir à changer de mode de vie ? Comment ?

   b) Le rythme de consommation actuel peut-il être maintenu ? Justifiez votre réponse.

75 Le patronat suédois vante les mérites de la consommation

« Deux semaines avant Noël, le patronat suédois a lancé une campagne de publicité par pages entières dans les grands journaux pour convaincre les Suédois des bienfaits du commerce et répondre à ceux qui critiquent de plus en plus la consommation. Présentée sous forme de contes de fées, la campagne met notamment en scène une ménagère boycottant les courses de Noël, ce qui a pour conséquence de faire perdre son emploi à un ouvrier pauvre à l'autre bout du monde. D'autres contes critiquent le droit du travail [...]. Et Tove Lifvendahl, responsable de la campagne, de répondre [...] que c'est par notre consommation que les entreprises auront précisément les moyens de développer les techniques pour sauver l'environnement. »

Jörgen Larsson, « La simplicité volontaire, mode d'emploi », *Courrier International* [en ligne], 3 janvier 2008, réf. du 21 avril 2009.

76 La consommation : difficile à changer, selon un anthropologue

« Des trois facteurs que les environnementalistes considèrent comme responsables de la pollution environnementale, soit la population, la technologie et la consommation, la consommation semble recevoir le moins d'attention. Sans doute est-ce parce que la consommation est l'élément le plus difficile à modifier. En effet, la consommation fait partie intégrante de notre mode de vie et pour modifier cet aspect de notre vie, il faudrait sans doute procéder à des transformations culturelles et économiques majeures. Comme le soulignent des économistes, une baisse dans la demande de produits peut entraîner une récession, voire une dépression économique accompagnée de mises à pied massives. »

Richard Robbins, *Global Problem and the Culture of Capitalism*, Prentice Hall, 1999. [Traduction libre.]

77 Des partisans de la simplicité volontaire proposent de réduire la consommation

« La crise financière est à nos portes. [...] les faits récents nous révèlent que c'est en grande partie la surconsommation, voire l'hyperconsommation, associée à l'endettement excessif, qui a créé cette situation critique mondiale. [...] le Réseau québécois pour la simplicité volontaire (RQSV) et le Groupe de simplicité volontaire de Québec (GSVQ) croient que l'approche de la réduction de la consommation, qu'ils proposent depuis des années, est valide plus que jamais [...]. Plusieurs ont peur de la simplicité volontaire, craignant les privations extrêmes et la pauvreté. Or, pourquoi ne pas profiter de la situation actuelle pour démontrer [...] que les gens qui simplifient leur vie matérielle volontairement, tout en s'occupant plus de l'immatériel comme le développement personnel, les relations interpersonnelles et la spiritualité, ne s'en portent que mieux physiquement et psychologiquement ?

[...] Voici quelques exemples :

– Vivre selon ses besoins plutôt que selon ses moyens ;

– Augmenter la longévité des objets en les réparant ;

– Apprêter ses aliments soi-même et réduire sa consommation de viande ;

– Troquer, louer, emprunter ou acheter usagé ;

– Adopter des modes de transport écologiques ;

– Favoriser la mise en commun : cuisines collectives, garderies, bibliothèques, piscines et joujouthèques publiques, etc. »

Louis Chauvin et Pascal Grenier, « La crise financière et la simplicité volontaire », *Le Devoir* [en ligne], 8 janvier 2009, réf. du 21 mars 2009.

78 Selon un journaliste français, la classe moyenne consomme trop

« Qui va réduire sa consommation matérielle ? On estime que 20 à 30 % de la population mondiale consomme 70 à 80 % des ressources tirées chaque année de la biosphère. C'est donc de ces 20 à 30 % que le changement doit venir, c'est-à-dire, pour l'essentiel, des peuples d'Amérique du Nord, d'Europe et du Japon. Au sein de ces sociétés surdéveloppées, ce n'est pas aux pauvres [...] que l'on va proposer de réduire la consommation matérielle. C'est à l'ensemble des classes moyennes occidentales que doit être proposée la réduction de la consommation matérielle.

[...] Une civilisation choisissant la réduction de la consommation matérielle verra par ailleurs s'ouvrir la porte d'autres politiques. [...] Santé, éducation, transports, énergie, agriculture sont autant de domaines où les besoins sociaux sont grands et les possibilités d'action importantes. Il s'agit de renouveler l'économie par l'idée de l'utilité humaine plutôt que par l'obsession de la production matérielle, de favoriser le lien social plutôt que la satisfaction individuelle. Face à la crise écologique, il nous faut consommer moins pour répartir mieux. Afin de mieux vivre ensemble plutôt que de consommer seuls. »

Hervé Kempf, « Comment les riches détruisent le monde », *Le Monde Diplomatique* [en ligne], juin-juillet 2008, réf. du 21 avril 2009.

PISTES D'ACTION

> « Chacun est responsable de la planète et doit la protéger à son échelle. »
>
> **Yann Arthus Bertrand**

Plusieurs intervenants proposent des pistes d'action afin d'utiliser et de consommer les ressources de la planète de façon responsable. Ces solutions vont dans le sens d'un développement durable, à la fois respectueux de l'environnement et solidaire de l'ensemble des populations de la planète.

Voici quelques exemples d'actions qui ont été mises de l'avant jusqu'à maintenant.

- Des groupes de consommateurs réclament des produits issus de l'agriculture biologique afin d'encourager des pratiques agricoles qui respectent l'environnement et dans le but ultime d'atteindre le développement durable.
- Des entreprises décident de faire affaire avec des fournisseurs qui leur garantissent des produits issus d'une exploitation durable des ressources naturelles.
- Des pays adoptent des règles sévères afin de mieux contrôler l'extraction des ressources naturelles sur leur territoire, en imposant par exemple des taxes ou en exigeant des entrepreneurs qu'ils exploitent les ressources dans une perspective de développement durable.

Les documents suivants présentent des formes d'actions empruntées par divers intervenants. Pour chacune des actions présentées, répondez aux questions ci-dessous.

1. Qui a lancé cette action ?
2. Qui peut participer à cette action ?
3. À quel(s) niveau(x) se situe l'action des intervenants ?
4. Quelles actions les intervenants proposent-ils ?
5. Selon vous, cette action peut-elle avoir des répercussions sur l'ensemble de la planète ? Expliquez votre réponse.
6. Selon vous, les solutions proposées peuvent-elles être efficaces ?
7. Avez-vous d'autres pistes de solution à proposer ? Si oui, lesquelles ?

Construire des maisons écoénergétiques

L'Agence de l'efficacité énergétique du Québec a adopté des normes de construction et de rénovation afin d'améliorer la performance énergétique des bâtiments. Depuis quelques années déjà, le programme Novoclimat permet aux consommateurs d'acquérir des maisons à haute performance énergétique, ce qui aide à réduire la consommation d'énergie. Il offre aussi à l'industrie la possibilité d'améliorer ses techniques de construction en participant à des sessions de formation. En appliquant les procédés proposés par Novoclimat, les entrepreneurs en construction peuvent obtenir une accréditation et du soutien technique, en plus de pouvoir faire certifier leurs bâtiments par l'Agence de l'efficacité énergétique du Québec.

Éviter la déforestation en choisissant ses fournisseurs

Certaines entreprises choisissent de faire affaire avec des fournisseurs soucieux d'offrir des produits qui tiennent compte du renouvellement des ressources.

« Rona s'engage à ce que l'ensemble du bois d'œuvre et des produits de contreplaqué vendus en magasin provienne de forêts certifiées d'ici la fin de l'année 2010. D'ici 2012, le quart du bois d'œuvre offert sera aussi certifié selon les normes FSC [...], souvent considérées comme les plus contraignantes. [...]

En août 2007, Greenpeace avait publié un rapport sur la forêt boréale où elle pointait Rona du doigt, lui reprochant d'acheter des produits du bois d'Abitibi-Consolidated, de Bowater et de Kruger, "trois entreprises directement associées à la destruction de la forêt boréale et à l'exploitation des dernières forêts du Québec et de l'Ontario." [...]

Soulignons que plusieurs entreprises forestières dont Tembec, Domtar, Cascades, Chantier Chibougamau et Kruger se sont engagées depuis le rapport de Greenpeace à adopter la norme FSC. Abitibi-Consolidated l'a aussi fait, mais seulement sur une de ses 23 unités de coupe au Québec, ce qui avait soulevé la méfiance de Greenpeace. »

Philippe Mercure, « Du bois équitable chez Rona », *Cyberpresse* [en ligne], 22 novembre 2008, réf. du 21 15 mars 2009.

Favoriser la recherche et le développement

Le développement de nouvelles technologies capables de stocker l'énergie provenant de ressources renouvelables laisse présager une diminution éventuelle des énergies issues de combustibles fossiles. En plus de se raréfier, ces derniers sont les principaux responsables de la pollution atmosphérique.

« Les courants océaniques, les marées, la houle, les différences de températures entre la surface et le fond de la mer, peuvent être exploités pour fournir de l'électricité. Les projets se multiplient dans le monde, même si les technologies sont encore expérimentales. "On en est au stade où il faut investir dans la recherche. Car à plus long terme, le potentiel est immense", souligne Jean-Louis Bal, directeur des énergies renouvelables à l'Agence de l'environnement et de la maîtrise de l'énergie (Ademe). L'Agence internationale de l'énergie (AIE) évalue à plus de 90 000 térawattheures* (TWh) la puissance potentielle de l'ensemble de ces énergies marines dans le monde, un chiffre à comparer aux quelque 18 000 TWh de la production mondiale d'électricité. »

* Représente l'énergie fournie en une heure par une puissance d'un milliard de watts.
Agence France-Presse, « Énergies renouvelables : l'avenir est en mer », *Cyberpresse* [en ligne], 3 décembre 2008, réf. du 2 mars 2009.

Réduire l'utilisation des voitures

En 2003, la ville de Londres, au Royaume-Uni, a instauré un péage urbain dans le but de réduire l'affluence automobile dans le centre-ville du lundi au vendredi, entre 7 et 18 heures. Par cette mesure, la ville démontre sa volonté de privilégier le covoiturage et l'utilisation des transports en commun.

À la place de...   CD 2

Répondez à la question suivante en tenant compte de ce que vous avez appris dans ce chapitre.

Si vous étiez à la place de chacun des intervenants suivants, comment pourriez-vous contribuer à réduire la consommation et l'utilisation des ressources de la planète de façon à réduire les pressions sur l'environnement ?

☑ Propriétaire d'entreprise
☑ Politicienne ou politicien
☑ Journaliste
☑ Environnementaliste
☑ Citoyenne ou citoyen

ENJEU 2 L'harmonisation des normes environnementales

POINTS DE VUE SUR L'ENJEU

CONCEPT
□ Régulation

1 Est-il possible d'établir des normes environnementales mondiales ?

Les problèmes environnementaux n'ont pas de frontières, et certains touchent l'ensemble de la planète. Pour tenter de les résoudre, les États ratifient des accords, des conventions et des ententes qui énoncent des règles de conduite en matière d'environnement. Les accords multilatéraux ou internationaux sur l'environnement prescrivent des normes et des mesures définies. Cependant, la multiplication des accords, des conventions et des ententes ainsi que la disparité des normes et des mesures représentent de sérieux obstacles dans l'établissement de normes communes.

79 **La ratification des principaux accords multilatéraux sur l'environnement**

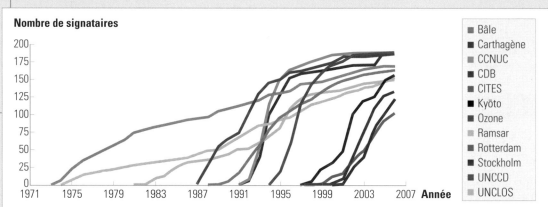

PNUE, *GÉO4 L'environnement pour le développement 2007* [en ligne], p. 9, réf. du 15 avril 2009.

Quelles sont les conséquences de la lenteur du processus de ratification des accords sur l'adoption de normes environnementales ?

1.1 La diversité des normes environnementales

Plusieurs intervenants se sont donné pour tâche d'établir des normes et des mesures de gestion afin d'assurer la régulation environnementale. Certains États, des entreprises et des ONG ont ainsi établi différents modes de présentation des normes selon leurs intérêts et leurs besoins.

80 **Les modes de présentation des normes et des exemples d'utilisation**

Intervenants	Modes de présentation des normes	Exemples d'utilisation
Gouvernements et États	• Réglementations • Lois • Directives	• Détermination du niveau maximal de rejets chimiques • Standards dans la gestion des déchets • Loi sur les pratiques agricoles
Entreprises (incluant les industries)	• Objectifs • Standards • Systèmes de contrôle • Méthodes et procédés	• Contrôle de la qualité sur une chaîne de production • Guide des normes de fabrication • Rapport de performance
ONG	• Encadrements • Directives • Lignes de conduite • Critères d'accréditation	• Fixation des étapes à suivre dans la certification des produits équitables • Guide d'accréditation • Outil d'apprentissage dans l'agriculture biologique

Pourquoi chaque type d'intervenant applique-t-il les normes différemment ?

1.2 La cohérence des normes environnementales

Les préoccupations environnementales diffèrent selon les régions du monde, et les normes érigées pour y répondre sont loin d'être toujours compatibles entre elles. Comme les conventions, les ententes et les accords internationaux sont nombreux et peuvent porter sur un même aspect de la gestion environnementale, il arrive parfois que les normes qui y sont définies s'opposent entre elles. Par ailleurs, il n'existe pas de règlements internationaux qui imposent des normes précises.

Accréditation Acte attestant que les exigences et les normes établies par une autorité reconnue sont respectées.

Label Marque distinctive apposée sur un produit pour en certifier l'origine, en garantir la qualité ou la conformité avec des normes déterminées.

81 La classification du gorille

Parfois, les normes fixées par les ONG se contredisent, ce qui crée de la confusion. Par exemple, la Convention sur le commerce international des espèces de faune et de flore sauvages menacées d'extinction (CITES) a inclus le gorille dans sa liste des animaux vulnérables. L'Union internationale pour la conservation de la nature (UICN), quant à elle, a inscrit le gorille dans sa liste rouge et le considère comme étant «en danger critique».

En quoi le fait que certaines normes varient et se contredisent peut-il créer de la confusion?

82 Les labels écologiques

Plusieurs ONG tentent de tracer des lignes de conduite à l'intention des producteurs agricoles. Certaines ONG, appuyées par l'État, donnent des **accréditations** aux producteurs lorsqu'ils se conforment aux normes qu'elles établissent. Dans le secteur de l'agriculture biologique, par exemple, les **labels** écologiques ne sont pas tous basés sur les mêmes critères. De plus, les labels utilisés diffèrent d'un pays à l'autre.

Pourquoi les labels écologiques diffèrent-ils d'un pays à l'autre?

83 Différentes applications des normes pour les pays en développement

Le fait que les pays développés et les pays en développement appliquent les normes différemment peut nuire à l'avancement de la cause environnementale.

«Il est injuste d'exiger des pays pauvres qu'ils se conforment aux normes environnementales des pays riches, en particulier si ces exigences ne s'accompagnent pas d'une assistance technique ou financière. Les priorités des uns et des autres diffèrent. Par exemple, dans bien des pays pauvres, l'accès à l'eau potable est la première préoccupation. Qui plus est, la majeure partie des dommages causés à l'environnement est souvent imputable aux pays riches.»

PNUE, IIDD, *Guide de l'environnement et du commerce* [en ligne], 2001, réf. du 16 avril 2009.

Pourquoi les normes environnementales ne sont-elles pas appliquées de la même façon dans les pays développés et dans les pays en développement?

Parmi les nombreuses normes environnementales, certaines ont été fixées par des organisations réputées et sont suivies par une majorité d'entreprises. C'est le cas des normes établies dans le domaine du **management environnemental**.

L'Organisation internationale de normalisation (ISO) est un exemple d'organisme qui s'occupe de management environnemental. À la suite de recommandations de différents comités techniques, elle a érigé une série de normes environnementales qui ont été groupées sous le nom de ISO 14001, ou Système de management environnemental. Les entreprises qui adoptent ces normes peuvent mesurer et contrôler les effets de leurs activités sur l'environnement. Celles qui se conforment à ces normes reçoivent un certificat.

> **Management environnemental**
> Ensemble des méthodes de gestion servant d'abord à mesurer les effets des activités de production sur l'environnement, puis à éliminer ou à réduire leur impact sur celui-ci.

84 **Une entreprise certifiée ISO 14001**

Plusieurs entreprises choisissent de se conformer volontairement aux normes ISO 14001. Certains ont reproché à des entreprises qui appliquent ces normes de s'en servir comme outil de commercialisation plutôt que de réellement chercher des solutions à la dégradation de l'environnement.

- Pourquoi certaines entreprises se servent-elles de la norme ISO comme outil de commercialisation ?

85 **La certification ISO 14001 selon les régions du monde, de 1998 à 2006**

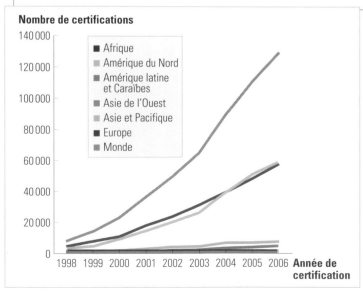

Nombre de certifications

- Afrique
- Amérique du Nord
- Amérique latine et Caraïbes
- Asie de l'Ouest
- Asie et Pacifique
- Europe
- Monde

- Selon vous, qu'est-ce qui explique que la certification ISO 14001 soit de plus en plus présente dans toutes les régions du monde ?

QUESTIONS de point de vue CD 2

1 À quoi servent les normes environnementales ?

2 Pour quelles raisons les normes environnementales sont-elles parfois appliquées de manière peu cohérente ?

3 Selon vous, est-il possible d'harmoniser les normes environnementales ? Justifiez votre réponse.

UNEP, *GEO Data Portal: ISO 14001: Certifications* [en ligne], réf. du 13 février 2009.

2 Comment faciliter l'application de normes environnementales ?

CONCEPT
□ Régulation

L'environnement est un problème global. Les États et les organisations internationales cherchent des solutions susceptibles de convenir à tous. Dans la mise en œuvre des solutions, il est cependant nécessaire de tenir compte des réalités locales, régionales ou nationales. De plus, les lois, les conventions et les accords internationaux sont souvent peu contraignants. Ainsi, chaque nation peut les appliquer comme elle l'entend et même y déroger si elle juge qu'ils sont non conformes à ses intérêts et à ses besoins.

2.1 Des sanctions possibles aux niveaux local et régional

Aux niveaux local et régional, dans les municipalités par exemple, les normes environnementales peuvent s'accompagner d'actions concrètes. En plus des règlements municipaux, toute initiative des citoyens peut devenir une façon d'appliquer ou de respecter des normes environnementales. Ce sont souvent les citoyens qui constatent les effets d'une mauvaise gestion de l'environnement (contamination des eaux, érosion des sols, abattage des arbres, diminution du nombre d'individus de certaines espèces de poissons, etc.). Ils les subissent d'ailleurs souvent directement. Certains citoyens dénoncent des actes répréhensibles, ou condamnables, alors que d'autres en commettent.

86 **Des municipalités qui sanctionnent**

Certaines municipalités choisissent de pénaliser les « mauvais comportements » en matière d'environnement.

« En vertu de la Loi sur l'aménagement et l'urbanisme (LAU) et de la Loi sur les compétences municipales (LCM) du Québec, les instances municipales peuvent adopter des règles en matière d'environnement touchant notamment la protection des rives, la plantation et l'abattage d'arbres, la végétalisation, les installations septiques des résidences isolées et l'utilisation de pesticides et d'engrais sur les terrains privés. »

Québec, Ministère des Affaires municipales et des Régions, *Pouvoirs réglementaires des municipalités locales et régionales en regard de la problématique de la prolifération des cyanobactéries* [en ligne], septembre 2007, réf. du 22 avril 2009.

● Dans quels cas les municipalités peuvent-elles intervenir auprès de ceux qui contreviennent aux normes environnementales en vigueur ?

87 **Sévir contre les « mauvais comportements » environnementaux**

Le non-respect des règlements municipaux en matière environnementale peut valoir une amende aux contrevenants. Par exemple, certaines municipalités du Québec ont fixé des heures pour l'arrosage de la pelouse, le lavage de la voiture ou le nettoyage de la chaussée.

● Comment les municipalités peuvent-elles intervenir afin de faire respecter les normes environnementales qu'elles se sont fixées ?

Le rôle des médias dans l'élaboration de politiques environnementales

La couverture médiatique se rapportant à l'environnement a augmenté de plus de 1000 % en 10 ans. Toutefois, il semble que les médias ne jouent pas un rôle de premier plan dans l'instauration de politiques et de normes dans ce domaine. Selon François Cardinal, un journaliste spécialisé en environnement, la principale fonction des médias est d'informer les citoyens et non de les persuader d'agir. Il revient aux citoyens eux-mêmes d'accomplir, une fois qu'ils ont été renseignés, des gestes qui attirent l'attention des autorités sur les enjeux environnementaux.

L'environnement dans les médias

« Selon M. Cardinal, la plupart des Québécois n'écoutent [...] que distraitement les nouvelles à teneur environnementale. La preuve : si le Québec était un pays, il serait le troisième plus important producteur de GES [gaz à effet de serre], derrière les États-Unis et le Canada. Ce fait démontre le pouvoir limité des médias, qui ne rejoignent qu'une petite partie de la population, majoritairement déjà scolarisée et sensibilisée. Les moins intéressés changent de chaîne. »

Pierre McCann, « François Cardinal questionne le rôle des médias relativement aux problématiques environnementales », Colloque sur la gouvernance en environnement : l'impact des décideurs, *Université de Sherbrooke* [en ligne], réf. du 16 avril 2009.

Estimez-vous que les médias vous renseignent suffisamment sur les enjeux environnementaux ? Expliquez votre réponse.

Vous sentez-vous concernés par les enjeux environnementaux décrits par les médias ? Si oui, comment ?

Selon vous, les médias peuvent-ils inciter les citoyens à agir en faveur de la protection de l'environnement ? Justifiez votre réponse.

> **Sanction** Peine infligée à ceux qui désobéissent aux lois, commettent une infraction ou ont un comportement répréhensible.

2.2 Des sanctions possibles au niveau national

Les États ont le devoir d'assurer la régulation environnementale à l'aide de lois et de normes. Ils s'appliquent à négocier des accords internationaux. Ils érigent des normes et des règles relatives à l'environnement et veillent à les faire respecter. Les États peuvent exercer des **sanctions** contre ceux qui violent les lois environnementales en vigueur. Outre les sanctions, les États peuvent offrir des processus d'accompagnement et d'information pour aider les citoyens et les entreprises à respecter les normes qu'ils ont établies.

88 Des sanctions pour ceux qui ne respectent pas les lois relatives à l'environnement

Certains États, comme le Sénégal, traduisent leurs engagements internationaux en matière environnementale par des mesures politiques. Ils peuvent ainsi définir des étapes dans la réalisation des objectifs qu'ils se sont fixés, ou infliger des sanctions à ceux qui enfreignent les normes ou les règles établies.

« Près de 80 % des entreprises affiliées au Syndicat professionnel des industries et des mines du Sénégal (Spids) ont des difficultés [à] se conformer aux dispositions de la législation sénégalaise, en termes de rejets des eaux polluées dans la mer, des déchets solides dans la nature, ou en matière de pollution de l'air. [...] Christian Basse, le président du Spids, a expliqué hier dans son allocution d'ouverture de l'atelier, que "le nouveau Code de l'environnement a introduit des concepts nouveaux tels que la législation sur les installations classées, les eaux usées, les déchets, etc., qui vont également entraîner des efforts considérables en matière d'infrastructure". Il a indiqué que le non-respect de la réglementation en matière de normes environnementales par les entreprises pouvait se traduire par "des sanctions civiles et pénales, des pertes de crédibilité et d'image, donc des risques de pertes de parts de marché, des risques de remise en cause de la pérennité de l'entreprise". »

Mohamed Gueye, « Pollution – Conformité aux normes légales : l'industrie sénégalaise à l'épreuve du Code de l'environnement », *Le Quotidien* [en ligne], 27 mars 2009, réf. du 16 avril 2009.

 À quoi s'exposent les entreprises qui désobéissent aux lois relatives à l'environnement ?

89 Une collaboration entre des États américains

Certains pensent que les changements dans le domaine de l'environnement ne peuvent se faire qu'aux niveaux national ou régional. C'est pourquoi quelques gouverneurs d'États américains ont adopté des politiques environnementales et des sanctions plus sévères que celles prévues par le gouvernement fédéral. Il y a quelques années, la Californie s'est dotée d'une politique environnementale et d'autres États ont fait de même peu après. Ici, le gouverneur de la Floride et celui de la Californie discutent des normes en matière de pollution, en 2007.

● Selon vous, pourquoi certains États américains ont-ils décidé d'établir des sanctions plus sévères dans le domaine de l'environnement?

90 Une charte de l'environnement en France

En 2005, l'État français a inséré une charte de l'environnement dans la Constitution. Il s'est ainsi doté d'un cadre juridique qui permet de faire appliquer les normes, et qui définit les droits et les devoirs des citoyens français en matière d'environnement. Il peut punir ceux qui contreviennent à la Charte ou récompenser ceux qui protègent l'environnement. Par exemple, l'État a offert des «bonis écologiques» aux acheteurs de voitures neuves qui produisent moins de carbone, comme la voiture électrique photographiée ci-dessous.

● Le fait d'adopter un cadre juridique dans le domaine de l'environnement facilite-t-il l'application de sanctions? Expliquez votre réponse.

91 Une amende fédérale imposée à des contrevenants, au Nouveau-Brunswick

Les États peuvent infliger une sanction à une compagnie qui ne respecte pas certaines lois ou conventions relatives à l'environnement.

«Aujourd'hui dans la Cour provinciale du Nouveau-Brunswick, la société J.D. Irving Limited a plaidé coupable à des accusations portées par Environnement Canada en vertu de la Loi sur la Convention concernant les oiseaux migrateurs de 1994. La société a été condamnée à payer une amende de 60 000 $ pour avoir enfreint à la Loi en détruisant huit nids de grands hérons pendant des activités d'exploitation forestière. La société doit également créer une zone tampon afin d'éviter toute autre activité d'exploitation forestière dans la région où les nids ont été endommagés.»

Environnement Canada, *La société J.D.Irving Limited plaide coupable à des accusations portées en vertu de la Loi sur la convention concernant les oiseaux migrateurs du gouvernement fédéral et est condamnée à payer une amende de 60 000$* [en ligne], 2008, réf. du 22 avril 2009.

● Comment un gouvernement peut-il s'assurer que les normes environnementales qu'il a établies seront respectées?

2.3 Des sanctions possibles au niveau international

Le Programme des Nations Unies pour l'environnement (PNUE) a pour mandat de faciliter la coopération entre les États et de mettre à leur disposition des outils (assistance technique, formations, secrétariat, services consultatifs dans le domaine du droit environnemental, etc.) susceptibles de les aider à atteindre leurs principaux objectifs environnementaux.

Toutefois, le refus de certains États ou de certaines entreprises de se conformer aux principes définis par le PNUE peut être dénoncé par l'opinion publique. Des organisations, ou des organismes, peuvent exercer des pressions sur eux pour les amener à appliquer les normes de protection de l'environnement.

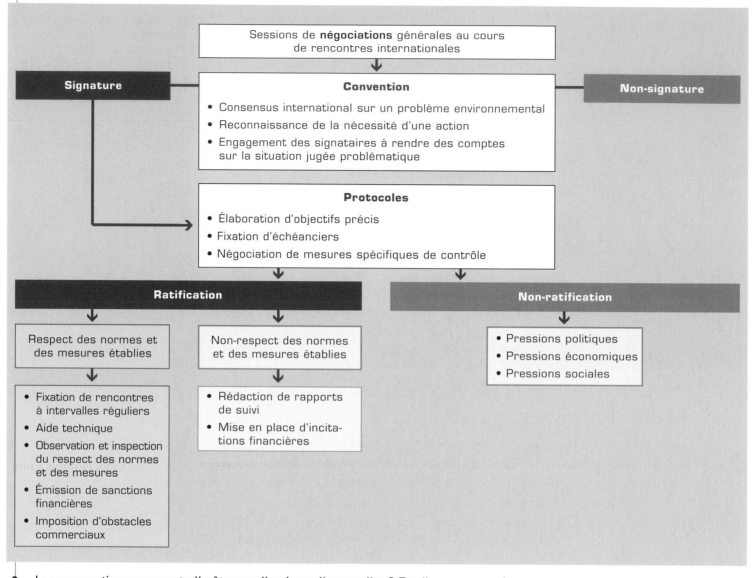

Les conventions peuvent-elle être appliquées telles quelles ? Expliquez votre réponse.

À quoi s'exposent ceux qui ne ratifient pas les protocoles attachés à une convention ?

Le PNUE n'a ni l'autorité ni les moyens d'obliger les signataires des accords et des conventions à appliquer les principes formulés au cours des négociations. Une seule organisation internationale détient un pouvoir d'action et un pouvoir de sanction : l'Organisation mondiale du commerce (OMC). Pour le moment, elle est la seule à pouvoir donner des sanctions juridiques et économiques à des États qui enfreignent les règles et les normes commerciales. Elle ne peut sévir contre des États qui ne respectent pas les normes environnementales. L'OMC dispose d'un organe de règlement des différends commerciaux (ORD) qui ressemble à un tribunal de commerce. Il existe une autre organisation internationale, la Cour pénale internationale (CPI), qui juge les individus seulement.

Plusieurs intervenants actifs dans le domaine de l'environnement souhaiteraient voir le PNUE se doter de ce genre de tribunal. Celui-ci aurait le pouvoir d'infliger des sanctions à ceux qui enfreignent les normes environnementales.

93 **Des pressions pour protéger l'environnement, au Brésil**

Les organismes de protection de l'environnement peuvent parfois amener les gouvernements à ratifier des conventions ou à appliquer les politiques environnementales qu'ils ont décidées. En 2009, des membres de l'organisation Greenpeace ont installé une bande-role sur un pont au Brésil afin d'attirer l'attention du public et des autorités sur les enjeux liés aux changements climatiques.

94 **Existe-t-il de véritables sanctions ?**

« Des centaines d'accords multilatéraux existent en droit international de l'environnement, mais rares sont les dispositifs juridiques effectifs, dotés de systèmes de sanctions dissuasives. La possibilité de recours des citoyens et des associations face à un préjudice environnemental demeure complexe et coûteuse, car il leur appartient d'établir à leurs frais la réalité d'un dommage. »

Atlas du Monde diplomatique : l'atlas de l'environnement, Armand Colin, 2008, p. 16.

● Pourquoi les individus et les organisations ayant subi un préjudice ou un dommage environnemental peuvent-ils difficilement obtenir une compensation ?

95 **La reconnaissance des organisations internationales**

Pour que les normes établies par les organisations internationales soient respectées, il faut d'abord que l'ensemble des États reconnaissent le pouvoir de ces organisations.

« Un des enjeux majeurs pour tous les organismes internationaux est qu'ils doivent être reconnus par tous les pays. Dans l'hypothèse où des pays majeurs n'y ont pas adhéré, leur représentativité en est singulièrement affaiblie. [...] Plus près de nous, quel est le poids du Conseil de sécurité de l'ONU quand les États-Unis décident de se passer de son aval pour aller faire la guerre en Irak ? Est-ce que la CPI [Cour pénale internationale] est universellement légitime puisqu'elle ne contient que 60 États – dans lesquels ne figurent pas les États-Unis ? Quelle est la portée de l'Accord de Kyōtō dans la mesure où le gouvernement américain n'y a pas souscrit alors que les États-Unis, à eux seuls, consomment 25 % des ressources énergétiques [de la planète] [...] ? On peut penser a contrario que le renforcement plus ou moins inéluctable de ces institutions marginalise les États restés au-dehors et exerce une pression utile sur les événements du monde. »

Férone et autres, *Ce que le développement durable veut dire*, Éditions d'Organisation et ENSAM, 2004, p. 188.

● Pourquoi certains États choisissent-ils de ne pas être membres de ces organisations internationales ?

QUESTIONS de point de vue   CD 2

1 À quoi s'exposent ceux qui enfreignent les lois et les normes environnementales aux niveaux local et régional ? au niveau national ? au niveau international ?

2 En quoi le débat concernant la création d'un tribunal juridique en environnement consiste-t-il ?

3 L'autorité des organisations internationales en environnement est-elle reconnue par tous les États ? Expliquez votre réponse.

3 Qui devrait être responsable de l'harmonisation des normes environnementales dans le monde ?

Il existe une multitude de normes environnementales qui sont appliquées de diverses façons aux niveaux local, national et international. Toutefois, aucune organisation internationale n'a le pouvoir d'obliger un État à ratifier un accord ou à appliquer les mesures qui ont été établies. Pour arriver à une harmonisation des normes environnementales, il faut une coopération entre les États et une volonté commune d'assurer le développement durable. Cependant, même si la majorité des États s'entendent sur ce point, la façon d'y parvenir ne fait pas consensus. En effet, la multiplication des normes et la difficulté à les appliquer entraîne une réflexion sur la responsabilité de la gestion de l'environnement.

3.1 Une organisation centralisée en matière d'environnement

De nombreux intervenants souhaitent la création d'une organisation internationale en environnement. Selon eux, la mise en place d'une organisation centralisée dotée d'un organe de règlement semblable à celui que possède l'OMC pourrait permettre de trouver des solutions globales. Elle pourrait également faire respecter les normes environnementales en recourant à des incitatifs ou à des sanctions. Ceux qui défendent ce projet insistent sur le fait qu'une telle organisation aiderait à jeter les bases d'un droit international de l'environnement.

96 La France se prononce en faveur d'une OME

En février 2007, Jacques Chirac, alors président de la France, réunit plusieurs intervenants à Paris à l'occasion de la Conférence de Paris pour une gouvernance écologique mondiale. Dans son discours, aussi connu sous le nom d'« Appel de Paris », Jacques Chirac fait part de la volonté des participants de créer une Organisation mondiale de l'environnement (OME). Il déclare notamment ce qui suit : « Nous, citoyens de tous les continents […], appelons à transformer le Programme des Nations Unies pour l'environnement en une véritable organisation internationale à composition universelle. »

CITOYENS DE LA TERRE
Conférence de Paris pour une gouvernance écologique mondiale

97 Pour une gouvernance mondiale en environnement

Le Sénat français explique en quoi une Organisation mondiale de l'environnement (OME) pourrait être utile.

« La gouvernance mondiale actuelle apparaît déséquilibrée : alors que des organisations internationales puissantes gèrent les dossiers économiques (OMC, FMI), et que les préoccupations sociales sont portées par l'OMS et l'OIT, l'environnement semble être un secteur négligé, puisque qu'aucune organisation internationale spécialisée n'en a la charge. [...] Une éventuelle OME aurait pour première mission de centraliser le secrétariat des différents accords environnementaux. Cette rationalisation des structures serait source de gains d'efficacité. [...] Outre les gains d'efficacité administrative [...], elle [l'OME] favoriserait la surveillance mutuelle entre États, et par là, encouragerait le respect des engagements souscrits. La collecte et la publication de données fiables et incontestables en matière d'environnement permettrait de jouer sur les effets de "réputation" et inciterait les États à appliquer les accords environnementaux. »

Serge Lepeltier, « Rapport d'information nº 233 (2003-2004) », *Délégation du Sénat pour la planification* [en ligne], 2004, réf. du 16 avril 2009.

• Quelle serait la mission de l'OME ?
• En quoi cette organisation serait-elle utile ?

Un organisme de protection de l'environnement se déclare en faveur de la mise sur pied d'organisations assurant une gouvernance mondiale de l'environnement.

« Pour que le droit contribue à écarter les guerres de l'énergie, la privatisation et la dégradation alarmantes de notre environnement, une institution internationale solide, légitime et démocratique s'impose. Or, force est de constater qu'elle n'existe pas : l'ONU a omis de se doter d'une institution spécialisée pour la protection de l'environnement. Le Programme des Nations Unies pour l'environnement (PNUE), [...] n'est pas à la hauteur des enjeux. Au niveau international, les compétences liées à l'environnement sont trop dispersées et trop faibles. Géré par tout le monde, l'environnement n'est en fait protégé par personne. Face à un système de gouvernance de l'environnement sans cohérence ni vision d'ensemble, fragmenté et opaque, manquant d'autorité et de légitimité, il est temps de créer une Organisation mondiale de l'environnement ! »

APE, *Créons l'Organisation mondiale de l'environnement* [en ligne], réf. du 22 avril 2009.

- À quoi servirait cette organisation internationale ?
- Selon le texte, pourquoi le PNUE est-il peu efficace ?

3.2 Des organismes responsables aux niveaux local, régional et national

Certains États, comme la France et l'Allemagne, militent en faveur de la création d'une OME. D'autres États, quant à eux, estiment que les normes environnementales doivent être appliquées à un niveau tant local que régional et national. Ces intervenants préfèrent des politiques nationales ou locales, qui peuvent avoir des effets directs sur les espaces dégradés, plutôt que de multiples accords internationaux, souvent préparés par un petit nombre de pays développés.

99 Une coopération entre États

Certains États, ou pays, préfèrent travailler ensemble à mettre en place des normes environnementales qui servent leurs intérêts plutôt que de participer à la création d'une OME.

« Critiques à l'égard de la coopération multilatérale, [certains] pays [dont les États-Unis et la plupart des pays en développement] entendent préserver la prééminence des initiatives volontaires et des accords bilatéraux. Ils ne sont pas prêts à se laisser imposer de nouvelles contraintes légales, politiques ou financières. Ils s'opposent à la création d'institutions pouvant interférer dans les négociations commerciales. Enfin, considérant les institutions onusiennes inefficaces, ils appréhendent les obstacles administratifs et les négociations nécessaires pour fonder une OME. [...] Les pays en développement, pour leur part, craignent de se voir imposer des normes environnementales définies par des pays industrialisés, qu'ils perçoivent comme autant de barrières au développement économique et social. [...] Les organismes intergouvernementaux sont opposés à l'idée d'une OME. [...] Ayant développé leurs propres compétences dans le domaine de l'environnement, elles craignent de perdre pouvoir, financements, compétences et indépendance et de voir se créer de nouveaux réseaux hiérarchiques, modifiant les rapports de force en leur défaveur. »

Tubiana et autres, « Gouvernance internationale de l'environnement : les prochaines étapes », *IDDRI* [en ligne], 2005, réf. du 17 février 2009.

- Pourquoi certains États, ou pays, se montrent-ils critiques à l'égard de la coopération multilatérale ?

100 Une gestion régionale de l'environnement

L'Accord de libre-échange nord-américain (ALENA), entré en vigueur dans les années 1990, a entraîné la création de la Commission nord-américaine de coopération environnementale (CCE). En créant cette commission, l'ALENA tente de favoriser la collaboration entre les ONG et les gouvernements sur des questions environnementales qui les touchent directement. Par exemple, le Canada a obtenu l'accord du Mexique et des États-Unis pour élaborer un plan d'action de gestion écologiquement rationnelle des déchets dangereux, comme les BPC.

101 Régler le problème à la bonne échelle

Même si les problèmes environnementaux peuvent être traités à plusieurs niveaux, la création d'une OME pourrait par ailleurs aider à la gestion mondiale de l'environnement.

« Il est établi que les enjeux de l'environnement sont planétaires et que notre patrimoine naturel est mondial. Pourtant, il faut trouver le bon périmètre pour régler les problèmes : par exemple, la communauté de communes pour gérer l'eau, le département pour l'élimination des déchets, la nation pour les transports des marchandises, le continent pour la préservation de la diversité biologique. Et qu'en est-il d'une autorité mondiale dans le domaine de l'environnement ? Si l'ONU tente de prévenir les conflits des hommes, sans doute notre siècle devra-t-il à son tour créer une instance planétaire capable de prévenir les désastres environnementaux. »

Henri Proglio (sous la direction de), *Les 100 mots de l'environnement,* PUF, 2007, p. 70.

○ Selon vous, à quel niveau les problèmes environnementaux peuvent-ils être réglés ? Justifiez votre réponse.

102 La souveraineté brésilienne

De nombreuses organisations environnementales ont milité en faveur de la protection des forêts de l'Amazonie. Toutefois, l'État brésilien estime qu'il lui appartient de régler ce dossier. Il refuse donc que la protection de l'Amazonie fasse l'objet de négociations internationales. En affirmant sa souveraineté, le Brésil valorise les solutions locales et nationales. Le gouvernement a notamment mis en place un organisme (Institut brésilien de l'environnement et des ressources naturelles renouvelables), qui est doté d'une force policière et qui a la responsabilité de protéger les forêts amazoniennes.

○ Au Brésil, qui est responsable de la protection des forêts de l'Amazonie ? Pourquoi ?

3.3 La responsabilité environnementale

Comme la communauté internationale ne s'entend pas sur la façon d'appliquer les normes environnementales, plusieurs se demandent qui devrait être chargé de les harmoniser et de les faire respecter.

Un principe du **droit de l'environnement** précise que chacun a l'obligation de protéger l'environnement, soit en usant de mesures préventives soit en réparant un dommage déjà causé. C'est ce qu'on appelle la responsabilité environnementale. Ce principe est applicable lorsque des intervenants acceptent ou refusent de respecter des normes environnementales déjà établies.

Le concept de pollueur-payeur, par exemple, s'appuie sur ce principe de responsabilité environnementale puisqu'il responsabilise les entreprises ou les États les plus pollueurs. Ainsi, lorsqu'un dommage environnemental est causé, celui qui en est l'auteur doit payer les frais liés à la réparation, en plus de participer à l'élaboration d'un plan de prévention. Ces sanctions devraient inciter les pollueurs à adopter ou à respecter des normes de production et de gestion, et même à en créer d'autres, plus adaptées à leur réalité. Le principe de la responsabilité environnementale constitue donc, aux yeux de plusieurs, un excellent moyen d'assurer l'application des normes environnementales.

Droit de l'environnement
Droit qui a pour objet d'élaborer des règles juridiques concernant la protection, la gestion et la préservation de l'environnement. Ce droit s'exprime par des lois environnementales créées par certains États. Les jugements mènent la plupart du temps à des recommandations publiques.

103 Un marché du carbone, à Montréal

Afin de diminuer les inquiétudes au sujet des changements climatiques, un certain nombre de pays se sont dotés d'une bourse du carbone. Cette mesure a pour but d'amener les pays qui sont de gros émetteurs de CO_2 à réduire leurs rejets. Ainsi, les entreprises inscrites à ces bourses qui dépassent leurs objectifs de réduction de rejets de CO_2 peuvent vendre des crédits d'émission à d'autres entreprises qui ne les atteignent pas. Le but visé est de faire augmenter le prix de la tonne de carbone au point où il devient plus avantageux d'investir dans le développement durable et d'appliquer les normes environnementales que d'échanger des crédits d'émission. Le Marché climatique de Montréal (MCex) a émis ses premiers titres en mai 2008.

104 Le prix Pinocchio

Chaque année, l'organisation Les Amis de la Terre remet le prix Pinocchio du développement durable à des entreprises qui, selon elle, manquent à leurs responsabilités en matière d'environnement.

105 Les positions en matière de prévention et de réparation des dommages environnementaux

Le principe de la responsabilité environnementale est souvent invoqué lorsque des entreprises ne suivent pas les normes concernant l'environnement.

« Deux positions sont généralement défendues en matière de prévention et de réparation des dommages écologiques. La plus courante considère qu'il revient aux collectivités de réparer les dommages causés par les industries et le progrès technique, au nom du fait qu'ils contribuent à la croissance de l'économie. La seconde thèse, en revanche, plaide en faveur d'un régime de responsabilité environnementale appliquant en amont le principe pollueur-payeur: l'exploitant industriel qui peut agir sur les causes d'une pollution doit être mis en demeure de la faire. C'est l'objet de la directive européenne du 2 avril 2004 sur la responsabilité environnementale, dont la laborieuse transposition suscite une levée de boucliers parmi les industriels concernés. »

Atlas du Monde diplomatique: l'atlas de l'environnement, Armand Colin, 2008, p. 16.

- Quelles sont les positions défendues en matière de prévention et de réparation des dommages écologiques, ou environnementaux?

QUESTIONS de point de vue   CD 2

1 Quels seraient les avantages et les inconvénients liés à la création d'une Organisation mondiale de l'environnement (OME)?

2 Pourquoi certains intervenants mettent-ils au premier plan la gestion locale, régionale et nationale de l'environnement?

3 Qu'est-ce que la responsabilité environnementale?

4 Qui devrait avoir la responsabilité d'établir des normes environnementales et de les faire respecter?

PISTES D'ACTION

De nombreux intervenants (États, ONG, organisations internationales, entreprises, citoyens, etc.) proposent différentes solutions pour harmoniser les normes environnementales tant au niveau local, que régional, national et international. En s'efforçant de tenir compte des intérêts, des besoins et des objectifs de chacun, ils cherchent à assurer un développement durable.

Voici quelques exemples d'actions visant à harmoniser et à appliquer au mieux les normes environnementales :

- se renseigner sur les accords environnementaux en vigueur et les normes s'y rattachant et signaler, s'il y a lieu, le non-respect des normes environnementales ;

- faire pression, en tant que consommatrice ou consommateur, sur les entreprises pour les amener à suivre ces normes ;

- acheter des produits portant des étiquettes qui indiquent que les fabricants se conforment aux normes environnementales établies.

Les documents suivants présentent des formes d'action entreprises par divers intervenants. Pour chacune des actions décrites, répondez aux questions ci-dessous.

1. Qui sont les intervenants qui ont lancé cette action ?

2. À quel(s) niveau(x) (local, régional, national ou international) se situe l'action des intervenants ?

3. Comment les intervenants comptent-ils s'y prendre pour faire respecter les normes environnementales ?

4. Quelles sont les solutions proposées ?

5. Selon vous, les solutions suggérées sont-elles efficaces ? Peuvent-elles avoir des répercussions à l'échelle de la planète ? Pourquoi ?

6. Avez-vous d'autres pistes de solution à suggérer ?

Des citoyens qui doivent respecter des normes de construction

Les États et les entreprises ne sont pas les seuls à devoir suivre des normes environnementales. Les citoyens aussi, dans leurs actions, ont ce devoir. Dans le domaine de la construction au Québec, le ministère du Développement durable, de l'Environnement et des Parcs (MDDEP) exige que les propriétaires désireux d'installer un puits artésien sur leur terrain demandent un permis à la municipalité. Celle-ci délivre le permis seulement après s'être assurée que la construction du puits se fera selon les normes. Il faut, par exemple, que les propriétaires construisent le puits à une distance déterminée du système de traitement des eaux usées. Une fois les travaux terminés, ils doivent faire analyser un échantillon d'eau dans un laboratoire accrédité par le MDDEP.

Des ONG privées fixent leurs propres normes

Les principes énoncés dans certains accords ou conventions doivent se traduire dans des actions concrètes. Il est parfois difficile d'imposer des normes à des États souverains. Cependant, il est possible, pour des organismes privés, d'examiner ces accords et d'en tirer des normes. Celles-ci peuvent ensuite être adoptées par différents États et entreprises. C'est le cas de l'organisme indépendant PEFC (Programme for the Endorsement of Forest Certification Schemes) qui, à l'aide d'un label de certification, fait la promotion du développement durable des forêts.

Des conférences et des partenariats

Certains pays tiennent des réunions ou des conférences qui ont pour but d'harmoniser les normes environnementales. Ainsi, en 2003, l'Union européenne, les États-Unis, la Chine et le Japon ont conclu un accord de partenariat sur la pollution atmosphérique due aux transports. Les entreprises peuvent ensuite s'efforcer de créer des produits qui satisfont aux normes établies par les États signataires.

« L'Union européenne, les États Unis, la Chine et le Japon à la même table, cela n'arrive pas très souvent, c'était à Milan le 10 décembre, et qu'est-ce qui a réuni tous ces pays : la pollution atmosphérique causée par les transports. À l'heure où les futures normes EURO 5 sont encore en cours d'élaboration [...], il est néanmoins clair à tous que les problématiques de la pollution atmosphérique sont des questions globales, qui ne pourront être résolues qu'à un niveau mondial. C'est ce qui a motivé ces différents pays pour mettre en place "une plate-forme scientifique commune de mesure et d'étalonnage de la pollution atmosphérique due au trafic".

Cette démarche commune fournira une base où les pays signataires pourront puiser des informations, tant sur les véhicules, que les carburants et émissions qu'ils produisent, mais aussi les manières de tester les véhicules ainsi que de mesurer leurs émissions. À terme, ce que tous les industriels attendent est bien sûr une norme internationale unique. »

Moteur Nature, *Des normes anti-pollution mondiales ?* [en ligne], réf. du 17 février 2009.

Les écotaxes

Pour atteindre les objectifs environnementaux fixés, certains États taxent les industries et les entreprises qui causent des dommages environnementaux. Les États veulent aussi du même coup encourager les « bonnes conduites ». Faciles à administrer, ces taxes sont de plus en plus utilisées dans les pays industrialisés. En outre, l'État réinvestit le produit des taxes dans des politiques de protection de l'environnement.

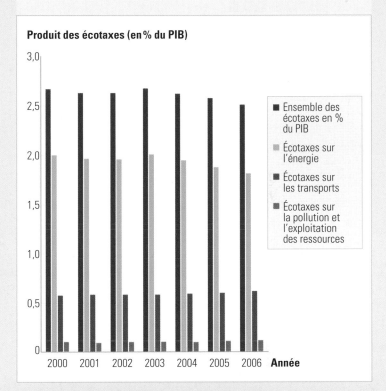

Eurostat, *Le produit des écotaxes* [en ligne], réf. du 16 avril 2009.

À la place de... CD 2

Répondez à la question suivante en vous basant sur ce que vous avez appris dans ce chapitre.

Si vous étiez à la place de chacun des intervenants suivants, comment pourriez-vous faciliter l'application des normes environnementales dans la société ?

☑ Propriétaire d'entreprise
☑ Politicienne ou politicien
☑ Journaliste
☑ Environnementaliste
☑ Mairesse ou maire d'une municipalité

SYNTHÈSE

LE PROBLÈME

Gérer l'environnement, une préoccupation mondiale

La croissance mondiale entraîne la dégradation de l'environnement, ce qui menace les écosystèmes et le développement humain.

Le développement durable : l'origine du concept

L'**interdépendance** entre le développement humain et l'environnement est une préoccupation mondiale depuis les années 1970.

Le **développement durable** englobe deux préoccupations : l'écart de richesse et la dégradation de l'environnement.

La coopération entre les pays est essentielle pour atteindre un développement durable.

Les États, des acteurs clés dans la gestion de l'environnement

Les États ont la **responsabilité** d'assurer la **régulation** environnementale.

Les organisations internationales coordonnent les actions impliquant plusieurs États.

Les accords internationaux portent sur différents problèmes.

La gestion de l'environnement, une responsabilité partagée

La gestion de l'environnement repose sur les choix des États, des individus, des entreprises et des groupes environnementaux.

Quelle est l'importance de la coopération internationale dans la gestion de l'environnement ?

La pollution ne connaît pas de frontières. De plus, les États ne disposent pas des mêmes moyens pour faire face à la détérioration de l'environnement.

Quelle est la portée des accords internationaux ?

L'environnement continue de se dégrader en raison de l'absence de volonté politique et du manque de ressources financières, notamment. Certains accords ont néanmoins eu des effets positifs.

Qu'est-ce qui motive les choix en matière de gestion de l'environnement ?

Les choix des États sont motivés par les valeurs de la société et par l'importance accordée à un problème.

Différentes raisons motivent les choix des entreprises (respect des lois, baisse des coûts, pressions du public, etc.)

Différentes raisons incitent des communautés à adopter un Agenda 21 local (image de la municipalité, pressions populaires, etc.).

Combien coûte la protection de l'environnement ?

Certains États et entreprises investissent des sommes importantes dans la protection de l'environnement.

L'analyse des coûts de la protection de l'environnement devrait aussi tenir compte des coûts sociaux liés à sa dégradation.

Quelles sont les conséquences de la mondialisation sur la gestion de l'environnement ?

> **Les choix économiques, politiques et sociaux doivent être guidés par le principe de développement durable.**

La croissance économique et l'augmentation des échanges internationaux engendrent des problèmes environnementaux.

La compétition peut inciter des États ou des multinationales à adopter des normes plus ou moins sévères.

Par ses choix de **consommation**, la société civile peut influencer les choix des multinationales.

Étude de cas : les changements climatiques

La plupart des pays de l'Union européenne prévoient atteindre les objectifs du protocole de Kyōto de 1997.

Les États-Unis et le Canada estiment que le respect des objectifs de Kyōto nuirait à leur économie. La position des États-Unis change toutefois depuis l'élection de Barack Obama à la présidence du pays.

Les pays en développement refusent de se faire imposer des contraintes craignant que celles-ci compromettent leur développement.

LES ENJEUX

ENJEU **1** L'UTILISATION ET LA CONSOMMATION DES RESSOURCES

Comment concilier la gestion durable des ressources et le développement économique ?

Les pays industrialisés surconsomment, alors que les populations des pays en développement peinent à subvenir à leurs besoins.

Certaines ressources pourraient s'épuiser, ce qui nuira aux écosystèmes et au développement humain.

Certains estiment que l'environnement devrait faire partie des stratégies de production.

Est-il possible d'utiliser et de consommer des ressources de façon durable ?

Les activités humaines dépendent de l'utilisation de ressources.

La surconsommation des combustibles fossiles provoque des problèmes environnementaux. La production d'énergie renouvelable constitue une option.

La surconsommation de l'eau conduit à des pénuries qui entravent le développement de certains pays. Réduire la consommation d'eau s'avère une solution.

L'utilisation intensive des terres et des produits forestiers mène à la dégradation des sols et des écosystèmes. La restauration des terres et des couverts forestiers est envisageable à long terme.

La surconsommation de produits alimentaires est inconciliable avec le développement durable. Les consommateurs peuvent influencer la façon dont les producteurs utilisent les ressources nécessaires à la production d'aliments.

Une meilleure gestion des déchets et l'adoption de nouveaux modes de consommation font partie des solutions globales pour régler les problèmes de surconsommation.

ENJEU **2** L'HARMONISATION DES NORMES ENVIRONNEMENTALES

Est-il possible d'établir des normes environnementales mondiales ?

De nombreux accords, ententes et conventions prescrivent des normes et des mesures pour protéger l'environnement.

Les normes varient selon les besoins des différents intervenants, ce qui complique leur application.

Des États ou organisations instaurent des systèmes de certification que les entreprises sont libres d'adopter.

Comment faciliter l'application de normes environnementales ?

Les ententes, conventions et accords sont peu contraignants.

Des sanctions sont appliquées à différents niveaux. Aux niveaux local et régional, les municipalités définissent des normes qui servent à établir des règlements. Au niveau national, les États fixent des lois et sanctionnent ceux qui ne les respectent pas.

Au niveau international, le PNUE a pour mandat de faciliter la coopération entre États, mais il n'a pas de pouvoir de sanction.

Les individus et les groupes environnementaux peuvent dénoncer les entreprises ou les États fautifs.

Qui devrait être responsable de l'harmonisation des normes environnementales dans le monde ?

Il n'existe pas de consensus quant à la façon de protéger l'environnement.

Certains souhaitent la création d'une organisation centralisée chargée de faire respecter les normes.

D'autres préfèrent que des politiques soient adoptées aux niveaux local, régional ou national.

D'autres encore estiment que les pollueurs devraient être tenus de réparer les dommages qu'ils ont causés.

1. Un graphique qui en dit long CD 1

Quel est le lien entre la croissance de la population mondiale et la dégradation de l'environnement ?

a) Réalisez un diagramme sur le lien entre la croissance de la population mondiale et la dégradation de l'environnement.
- Trouvez des données sur l'augmentation de la population mondiale.
- Trouvez des données sur les émissions de gaz à effet de serre. Attention, les dates doivent correspondre à celles trouvées pour la population.
- Créez votre diagramme. N'oubliez pas le titre, la légende et les sources.
- Écrivez un court texte afin d'expliquer ce que votre diagramme illustre.

b) À partir de votre diagramme, que pouvez-vous dire sur le lien entre la croissance de la population mondiale et la dégradation de l'environnement ?

2. L'environnement : le reflet d'une époque CD 1

a) Créez un repère temporel dans le but de présenter les principaux événements en lien avec la gestion de l'environnement depuis la seconde moitié du XXe siècle. N'oubliez pas d'y inclure les éléments suivants :
- les principaux documents qui ont influencé la communauté internationale ;
- les principaux sommets et conférences ;
- les principaux accords et conventions signés ou ratifiés ;
- les principales études publiées sur des problèmes environnementaux.

b) En vous servant des informations disposées sur votre repère temporel, répondez à la question suivante : Les problèmes environnementaux abordés dans la seconde moitié du XXe siècle sont-ils toujours d'actualité ? Expliquez votre réponse.

3. Des choix en matière d'environnement CD 1

Quels acteurs de la société sont appelés à faire des choix en matière de gestion de l'environnement ?

a) Pour chacun des acteurs identifiés :
- relevez leurs points de vue et leurs intérêts quant à la gestion de l'environnement ;
- précisez leurs moyens d'action (lois, pétitions, certifications, etc.) ;
- donnez des exemples d'interventions (ou de pistes de solution proposées) sur les plans politique, économique ou social.

b) Selon vous, quels acteurs de la société peuvent avoir le plus d'influence en matière de gestion de l'environnement ? Expliquez votre réponse.

4. Le développement durable CD 1

a) Donnez votre propre définition du développement durable.

b) Liez les concepts suivants à votre définition du développement durable :
- les modes de consommation ;
- la dépendance à l'environnement ;
- la régulation environnementale ;
- la responsabilité environnementale.

5   Le développement économique et l'environnement   CD 1

a) Quel est le lien entre la mondialisation et l'environnement ? Pour répondre à cette question, observez les photographies ci-dessous et précisez les conséquences économiques, politiques et sociales de la mondialisation sur l'environnement.

b) Quels choix devraient être faits pour permettre un développement durable dans le contexte de la mondialisation ?

Une mine de charbon en Chine, en 2006.

Le Sommet sur l'aviation et l'environnement, en 2009.

Une mère et son fils dans un bidonville en Inde, en 2007.

6   Des choix de consommation   CD 2 • Enjeu 1

Par leurs choix, les consommateurs peuvent-ils avoir une influence sur la gestion de l'environnement ? Pour répondre à cette question, concevez un schéma qui illustre le processus de production et de consommation d'une ressource naturelle.

a) Faites votre schéma à partir des étapes suivantes.

- Choisissez une ressource naturelle qui sert dans la production de nombreux biens de consommation (blé, coton, etc.).
- Choisissez un bien produit à partir de cette ressource.
- Présentez les étapes qui succèdent à la production du bien : emballage, mise en marché, etc.
- Ajoutez à votre schéma les étapes de la vie de la ressource une fois le produit utilisé : déchet, récupération, réutilisation, recyclage.

b) Si la demande du consommateur avait été différente, le processus de production et de consommation aurait-il été modifié ?

c) Une fois votre schéma terminé, répondez à la question suivante : Par leurs choix, les consommateurs peuvent-ils avoir une influence sur la gestion de l'environnement ?

7   Une question d'échelle   CD 2 • Enjeu 2

a) Nommez des intervenants (États, ONG, entreprises, organismes internationaux, citoyens, etc.) qui agissent en matière environnementale aux échelles suivantes : locale, régionale, nationale et internationale.

b) Pour chacun des intervenants, trouvez des normes qu'ils peuvent appliquer.

c) Selon vous, y a-t-il une échelle où la mise en application des choix à faire en matière de normes environnementales est plus efficace ? Expliquez votre réponse.

Malgré une forte immigration, plusieurs pays d'Europe connaîtront une baisse marquée de leur population, conséquence de leur faible taux de fécondité. Par exemple, la Russie vit un contexte politique, économique et social plutôt difficile depuis la fin du régime communiste, en 1989. Cette situation provoque un exode massif, une chute de la fécondité et une hausse de la mortalité. L'espérance de vie chez les hommes russes est passée de 64 ans en 1990 à 59 ans en 2005. L'immigration ne suffit pas à combler le déficit démographique. En conséquence, la population russe devrait passer de 144 millions d'habitants en 2005 à 108 millions en 2050.

Si la population demeure stable dans les pays industrialisés, dans le reste du monde elle passera de 5 milliards à 8 milliards en 2050. En Afrique, des taux de fécondité bien supérieurs au seuil de renouvellement vont permettre à la population de doubler d'ici les prochaines décennies.

Le recul de l'accroissement naturel dans les pays développés est lourd de conséquences. Il entraîne entre autres des pénuries de main-d'œuvre. Dans les pays en développement, au contraire, l'excédent démographique risque de dépasser les capacités d'absorption du marché du travail. Ce contexte met en évidence l'interdépendance économique des différentes régions du globe. En effet, c'est par les migrations que le trop-plein de travailleurs des pays à forte croissance démographique peut venir combler les besoins des pays industrialisés.

3 Des enfants d'une école maternelle de Tōkyō, au Japon

Avec un taux de 1,27 enfant par femme en 2005, le Japon présente un des plus faibles taux de fécondité du monde. De plus, les immigrants représentent moins de 2 % de la population japonaise. En comparaison, près de 20 % de la population du Canada est née à l'étranger.

4 Des données démographiques, en 2005

Pays	Taux de mortalité infantile (‰)	Taux de fécondité (nombre d'enfants par femme)	Espérance de vie (années)	Taux de croissance de la population (%)
Afrique du Sud	49,9	2,55	52	1,0
Canada	4,8	1,57	81	1,0
Chine	23,0	1,73	73	0,6
États-Unis	6,3	2,05	78	1,0
France	3,9	1,89	81	0,5
Inde	55,0	2,81	63	1,5
Japon	3,2	1,27	83	0
Mexique	16,7	2,04	76	1,1
Nigeria	109,5	5,32	47	2,3
Philippines	23,1	3,23	72	1,9
RD Congo	113,5	6,70	47	3,2
Russie	16,6	1,34	66	-0,5
Moyenne mondiale	49,4	2,55	67	1,2

D'après ONU, *World Population Prospects : The 2006 Revision* [en ligne], réf. du 9 février 2009.

● Quels aspects démographiques de l'Afrique et de l'Amérique du Nord sont les plus marqués ?

● Comment le Japon pourrait-il freiner son déclin démographique ?

1.3 Un monde vieillissant

La baisse de la natalité et la hausse de l'espérance de vie conduisent au vieillissement accéléré de la population mondiale. Presque partout dans le monde, le nombre de personnes âgées augmente. En 1950, on comptait 130 millions de personnes de 65 ans et plus. Elles seront 1,5 milliard en 2050. C'est toutefois dans les pays développés que cette tendance est la plus marquée : la part des plus de 65 ans passera de 15 % à 26 % en 2050.

La hausse rapide du nombre de personnes âgées et même très âgées (plus de 80 ans) dans les pays développés entraînera une augmentation des dépenses dans le domaine de la santé et des services sociaux. Toutefois, en raison de la baisse anticipée de la **population active**, moins de travailleurs pourront assumer ces coûts. Le vieillissement soulève d'autres problèmes, tels la pénurie de main-d'œuvre, le financement des programmes gouvernementaux, la dépopulation des zones rurales, etc. À long terme, c'est la croissance économique et les rapports entre les générations qui se trouvent menacés.

1.4 Une population féminine en déficit

Dans certains pays, un déséquilibre démographique s'installe entre la population féminine et la population masculine. Ainsi, en Chine et en Inde, on compte respectivement 107 et 108 garçons pour 100 filles, alors qu'en Europe et en Amérique du Nord, le ratio moyen se situe à 95 garçons pour 100 filles. De plus, la Chine et l'Inde sont, avec le Pakistan, parmi les rares pays à afficher une mortalité infantile plus élevée chez les filles que chez les garçons.

Des raisons de culture et d'économie expliquent ce déséquilibre. En Inde, beaucoup de parents ne souhaitent pas avoir de fille afin d'éviter d'avoir à payer une dot. En Chine, les familles privilégient aussi les garçons parce qu'eux seuls peuvent accomplir certains rites religieux. En outre, comme la tradition veut que la jeune mariée quitte sa famille pour celle de son mari, les parents d'une fille perdent ainsi un soutien pour leurs vieux jours.

La surmortalité féminine entraîne de graves problèmes à long terme : s'il y a moins de filles, il y aura moins de femmes, donc moins de mariages, moins d'enfants et encore moins de filles. Ce déficit favorise le trafic d'êtres humains : des réseaux de migration clandestins font venir des femmes des pays voisins. Si ces tendances se maintiennent, il manquera 200 millions de femmes dans le monde en 2025.

> **Population active** Partie de la population en âge de travailler et disponible à l'emploi.

5 **L'évolution des plus de 65 ans, en 2005 et en 2050**

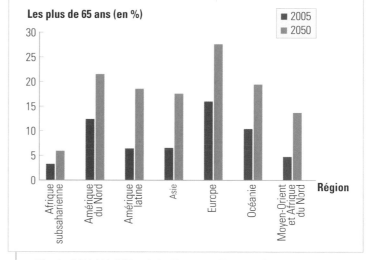

D'après ONU, *World Population Prospects : The 2006 Revision* [en ligne], réf. du 9 février 2009.

● Quels facteurs expliquent le vieillissement de la population en 2050 ?

6 **Des orphelines à Shanghai**

Afin de limiter la croissance de sa population, la Chine a adopté, à la fin des années 1970, une réglementation visant à limiter le nombre d'enfants par couple. Malgré les assouplissements apportés à la loi depuis les années 1990, la politique dite « de l'enfant unique » a entraîné des répercussions désastreuses sur le sort des filles.

QUESTIONS d'interprétation   CD 1

1 Quelles sont les régions du monde les plus peuplées ?

2 Quelles régions du monde connaissent une décroissance démographique ?

3 Quelles seront les conséquences du vieillissement de la population dans certains pays ?

4 Quels rôles peuvent jouer les migrations dans le déséquilibre démographique mondial ?

Flux migratoire
Mouvement, déplacement de personnes d'un point d'origine à un point d'arrivée, selon un trajet donné.

2 Un monde de plus en plus mobile

En plus d'être marqué par une hausse constante de sa population, le monde d'aujourd'hui est aussi de plus en plus mobile. En effet, les progrès techniques dans le domaine des moyens de transport permettent de se déplacer plus rapidement, à moindre coût et partout sur la planète. La mondialisation du travail, des échanges commerciaux et culturels, de même que le développement des moyens de communication favorisent aussi la mobilité des personnes.

Presque tous les pays, développés ou en développement, ressentent les effets de la mobilité croissante de la population. Qu'ils soient temporaires ou à long terme, internes ou hors frontières, les déplacements humains ont un impact économique considérable. En outre, les migrations permanentes, plus nombreuses que jamais, entraînent aussi des changements démographiques et sociaux significatifs dans l'avenir d'un pays.

2.1 L'intensification des migrations

Depuis les années 1960, le nombre de migrants augmente sans cesse : 75 millions en 1965, 155 millions en 1990 et plus de 200 millions en 2007. À ces derniers, il faut ajouter les clandestins ou illégaux, dont le nombre s'avère difficile à chiffrer en raison de leur statut : ils seraient entre 20 et 30 millions. Il faut aussi tenir compte des réfugiés, des demandeurs d'asile et des personnes forcées de se déplacer à l'intérieur de leur propre pays, qui représentent ensemble plus de 35 millions d'individus à l'échelle de la planète.

En fait, il est difficile de faire des projections en ce qui concerne les données de migration. D'une part, la qualité et la quantité des données varient d'un pays à l'autre. D'autre part, les déplacements hors frontières se révèlent difficiles à comptabiliser en raison des migrations clandestines. De plus, les catastrophes naturelles consécutives au réchauffement climatique ainsi qu'à certains grands projets de développement économique (mines, barrages) pourraient accélérer le rythme des **flux migratoires** dans l'avenir. Certains organismes estiment qu'il pourrait y avoir jusqu'à un milliard de migrants, de réfugiés et de déplacés d'ici 2050.

7 Un monde en constante circulation

Environ 3 milliards de touristes sillonnent la planète annuellement, sans compter les centaines de millions d'individus qui se déplacent pour leur travail. L'aéroport Heathrow, à Londres, est un des plus fréquentés du monde.

Qu'est-ce qui facilite la mobilité des personnes ?

8 Des immigrants illégaux, en 2006

Situées en territoire espagnol, les îles Canaries constituent une des portes d'entrée de l'immigration clandestine en Europe. Chaque année, des milliers de migrants s'entassent dans de frêles embarcations afin de fuir la guerre, la famine ou le chômage.

Pourquoi les migrants clandestins risquent-ils leur vie ?

2.2 Les flux migratoires

L'essentiel de la population migrante vient désormais des pays du Sud. En effet, entre le XIXe siècle et le XXe siècle, les flux migratoires se sont inversés. Autrefois orientés du Nord vers le Sud ou du Nord vers le Nord, ils prennent aujourd'hui la direction Sud-Nord ou encore Sud-Sud. Jadis zone de départ, l'Europe est devenue l'une des principales zones d'accueil, avec plus de 900 000 entrées annuellement. L'Amérique du Nord continue d'occuper le premier rang des terres d'accueil, avec 1,4 million de nouveaux arrivants. En contrepartie, l'Asie constitue maintenant le premier foyer d'émigration.

PERSPECTIVE

Les grandes vagues d'immigration du passé

La mobilité des populations est un phénomène aussi ancien que l'humanité. L'histoire des migrations commencerait avec les déplacements d'*Homo erectus* hors de l'Afrique, il y a environ un million d'années.

Depuis les grandes « invasions » de la fin de l'Antiquité et du début du Moyen Âge, il y a eu plusieurs vagues de migrations internationales. Ainsi, la traite des esclaves, amorcée à la suite des premières grandes explorations des XVe et XVIe siècles, a entraîné la déportation d'environ 11 millions d'Africains vers l'Amérique latine, les Antilles et les États-Unis. Puis, au XIXe siècle, entre 50 et 60 millions d'Européens ont émigré en Amérique afin de fuir la misère.

En 1914, il y avait environ 70 millions de migrants dans le monde, ce qui représentait 5 % de la population mondiale. La Première Guerre mondiale, puis la Crise des années 1930 ont rendu plus difficiles ou impossibles les migrations (voir le Survol de l'histoire du XXe siècle, p. 67). Le mouvement n'a repris que dans les années 1950.

L'arrivée d'immigrants européens à Ellis Island (New York), vers 1880-1910

Située au large de la ville de New York, Ellis Island était la principale porte d'entrée des migrants en Amérique. Le 17 avril 1907, les agents de l'immigration y ont accueilli un nombre record de 11 747 arrivants.

Les flux migratoires, de 1830 à 1914

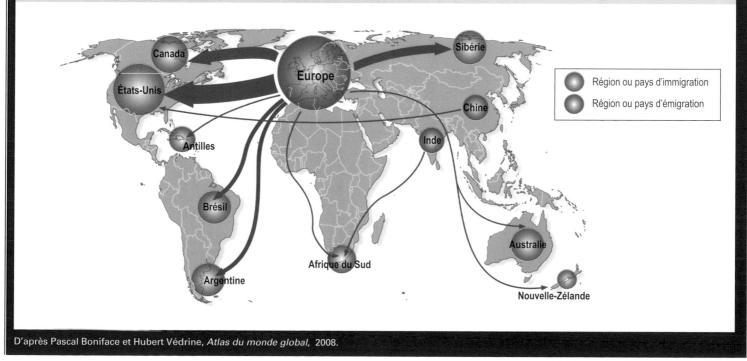

D'après Pascal Boniface et Hubert Védrine, *Atlas du monde global*, 2008.

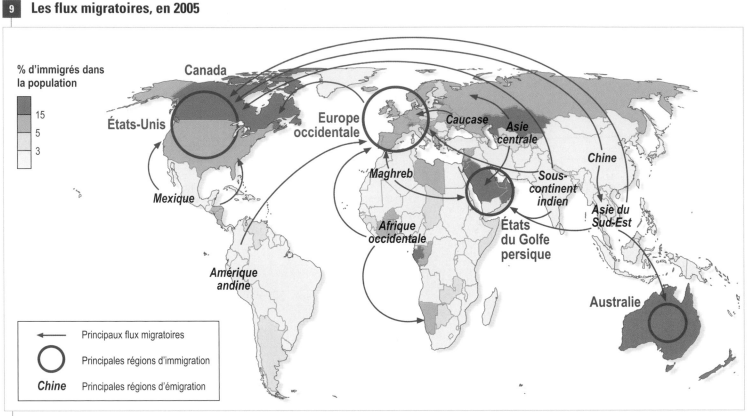

% d'immigrés dans la population

15
5
3

Canada

États-Unis

Mexique

Amérique andine

Europe occidentale

Caucase

Asie centrale

Maghreb

Afrique occidentale

États du Golfe persique

Sous-continent indien

Chine

Asie du Sud-Est

Australie

→ Principaux flux migratoires

◯ Principales régions d'immigration

Chine Principales régions d'émigration

D'après Catherine Wihtol de Wenden, « Les nouveaux migrants », *Les collections de L'Histoire*, nº 38, janv.-mars 2008.

● Où se trouvent les principales concentrations d'immigrés ?

Ces déplacements des pays du Sud vers les pays développés, bien qu'ils demeurent les plus importants, sont maintenant concurrencés par des flux Sud-Sud. Les pays du golfe Persique, en pleine croissance, attirent les travailleurs étrangers. On évalue à plus de 13 millions le nombre d'immigrés asiatiques dans la région. En novembre 2006, l'organisme de défense des droits de l'homme Human Rights Watch publiait toutefois un rapport plutôt alarmant sur les conditions de travail de ces immigrés dont la majorité œuvre dans le secteur de la construction : salaires extrêmement bas ou impayés, saisies de passeports, taux d'accident élevés, etc.

Par ailleurs, l'Organisation internationale pour les migrations (OIM) confirme la place prépondérante qu'occupera la recherche d'un emploi dans les mouvements migratoires au cours du XXIe siècle.

2.3 Vers la ville

L'urbanisation connaît depuis les années 1950 une accélération et une généralisation qui s'étendent aujourd'hui à l'ensemble de la planète. Alors qu'en 1950, seulement 30 % de la population mondiale habitait à la ville, c'est plus de la moitié, soit 3,3 milliards d'habitants, qui vit en milieu urbain depuis 2008. Ce chiffre devrait atteindre les 5 milliards d'ici 2030.

10 Un travailleur asiatique à Tel-Aviv, en Israël

Le nombre de travailleurs d'Asie du Sud-Est et de l'Inde qui migrent vers les pays du Moyen-Orient augmente. Encouragés par des politiques nationales d'emploi à l'étranger, les Philippins y envoient une bonne partie de leur main-d'œuvre. En 2005, on estimait qu'un Philippin sur 11 vivait à l'étranger.

● Selon vous, pourquoi l'État philippin encourage-t-il ses citoyens à travailler à l'étranger ?

L'urbanisation actuelle se caractérise par son ampleur et par sa concentration dans les pays en développement. De 1,36 milliard d'habitants en 2000, la population urbaine de l'Asie atteindra 2,64 milliards en 2030. Si l'Afrique demeure principalement rurale, sa croissance se fera pour l'essentiel dans les zones urbaines, où la population passera de 294 à 742 millions.

11 Agir avant qu'il ne soit trop tard

En 2007, la directrice du Fonds des Nations Unies pour la population (UNFPA), Thoraya Ahmed Obaid, rappelle l'urgence d'agir afin d'éviter l'émergence de bidonvilles dans les pays du Sud. En effet, une meilleure planification permettrait de profiter pleinement des possibilités offertes par l'urbanisation, tel l'accès aux services et à la richesse.

« S'ils [les dirigeants] attendent, il sera trop tard. [...] Cette vague d'urbanisation est sans précédent. Les changements sont trop vastes et trop rapides pour permettre aux planificateurs et aux décideurs de se borner à réagir : en Afrique et en Asie, le nombre de citadins augmente d'environ un million chaque semaine en moyenne. Les dirigeants doivent faire preuve de perspicacité et prendre des mesures prévoyantes [...]. »

Banque mondiale, *News and Broadcast* [en ligne], 11 juillet 2007, réf. du 12 février 2009.

● Pourquoi est-il si important, pour les pouvoirs publics, de mieux planifier l'expansion urbaine ?

En 1950, une seule ville comptait plus de 10 millions d'habitants : New York. Il y en a aujourd'hui une vingtaine. La plupart de ces immenses agglomérations sont situées dans les pays en développement. Ces villes surpeuplées du Sud attirent l'attention des médias à cause des piètres conditions de vie, de l'insécurité, du chômage et de la criminalité qui y règnent. Cependant, plus de la moitié des populations urbaines vivent dans des agglomérations de moins de 500 000 habitants.

Les gens se déplacent vers les villes principalement pour des raisons économiques. Qu'il s'agisse d'**exode rural** ou d'immigration, la ville attire par l'éventail de possibilités qu'elle fait miroiter : possibilités d'emploi et d'enrichissement, ascension sociale, etc. La ville est à la fois un pôle commercial, financier, culturel et politique. En effet, c'est dans les villes que se trouvent concentrés la richesse et les réseaux socioéconomiques aptes à accueillir et à encadrer les nouveaux arrivants.

12 Les 10 plus grandes agglomérations, en 2007

Agglomération urbaine	Population (en millions d'habitants)
Tōkyō	33,4
Séoul	23,2
México	22,1
New York	21,8
Mumbay	21,3
Delhi	21,1
São Paulo	20,4
Los Angeles	17,9
Shanghai	17,3
Ōsaka	16,6

D'après UNFPA, tiré de John Vidal, « Burgeoning cities face catastrophe, says UN » *The Guardian* [en ligne], 28 juin 2007, réf. du 9 février 2009.

Exode rural Déplacement de population de la campagne vers la ville.

13 Dharavi, le plus grand bidonville d'Asie

Situé à Mumbay, en Inde, Dharavi abrite environ 1 million d'habitants. Le manque d'installations sanitaires et les inondations fréquentes causent de graves problèmes de santé publique.

QUESTIONS d'interprétation CD 1

1 Quels facteurs expliquent la hausse constante des migrations ?

2 D'où vient la majorité des migrants ?

3 Vers quelles régions du monde les migrants se dirigent-ils ?

4 Quelles sont les principales raisons qui expliquent la migration vers les villes ?

Question bilan

5 Résumez dans vos mots le problème présenté dans la partie « État des lieux ».

● Quels sont les inconvénients d'une croissance rapide et mal planifiée ?

UNESCO Acronyme pour Organisation des Nations Unies pour l'éducation, la science et la culture.

1 Qui sont les migrants d'aujourd'hui ?

Les demandeurs d'asile, les réfugiés, les personnes qui migrent pour des raisons économiques et les étudiants étrangers sont les principaux acteurs des mouvements migratoires contemporains. Des organismes internationaux tels le Haut Commissariat des Nations Unies pour les réfugiés (UNHCR), l'UNFPA et l'**UNESCO** compilent périodiquement des données quantitatives et qualitatives sur ces différents groupes (sexe, âge, niveau de scolarité, etc.) à partir des informations fournies par les pays.

1.1 Les demandeurs d'asile et les réfugiés

Au sens de la loi, toute personne qui quitte son pays par crainte de persécutions et qui se réfugie dans un autre pays est d'abord un demandeur d'asile. Pour obtenir le statut de réfugié, cette personne doit satisfaire aux critères du droit international ainsi qu'à ceux du pays d'accueil. Selon l'UNHCR, 468 000 demandes ont été étudiées en 2007. De ce nombre, un peu plus de 200 000 demandeurs ont obtenu le statut de réfugié ou un statut de protection similaire. Lorsque surviennent des déplacements massifs de population, les raisons de la fuite sont tellement évidentes que le statut de réfugié est accordé automatiquement.

14 Le statut de réfugié

En 1951, l'ONU adopte la Convention relative au statut de réfugiés, qui assure à ces derniers un statut légal et une protection internationale. En 1969, le Canada adhère à la Convention et met en place des procédures administratives et judiciaires afin d'évaluer les demandes d'asile.

« Aux fins de la présente Convention, le terme "réfugié" s'appliquera à toute personne […] qui, […] craignant avec raison d'être persécutée du fait de sa race, de sa religion, de sa nationalité, de son appartenance à un certain groupe social ou de ses opinions politiques, se trouve hors du pays dont elle a la nationalité et qui ne peut ou, du fait de cette crainte, ne veut se réclamer de la protection de ce pays. »

Article premier, Convention de Genève relative au statut de réfugiés, 1951.

● Quels critères déterminent le statut de réfugié ?

15 Des réfugiés irakiens, en Syrie

En 2009, l'UNHCR estime qu'environ 60 000 Irakiens par mois fuient vers les pays voisins.

● Quels défis pose l'accueil d'un grand nombre de réfugiés ?

Les demandeurs d'asile viennent de pays où le climat politique et religieux menace leur intégrité physique. Près de 70 % des demandes d'asile se font vers les pays industrialisés. À elle seule, l'Europe en a reçu plus de 50 %, alors que les États-Unis et le Canada ont reçu respectivement 9 % et 5 % des demandes. Les statistiques démontrent toutefois que ce sont les pays voisins, et non les pays industrialisés, qui reçoivent les groupes de réfugiés les plus importants, soit les réfugiés de guerre. C'est ce qui explique le rang qu'occupent des pays comme le Pakistan (réfugiés afghans) et la Syrie (réfugiés irakiens) dans la liste des pays d'asile. Sur les 11,4 millions de réfugiés recensés en 2007, seulement 1,6 million vivaient à l'extérieur de leur région d'origine.

16 **Les principaux pays d'accueil des réfugiés, en 2007**

17 **Les principaux pays d'origine des réfugiés, en 2007**

D'après UNHCR, *2007 Global Trends : Refugees, Asylum-Seekers, Returnees, Internally Displaced and Stateless Persons* [en ligne], 2008, réf. du 17 février 2009.

● Qu'ont en commun les deux principaux pays d'accueil et les deux principaux pays d'origine des réfugiés ?

Près de 50 % des réfugiés sont des femmes. La répartition des réfugiés par groupe d'âge indique que 44 % d'entre eux ont moins de 18 ans, et que 10 % ont moins de 5 ans. Autre tendance observée par l'UNHCR : le nombre de réfugiés en milieu urbain continue de croître. L'agence estime en effet qu'en 2007, la moitié des réfugiés vivaient dans des villes.

18 **Des réfugiés du Darfour (Soudan) dans un camp du Tchad, en 2007**

Selon l'organisme Médecins Sans Frontières, les femmes et les enfants réfugiés sont particulièrement vulnérables aux mauvais traitements.

● Selon vous, pourquoi la majorité des réfugiés sont-ils des femmes et des enfants ?

mÉDIAS

Le pouvoir des mots

Certains médias ont tendance à privilégier un traitement sensationnaliste de l'information afin d'éveiller l'intérêt du public et de susciter l'émotion. L'objectivité de l'analyse journalistique est alors compromise. En effet, à l'aide d'un seul mot ou d'un titre-choc, des journalistes peuvent minimiser ou exagérer une situation, ou encore attiser la colère de l'opinion publique. Par exemple, la question de l'immigration peut soulever les passions. En effet, l'intégration des réfugiés et des migrants économiques interpelle la population de la société d'accueil, tant du point de vue de l'emploi et de la culture que de l'égalité des droits.

Trouvez des articles sur les réfugiés ou les immigrants. Comparez-les.
- Ces articles privilégient-ils un traitement sensationnaliste de l'information ? Si oui, de quelle façon ?
- La situation des migrants est-elle mise en contexte ?
- Comment est-il possible de se faire une idée plus précise de la situation décrite ?

1.2 Les migrants économiques

Contrairement aux réfugiés, les personnes qui choisissent de quitter leur pays le font essentiellement pour des raisons économiques. En 2005, on estimait le nombre de migrants économiques à environ 190 millions. Plus de la moitié d'entre eux (60 %) s'installent dans les pays industrialisés. En fait, la population migrante est concentrée dans un nombre restreint de pays : le tiers des migrants choisissent l'Europe, et le quart optent pour l'Amérique du Nord. En contrepartie, près des deux tiers des immigrants viennent des pays en développement et un peu plus de 30 % d'Europe et d'Asie centrale. Par ailleurs, les États-Unis participent très peu à ce mouvement migratoire : seulement 2,3 millions de Nord-Américains vivent à l'extérieur de leur pays d'origine.

Plusieurs facteurs influencent le choix du pays d'accueil, tels la proximité et les anciens liens coloniaux. Ainsi, les États-Unis attirent un grand nombre de Mexicains : ce « couloir migratoire » est d'ailleurs de loin le plus important de la planète, avec 10,3 millions de migrants. En France, la plupart des immigrants viennent d'anciennes colonies, comme l'Algérie, le Maroc, la Tunisie et le Viêtnam. Le même phénomène s'observe au Royaume-Uni où les résidents d'origines indienne et pakistanaise sont très nombreux et en Russie, qui accueille les habitants d'anciennes républiques de l'URSS.

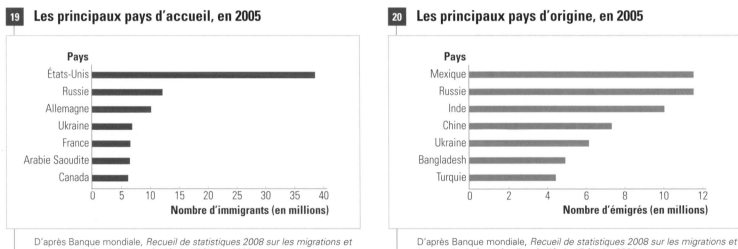

19 Les principaux pays d'accueil, en 2005

D'après Banque mondiale, *Recueil de statistiques 2008 sur les migrations et les envois de fonds* [en ligne], réf. du 17 février 2009.

● Qu'ont en commun la plupart des pays d'immigration économique ?

20 Les principaux pays d'origine, en 2005

D'après Banque mondiale, *Recueil de statistiques 2008 sur les migrations et les envois de fonds* [en ligne], réf. du 17 février 2009.

● Selon vous, pour quelles raisons les travailleurs de ces pays émigrent-ils ?

VU D'ICI

Le français, un facteur d'attraction

La langue peut jouer un rôle important dans le choix d'un pays d'accueil. Seul îlot francophone en Amérique du Nord, le Québec attire des gens en provenance des pays de la francophonie. Ainsi, le Maroc, la France et l'Algérie sont les principaux lieux d'origine des immigrants arrivés au Québec en 2007. Quant à la communauté haïtienne, elle compte plus de 130 000 membres, dont la très grande majorité réside à Montréal.

Hermann Ngoudjo, un boxeur montréalais d'origine camerounaise

En 2007, le Québec a accueilli près de 800 immigrants du Cameroun, une ancienne colonie française de l'Afrique subsaharienne. C'est toutefois le Maroc qui a fourni le plus grand effectif de migrants avec 3612 personnes, soit 8 % de l'immigration totale du Québec.

Les migrants économiques ont en général un assez bon niveau de scolarité. De fait, la majorité des individus qui cherchent à s'établir dans les pays industrialisés ont une scolarité de niveau secondaire ou supérieur. De plus, le nombre de migrants qui ont fait des études collégiales ou universitaires est à la hausse. En Europe, la proportion de ces immigrants hautement qualifiés est évaluée à 25 % et à 30 % aux États-Unis.

Les femmes représentent la moitié de tous les migrants. Alors qu'elles émigraient traditionnellement pour se marier ou pour rejoindre leur famille, aujourd'hui elles le font aussi pour trouver du travail. Dans certains pays d'Asie, tels les Philippines, le Sri Lanka et l'Indonésie, les femmes sont plus nombreuses que les hommes à quitter leur pays. Dans les pays arabes, toutefois, les traditions et la religion continuent de freiner la mobilité féminine.

Les nombreuses possibilités d'emplois offertes aux infirmières incitent ces dernières à migrer. En Nouvelle-Zélande, en 2002, près du quart des infirmières étaient d'origine étrangère. De même, l'ouverture de manufactures dans les pays en développement a multiplié les possibilités de travail. Cependant, un très grand nombre d'immigrantes sont confinées malgré elles dans des emplois précaires et mal rémunérés, comme les services domestiques et d'hôtellerie. Certaines se retrouveront dans des réseaux de prostitution.

21 **Des immigrantes indonésiennes, à Singapour**

Les femmes représentent près de 80 % de tous les migrants économiques en Indonésie. Une forte proportion d'entre elles travaille comme employées de maison.

- Quels types d'emplois les immigrantes sont-elles susceptibles d'obtenir ? Pourquoi ?

Bien que les migrants adultes (25 à 64 ans) représentent la tranche d'âge la plus importante dans les pays industrialisés, la proportion des jeunes de 15 à 24 ans semble en constante progression. On évalue aujourd'hui le nombre de jeunes migrants à environ 50 millions, soit près du quart des migrants internationaux. Par ailleurs, de récents rapports confirment que des adolescents âgés d'à peine 13 ans traversent seuls les frontières entre la Thaïlande, la Birmanie, le Laos et la Chine.

1.3 Les étudiants étrangers

Dans le contexte de la nouvelle économie, où le savoir occupe une place de premier plan, un nombre grandissant d'individus se rendent à l'étranger afin de poursuivre des études supérieures : ils étaient plus de 2,7 millions en 2004. La plupart d'entre eux choisissent d'étudier dans les pays industrialisés. Les États-Unis, qui en reçoivent près du quart, sont suivis par le Royaume-Uni, l'Allemagne et la France. Les deux tiers des étudiants étrangers viennent des pays en développement. Les quelques données disponibles indiquent qu'en 2004, 16 % des étudiants internationaux étaient inscrits en médecine, 13 % en sciences et 11 % en ingénierie.

QUESTIONS d'interprétation CD 1

1 Quelle est la différence entre un demandeur d'asile et un réfugié ?

2 Quelle est la place de l'Amérique du Nord dans les migrations économiques ?

3 Quels sont les principaux facteurs qui influencent le choix du pays d'accueil des migrants économiques ?

4 Quelle place tiennent les femmes et les jeunes dans les migrations actuelles ?

2 Pourquoi migrer ?

Les causes de la migration sont multiples et souvent complexes. Mais, chose certaine, la personne qui quitte son pays le fait toujours dans l'intention d'améliorer son sort. Outre les projets de vie personnels, des motifs humanitaires ainsi que différents facteurs socioéconomiques amènent un nombre toujours plus grand d'individus à quitter leur pays ou leur lieu d'origine.

2.1 Les motifs humanitaires

Les situations d'urgence, comme les désastres naturels et les conflits armés, obligent les autorités à déplacer des populations pour des raisons d'ordre humanitaire, c'est-à-dire dans le but de sauver des vies. Le tsunami du 26 décembre 2004, dans l'océan Indien, a fait près de 230 000 morts et détruit des milliers d'habitations et d'infrastructures dans une dizaine de pays d'Asie et d'Afrique. Pour abriter les survivants et éviter les épidémies, des organismes humanitaires ont installé 1,7 million de personnes dans des camps provisoires situés à l'extérieur des zones sinistrées.

22 **Une évacuation de sinistrés, à la Nouvelle-Orléans**

En août 2005, l'ouragan Katrina frappe le sud des États-Unis. Près de 2000 Américains perdent la vie dans la catastrophe et 1 500 000 personnes sont évacuées. Les deux tiers d'entre elles vont réintégrer leur lieu de résidence dans les mois suivants. Pourtant, à la fin de 2006, 8 % de la population de la Louisiane vivait toujours dans un autre État américain.

Quelles situations amènent les gouvernements et les organismes communautaires à intervenir pour des motifs humanitaires ?

Brève culturelle

Une agence pour la protection des réfugiés

En décembre 1950, l'Assemblée générale des Nations Unies crée le Haut Commissariat des Nations Unies pour les réfugiés (UNHCR). La mission première de cette agence est de garantir les droits et le bien-être des demandeurs d'asile et des réfugiés dans le monde. L'UNHCR coordonne l'aide internationale (approvisionnement, transport de biens et de personnes, etc.) et tente d'assurer la protection des réfugiés et des victimes de déplacements à l'intérieur même de leur pays. Tout en soutenant les demandes d'asile, l'Agence cherche à résoudre les problèmes liés à la situation de ces migrants forcés. Dans la mesure du possible, l'UNHCR travaille à ce que les personnes retournent vivre dans leur lieu d'origine. Lorsque cette option n'est pas envisageable, l'Agence favorise entre autres l'intégration des réfugiés dans un pays d'accueil.

Des réfugiés afghans au centre de l'UNHCR à Takhtabaig, au Pakistan

Depuis 2002, près de deux millions de réfugiés afghans établis au Pakistan sont rentrés chez eux avec l'aide du Haut Commissariat.

● En quoi l'ONU est-elle utile aux réfugiés afghans ?

L'UNHCR en chiffres (2008)
• Un comité exécutif de 76 États membres
• Un siège social à Genève
• Un budget annuel de 1,5 milliard de dollars
• 6300 employés répartis dans plus de 260 bureaux dans le monde
• Environ 33 millions de personnes secourues dans plus de 110 pays depuis sa création

Par ailleurs, la plupart des conflits armés poussent les civils à migrer vers l'étranger, souvent dans les États voisins. Ainsi, à partir de 2001, les Afghans quittent massivement leur pays pour échapper à la misère, à la répression et aux combats qui opposent les forces de l'**OTAN** aux talibans, un groupe formé d'islamistes intégristes. En Irak, depuis 2003, la guerre, l'occupation américaine et les affrontements entre différents groupes ethniques et religieux ont forcé plus de deux millions d'Irakiens à chercher refuge dans les pays voisins. Les **guerres civiles** affaiblissent la capacité d'un État à assurer la sécurité de la population et constituent aussi un important motif de migration. Par exemple, dans les années 2000, les crises intérieures en Colombie et au Soudan ont poussé des centaines de milliers de personnes à l'exil.

Les persécutions qui mettent en danger la vie ou la liberté des individus entraînent aussi des migrations forcées. Dans les régimes non démocratiques ou encore dans les pays où sévit une guerre civile, les droits humains et la sécurité de la population sont souvent menacés. Les citoyens sont alors exposés à des arrestations arbitraires, à de mauvais traitements ou même à la peine de mort, soit à cause de leur appartenance à une ethnie ou à un groupe social (les homosexuels, par exemple), de leur nationalité, de leur religion ou de leurs opinions politiques.

OTAN Acronyme pour Organisation du traité de l'Atlantique Nord. Il s'agit d'une alliance de 26 pays d'Amérique du Nord et d'Europe qui a pour rôle de préserver les valeurs communes (liberté, démocratie, etc.) des pays membres et d'assurer leur sécurité.

Guerre civile Conflit armé entre des groupes militaires ou civils d'un même État.

PERSPECTIVE

Réfugiés de génération en génération

En novembre 1947, l'ONU approuve un plan de partage de la Palestine en deux États: un État juif et un État palestinien. Les Arabes rejettent ce plan et prennent les armes. Une guerre s'engage. De décembre 1947 à juillet 1949, plus de 700 000 Palestiniens fuient les combats ou sont expulsés par l'armée de défense d'Israël. C'est ce que les Palestiniens appellent la *Nakba*, la «catastrophe». Depuis 60 ans, ces réfugiés sont placés sous la protection de l'Office de secours et de travaux des Nations Unies pour les réfugiés de Palestine dans le Proche-Orient (UNRWA). L'État hébreu leur interdit de retourner sur leurs terres. En 2005, ils sont plus de quatre millions dispersés au Liban, en Syrie, en Jordanie ainsi que dans les territoires occupés de Cisjordanie et de la bande de Gaza. Près du tiers des réfugiés s'entassent dans une cinquantaine de camps aux allures de véritables bidonvilles.

Les camps de réfugiés palestiniens

Légende :
- ▲ Camp
- ▣ Capitale
- ▪ Ville
- –·–·– Frontière internationale
- Territoire occupé
- Pays voisin d'Israël accueillant des réfugiés

UNRWA [en ligne], 2005, réf. du 3 mars 2009.

Quelles répercussions les conflits armés peuvent-ils avoir sur les populations ?

Les pays communistes (Chine, Corée du Nord, Viêtnam et Cuba), les dictatures militaires et les régimes islamistes laissent peu de place à la **dissidence** politique ou religieuse. En 2003, 27 journalistes cubains ont été emprisonnés arbitrairement au cours d'une vague de répression qualifiée de «Printemps noir». Après de longues négociations avec le gouvernement de Fidel Castro, sept journalistes ont finalement été libérés en 2008. Ils ont trouvé asile en Espagne avec leurs proches: tous les ex-prisonniers souffraient de graves problèmes de santé.

L'adoption de politiques hostiles envers un groupe ethnique pousse parfois des membres de ces groupes à fuir leur pays. Ils le font pour éviter la torture, les agressions sexuelles et les tueries. On parle ici d'**épuration ethnique**, et même de **génocide**. Au début des années 1990, les conflits provoqués par l'éclatement de la **Yougoslavie**, véritable mosaïque ethnique, donnent lieu à des massacres de populations identifiées comme musulmanes, croates ou albanaises. Plus de trois millions de civils sont déplacés, dont deux millions quittent leur pays d'origine.

Dissidence Différence profonde d'opinion par rapport à l'autorité politique ou religieuse en place.

Épuration ethnique Ensemble de politiques hostiles (émigration forcée, déportation, etc.) à l'égard d'un groupe ethnique pour des motifs religieux ou idéologiques.

Génocide Extermination systématique d'un groupe ethnique, religieux ou social.

Yougoslavie Ancien État du sud-est de l'Europe qui correspond aujourd'hui à la Slovénie, à la Croatie, à la Serbie, à la Bosnie-Herzégovine, au Monténégro et à la Macédoine.

---

23 **Fuir au nom de la liberté d'expression**

- Quels types de régimes ne tolèrent pas la dissidence?

En 2006, l'organisme de défense des droits de la personne Amnistie Internationale condamne le renforcement de la censure et le harcèlement des défenseurs des droits humains en Iran. Depuis l'instauration de la république islamique en 1979, les médias du pays sont soumis à des contrôles très sévères.

«Ma femme et moi tenions une librairie à Téhéran. Je recevais des livres interdits, édités à l'étranger, des livres d'histoire, de science politique à propos de la région ou du régime des mollahs* ou de la littérature censurée. Je ne les mettais pas en vitrine, je connaissais mes clients et ceux qui venaient me demander un titre repartaient satisfaits. Les autorités ont fini par savoir. Et ces derniers temps, ils envoyaient des miliciens nous menacer. Quand ils ont fini par lancer un cocktail Molotov dans notre librairie, nous avons décidé de partir.»

* Chef religieux.

Propos de Chohré, père de famille iranien, recueillis en mai 2002 au centre de la Croix-Rouge à Sangatte, dans le nord de la France.

---

24 **Des réfugiés rwandais sur les routes du Zaïre, en 1994**

En 1990, une guerre civile éclate au Rwanda, alors gouverné par des extrémistes hutus (un des deux principaux groupes ethniques du pays). En 1994, les dirigeants lancent une opération visant à éliminer les Tutsis, l'autre principal groupe ethnique. En quelques semaines, on assiste à un génocide: plus de 800 000 Rwandais sont assassinés et plus d'un million de personnes doivent fuir vers le pays voisin, le Zaïre (l'actuelle République démocratique du Congo).

- Pourquoi les Tutsis qui s'enfuient au Zaïre peuvent-ils espérer obtenir le statut de réfugié?

2.2 Les facteurs socioéconomiques

Les déséquilibres démographiques et économiques de la planète expliquent l'ampleur des migrations internationales. La mondialisation du marché du travail contribue aussi à ce phénomène en favorisant notamment l'émigration de populations actives du Sud vers le Nord ou du Sud vers le Sud. L'interdépendance économique des pays concerne donc non seulement les marchandises et les capitaux, mais aussi la main-d'œuvre.

En général, les personnes qui quittent leur pays pour des raisons économiques le font de façon volontaire. Elles veulent améliorer leurs conditions de vie en obtenant un emploi et en bénéficiant de services sociaux et de santé.

L'information sur les pays d'accueil facilite le choix des migrants. Ils peuvent se renseigner sur les destinations privilégiées par la diaspora, qui est formée par les membres d'une communauté ethnique ou religieuse dispersée à l'étranger. La télévision, le cinéma, Internet, de même que les témoignages des migrants qui reviennent dans leur pays d'origine offrent aussi une foule de renseignements sur la langue et la culture des lieux de destination, leurs politiques d'immigration, leurs possibilités d'emploi et leurs réseaux d'accueil. L'accès plus généralisé à un passeport et la baisse des coûts de transport favorisent également la mobilité.

25 **La situation alimentaire en Corée du Nord vue par le bédéiste Guy Delisle**

Certains migrants économiques doivent quitter leur pays par nécessité et non par choix. En effet, depuis l'effondrement économique de la Corée du Nord, dans les années 1990, les pénuries alimentaires menacent la vie de millions d'habitants. Cette situation a provoqué la fuite de dizaines de milliers de Nord-Coréens vers la Chine.

Les parents « fautifs » sont les parents qui se sont opposés au régime nord-coréen de Kim Il Sung.

- Parmi les catégories de gens illustrées dans la bande dessinée, lesquelles sont les plus susceptibles de quitter leur pays ? Pourquoi ?

26 **Le chômage, un problème criant au Zimbabwe**

En 2008, Morgan Tsvangirai, alors chef du principal parti d'opposition au Zimbabwe, s'adressait à la foule lors d'une assemblée électorale. Le taux d'inflation (un des plus élevés du monde) et le taux de chômage qui dépasse les 80 % constituaient les principaux enjeux électoraux du pays.

- Selon vous, quelles peuvent être les conséquences du taux de chômage du Zimbabwe sur l'émigration économique du pays ?

Au cours des prochaines décennies, les disparités démographiques joueront un rôle de plus en plus grand dans les migrations économiques. D'un côté, le vieillissement de la population va accroître considérablement la demande en main-d'œuvre dans les pays riches. De l'autre côté, la population en âge de travailler dans les pays en développement augmentera de façon importante : en Afrique, elle devrait passer de 400 millions à plus d'un milliard de personnes d'ici 2050. La surpopulation, combinée à divers facteurs économiques (pénurie des ressources, chômage élevé, etc.), incitera de plus en plus de travailleurs à quitter leur lieu d'origine. Ils se dirigeront soit vers des pays riches soit vers des villes de leur propre pays.

En fait, dans plusieurs pays en développement, les migrations économiques internes – c'est-à-dire à l'intérieur du pays – s'avèrent plus importantes que les migrations internationales. Le mouvement migratoire des campagnes vers les zones urbaines connaît la croissance la plus forte. Au Bangladesh, cette migration représente les deux tiers de tous les déplacements internes.

En Chine, les inégalités économiques et les disparités régionales constituent les principaux facteurs de mobilité interne. Depuis les années 1990, des changements dans la politique économique intérieure du pays créent un déséquilibre dans la distribution de la richesse. En 2002, le revenu annuel moyen par personne s'élevait à 1000 $ en milieu urbain, comparativement à environ 300 $ en milieu rural. Ce déséquilibre a accru de façon dramatique le nombre de migrants internes, des paysans pour la plupart : de 26 millions en 1988, il est passé à 130 millions en 2009.

27 Échapper à la pauvreté rurale

Les jeunes de 15 à 24 ans représentent près de la moitié des chômeurs de la planète. Le manque d'emplois et l'absence de perspectives meilleures incitent les jeunes ruraux comme Bing, originaire de Fuping, en Chine, à s'installer en ville ou à émigrer.

« La première fois que j'ai vu des grandes villes, c'était à la télévision. Il y avait tant de couleurs ! [...] Je voulais m'échapper, m'en aller très loin. [...] Les affaires de mon père marchaient mal à l'époque, mais il m'a donné ses dernières économies pour m'aider à faire des études. C'est ainsi que, finalement, je suis venu m'établir en ville. [...] C'est dans les villes que les choses bougent. La ville, c'est l'avenir, un avenir où tout est possible. »

UNFPA, « Grandir en milieu urbain », *État de la population mondiale 2007, Supplément jeunesse* [en ligne], réf. du 11 mars 2009.

● Pourquoi des jeunes de 15 à 24 ans quittent-ils leur campagne ?

28 Les migrations internes en Chine

● Quelle est la direction des flux migratoires internes en Chine ? Pourquoi ?

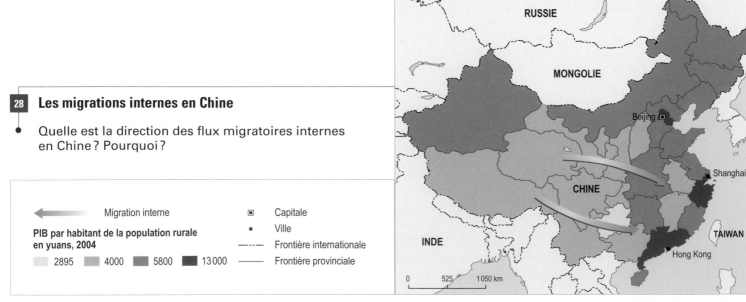

Migration interne

PIB par habitant de la population rurale en yuans, 2004
2895   4000   5800   13000

◉ Capitale
▪ Ville
----- Frontière internationale
—— Frontière provinciale

D'après J.C. Victor et autres, *Les dessous des cartes, Atlas d'un monde qui change*, Tallandier, 2007.

La mondialisation des échanges et du marché de l'emploi a des effets contradictoires sur les migrations. Dans une économie mondialisée, la production de biens et de services est gérée à l'échelle de la planète : on produit là où il est possible de le faire le plus efficacement et au plus faible coût. C'est pourquoi, depuis quelques décennies, on assiste à la délocalisation d'entreprises des pays industrialisés vers les pays en développement, ainsi qu'à une hausse des importations des pays riches. Les pays émergents d'Amérique latine et d'Asie où s'implantent ces filiales attirent les investissements étrangers grâce à une main-d'œuvre bon marché et à des infrastructures de plus en plus perfectionnées. Cette situation favorise la création d'emplois mieux rémunérés dans les pays en développement.

29 Fabriquer des jeans pour les États-Unis

De grandes compagnies américaines de vêtements délocalisent la confection de leurs jeans au Mexique. La ville de Tehuacán, dans le sud du pays, abrite de nombreuses usines textiles qui assurent cette production.

- Quels avantages les entreprises des pays industrialisés trouvent-elles à déplacer leur production vers les pays en développement ?

Brève culturelle

L'exode des muscles : les athlètes en migration

La mobilité des talents sportifs fait partie des mouvements migratoires provoqués par la mondialisation du marché du travail. D'un côté, les athlètes d'élite des pays en développement souhaitent obtenir de meilleurs salaires et des conditions d'entraînement avantageuses ; de l'autre, les équipes sportives des États riches sont en quête de nouvelles vedettes, de titres de championnat et de médailles olympiques. Le soccer constitue le plus grand marché mondial d'athlètes venus du Sud. Des millions de jeunes garçons d'Afrique et d'Amérique latine rêvent de devenir joueurs professionnels dans une équipe européenne afin d'échapper à la pauvreté et d'accéder à la gloire. La compétition est féroce, et les recruteurs européens recherchent des joueurs de plus en plus jeunes : selon l'ONU, il est désormais courant de voir des jeunes de 12 ans quitter leur pays d'origine.

Saif Saaeed Shaheen, champion du monde du 3000 m steeple
Shaheen, un athlète d'origine kényane, porte depuis 2003 les couleurs du Qatar, un important pays producteur de pétrole. Depuis, il a remporté deux championnats du monde.

- Pourquoi un pays comme le Qatar recrute-t-il des athlètes d'élite venant de pays pauvres ?

Parallèlement, la mondialisation stimule la migration des populations actives. Les pays industrialisés recherchent des travailleurs hautement qualifiés, notamment dans les domaines des technologies de l'information, des sciences, de l'ingénierie et de la gestion. Ces migrations s'effectuent souvent entre pays développés. Ces derniers mettent tout en œuvre pour séduire les candidats : salaires élevés, environnement de travail sophistiqué, milieu de vie de qualité, etc. Les pays développés cherchent aussi à attirer des travailleurs non spécialisés, surtout dans les secteurs de l'agriculture, de la construction, de l'industrie hôtelière et du travail domestique.

Dans les pays du Nord comme dans ceux du Sud, la main-d'œuvre plus scolarisée se détourne des emplois à faible revenus : des emplois difficiles, dangereux et parfois dégradants. Dans les pays riches, les migrants qui acceptent ce type d'emplois travaillent souvent dans la clandestinité. Cependant, de nombreux pays favorisent des migrations de travail temporaires pour combler leurs besoins en main-d'œuvre non qualifiée. Ainsi, chaque année, le Programme des travailleurs agricoles saisonniers du Canada permet aux agriculteurs canadiens d'embaucher environ 12 000 travailleurs mexicains pour une durée de quelques mois.

30 **La répartition des travailleurs migrants hautement qualifiés par région d'origine, en 2000**

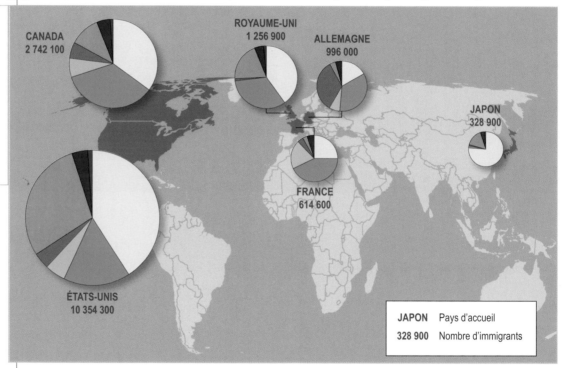

D'après Organisation internationale pour les migrations, *World Migration 2008* [en ligne], réf. du 4 mars 2009.

- Quelles sont les deux régions qui fournissent le plus grand nombre d'immigrants spécialisés aux pays industrialisés ?

- Quelles différences peut-on observer entre les immigrants qui s'installent aux États-Unis et ceux qui choisissent la France ?

Le nombre de migrants à la recherche d'un emploi ne cesse d'augmenter. En 2006, l'Organisation internationale du travail (OIT) évaluait à 86 millions le nombre de travailleurs migrants. On estime qu'ils seront 100 millions de plus d'ici 2050. À cela s'ajoutent les migrations familiales. En effet, les travailleurs font venir les membres de leur famille immédiate lorsqu'ils sont suffisamment bien installés et qu'ils répondent aux critères relatifs à la réunification familiale. Il arrive parfois que leur famille les accompagne au moment de l'émigration.

Les migrations familiales constituent la principale façon d'entrer dans les pays de l'Union européenne et dans ceux qui affichent un fort taux d'immigration, comme l'Australie, le Canada et les États-Unis. Près de 60 % des migrations vers la France et près de 70 % de celles vers les États-Unis sont des migrations familiales. Toutefois, ce type d'immigration demeure faible dans les régions qui sont défavorables à l'établissement permanent des travailleurs étrangers, comme le Moyen-Orient, l'Asie de l'Est et l'Asie du Sud-Est.

Enfin, certains parents encouragent leurs enfants à émigrer pour échapper à la pauvreté. D'autres veulent s'assurer que leurs enfants pourront les soutenir vers la fin de leur vie. De nombreux jeunes quittent donc leur pays pour trouver du travail ou poursuivre leurs études à l'étranger. Ce choix s'explique notamment par le manque d'accès à l'enseignement postsecondaire dans leur pays d'origine et la possibilité de recevoir une éducation de qualité. De plus, en étudiant et en vivant à l'étranger, ces jeunes se préparent à relever les défis de la mondialisation croissante. Beaucoup espèrent que ces études leur offriront de meilleures occasions d'emploi dans leur propre pays, alors que d'autres resteront dans leur pays d'études pour acquérir une expérience de travail et développer leurs réseaux sociaux et professionnels.

31 **Les catégories d'immigration permanente, en 2006**

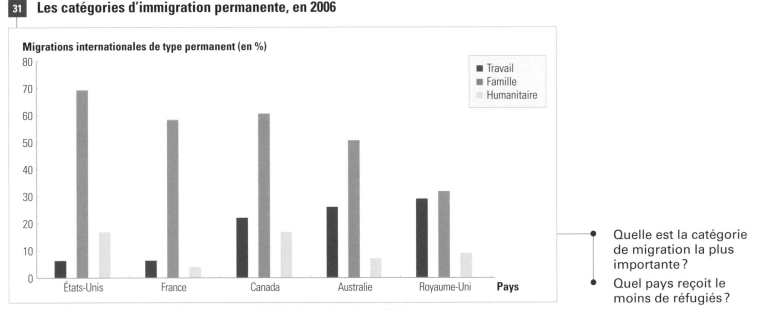

Quelle est la catégorie de migration la plus importante ?

Quel pays reçoit le moins de réfugiés ?

D'après OCDE, *Perspectives des migrations économiques 2008* [en ligne], réf. du 4 mars 2009.

QUESTIONS d'interprétation CD 1

1 Quelles sont les causes de l'immigration forcée ?

2 En quoi le rôle des Nations Unies est-il utile et nécessaire aux réfugiés ?

3 Quels sont les facteurs socioéconomiques des migrations ?

4 Quels sont les effets de la mondialisation du travail sur les migrations économiques ?

3 Comment les migrations s'organisent-elles?

Les personnes qui quittent leur pays pour tenter leur chance ailleurs agissent rarement sur un coup de tête. Leur décision est au contraire réfléchie, puisqu'un tel projet nécessite de la planification (collecte d'informations, épargne, etc.). Un bon nombre d'aspirants migrants remplissent les critères d'admissibilité des pays d'accueil et entreprennent un processus d'immigration légal. Ceux qui ne peuvent satisfaire à ces critères ont plutôt recours à des réseaux clandestins.

3.1 L'immigration légale

Tant les demandeurs d'asile que les migrants économiques et familiaux convergent vers les pays industrialisés. Les politiques de ces pays en matière d'immigration sont toutefois très strictes. Par conséquent, la démarche qui mène à l'obtention du statut de réfugié ou de **résident permanent** peut s'avérer longue et complexe.

Les politiques d'immigration des pays industrialisés visent principalement à combler les besoins en main-d'œuvre et à réunir les familles. Certains pays, tels les États-Unis, le Canada et l'Australie, déterminent le nombre maximal d'immigrants qu'ils souhaitent accueillir chaque année. Au Canada, l'objectif pour 2008 se situait autour de 250 000 nouveaux arrivants. En Australie, le ministère de l'Immigration a pour sa part fixé son **quota** de **visas** à environ 190 000. De ce nombre, plus de 130 000 étaient réservés aux travailleurs qualifiés.

Résident permanent Personne qui a obtenu le droit de résider dans un pays sans en avoir la citoyenneté.

Quota Limite, pourcentage déterminé.

Visa Autorisation de séjour temporaire ou permanent délivrée par un pays d'accueil.

32 Obtenir le droit d'asile

Lorsqu'elles reçoivent une demande d'asile, les autorités du pays d'accueil évaluent la crédibilité des demandeurs, des témoins et des documents soumis. La rigueur des critères entraîne le refus de près de la moitié des demandes.

- Selon vous, comment un demandeur d'asile peut-il prouver la justesse de sa demande?

En septembre 2007, le président français Nicolas Sarkozy exprimait clairement sa volonté d'accroître la proportion d'immigrants économiques et d'instaurer en France des quotas basés sur la région d'origine et les qualifications professionnelles. Au début 2009, le projet de loi était toujours en préparation.

« Je le dis de façon très claire, je souhaite que nous arrivions à établir chaque année, après un débat au Parlement, un quota avec un chiffre plafond d'étrangers que nous accueillerons sur notre territoire. Je souhaite également qu'à l'intérieur de ce chiffre plafond, on réfléchisse à un quota par profession, par catégorie [...] et puis naturellement un quota par région du monde. [...] Seule 7 % de l'immigration d'aujourd'hui est une immigration de travail. Comment s'intégrer en France si on n'a pas de travail ? Je souhaite porter le chiffre de l'immigration du travail à au moins un sur deux. »

« Immigration - Quotas or not quotas », Entrevue diffusée sur LCI, 21 septembre 2007 [en ligne], réf. du 11 mars 2009.

33 Une immigration ciblée

- Quelles mesures le président Sarkozy veut-il instaurer ?
- Quels objectifs le président français veut-il atteindre ?

Les lois sur l'immigration imposent également tout un éventail de critères de sélection aux demandeurs, tels les qualifications et les expériences professionnelles, les aptitudes linguistiques et l'âge. Parallèlement à la procédure habituelle, les États-Unis ont instauré un système de loterie afin de diversifier la provenance de leurs immigrants. Chaque année, ils octroient par tirage au sort 50 000 visas de résidence permanente à des migrants originaires de pays qui sont peu représentés dans la population des États-Unis. Plus de neuf millions de personnes se sont inscrites à la loterie de 2009.

34 Des demandeurs de visa aux Îles Fidji

Les candidats à l'immigration doivent déposer une demande de résidence permanente en bonne et due forme à l'ambassade ou au consulat du pays qu'ils ont choisi comme terre d'accueil. Généralement, une demande de résidence au Canada est traitée par les autorités canadiennes à l'intérieur d'un délai de 18 à 24 mois. Cependant, des demandeurs originaires de pays comme la Chine ou l'Inde peuvent attendre jusqu'à huit ans, en raison du sous-financement et du manque de personnel diplomatique canadien dans ces pays.

• Quelles peuvent être les conséquences des délais dans les procédures d'immigration ?

36 Des immigrants prêtent le serment de citoyenneté aux États-Unis

La résidence permanente constitue souvent une première étape dans le processus d'obtention d'une nouvelle citoyenneté. La plupart des pays d'accueil imposent aux candidats des conditions préalables : séjour continu de quelques années (cinq ans, en moyenne), connaissance de la langue, de la culture et des valeurs du pays, absence de casier judiciaire, etc.

35 Les critères de sélection pour les travailleurs qualifiés au Canada

En plus de pratiquer un métier ou une profession en demande au Canada, chaque candidate ou candidat doit obtenir un nombre de points suffisant pour être accepté comme résident permanent. La note de passage est de 67 points sur 100.

Critère	Nombre de points
Études	Maximum de 25 points
Aptitudes en français/anglais	Maximum de 24 points
Expérience de travail	Maximum de 21 points
Âge	Maximum de 10 points
Emploi réservé* au Canada	Maximum de 10 points
Adaptabilité	Maximum de 10 points

* Offre d'emploi confirmée ou contrat de travail existant.
Citoyenneté et Immigration Canada, *Demande de résidence permanente au Canada : Guide à l'intention des travailleurs qualifiés – fédéral* [en ligne], 2008, réf. du 11 mars 2009.

• Pourquoi le Canada favorise-t-il l'immigration de travailleurs qualifiés ?

• Selon vous, pourquoi le processus d'obtention d'une nouvelle citoyenneté est-il si exigeant ?

3.2 L'immigration clandestine

Certains immigrants ne peuvent satisfaire aux critères d'éligibilité établis par les pays d'accueil. À défaut de pouvoir entreprendre une démarche officielle, ils cherchent à immigrer de façon clandestine. L'immigration illégale touche aujourd'hui toutes les régions du globe et elle fait régulièrement les manchettes de l'actualité.

Des immigrants indiens en attente dans le port de Vancouver

En 1914, les passagers du Komagata Maru se voient refuser l'entrée au Canada sous prétexte que leur navire en provenance de l'Inde a fait escale à Hong Kong. Or, selon un décret en vigueur à l'époque, les immigrants indiens peuvent débarquer au Canada seulement s'ils arrivent directement de leur pays. Il s'agit d'une manière déguisée de restreindre l'immigration indienne, puisqu'à cette époque, il n'existe aucune liaison maritime directe entre l'Inde et le Canada.

Différents facteurs expliquent l'ampleur de ce phénomène. Dans le contexte de la mondialisation de l'économie, la demande pour une main-d'œuvre bon marché et non qualifiée s'est accrue considérablement. Ainsi, de nombreuses personnes démunies n'hésitent pas à affronter les risques liés à l'immigration clandestine pour tenter de décrocher un emploi et d'améliorer leur sort. De plus, le durcissement des politiques migratoires, notamment en Europe, resserre les critères de sélection. Par exemple, en 2008, le Royaume-Uni a fermé ses frontières aux ouvriers non qualifiés en provenance de pays autres que ceux de l'Union européenne. Par ailleurs, la proximité d'un pays développé et la perméabilité de certaines frontières favorisent l'immigration clandestine.

37 **Les régions d'origine des migrants clandestins aux États-Unis, en 2008**

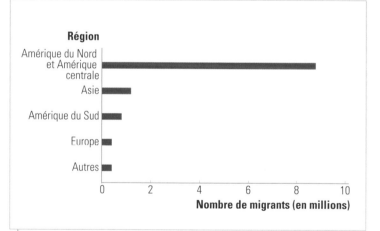

D'après Michael Hoefer, Nancy Rytina et Bryan C. Baker, *Estimates of the Unauthorized Immigrant Population Residing in the United States: January 2008* [en ligne], réf. du 11 mars 2009.

● **Pourquoi y a-t-il autant d'immigrants clandestins en provenance de l'Amérique du Nord et de l'Amérique centrale aux États-Unis?**

Selon l'Organisation internationale pour les migrations (OIM), la plupart des immigrants clandestins entrent dans un pays étranger munis d'un permis de séjour valide (permis de travail, visa d'étudiant ou de tourisme). Ils basculent dans la clandestinité lorsqu'ils décident de prolonger leur séjour une fois leur visa expiré ou d'occuper un emploi non autorisé. D'autres choisissent de confier leur sort à des passeurs qui, en échange d'une somme d'argent, les aident à franchir la frontière du pays convoité.

Les réseaux criminels organisés profitent de la vulnérabilité des gens qui veulent migrer. Ils n'hésitent pas à financer le transport des clandestins et à leur fournir de faux papiers d'identité. Une fois arrivés à destination, les migrants doivent rembourser le coût de leur passage en travaillant pour ces réseaux dans des conditions de quasi-esclavage. En outre, ces criminels contrôlent le marché très lucratif de la **traite des humains**. Ce trafic, qui rapporte annuellement plus de 40 milliards de dollars, arrive au troisième rang en importance, derrière les trafics d'armes et de stupéfiants.

> **Traite des humains** Commerce illégal de personnes à des fins d'exploitation (prostitution, travail forcé, etc.).

38 **Les pays d'origine de la traite des humains**

AMÉRIQUE DU NORD

EUROPE

ASIE

AFRIQUE

AMÉRIQUE DU SUD

OCÉANIE

Fréquence de la dénonciation de la traite

■ Très grande   ■ Grande   ■ Moyenne   □ Faible   ■ Très faible   □ Aucune donnée

D'après UNFPA, *État de la population mondiale : Vers l'espoir. Les femmes et la migration internationale* [en ligne], 2006, réf. du 11 mars 2009.

40 **Des statistiques accablantes sur la traite des humains**

En 2006, l'UNFPA a publié un rapport sur les femmes et la migration internationale dans lequel l'organisme fait le point sur l'ampleur du phénomène de la traite des femmes.

« [...] de 600 000 à 800 000 femmes, hommes et enfants sont transportés chaque année par les trafiquants hors de leur pays d'origine – la plupart pour être exploités par l'industrie du sexe. Le plus grand nombre – jusqu'à 80 % – sont des femmes et des filles. Non moins de 50 % sont des mineurs.

Les femmes victimes de la traite des humains sont généralement contraintes de se prostituer et d'alimenter le tourisme sexuel, de contracter des mariages arrangés par des agences et de se livrer à d'autres occupations "de femme" comme le service domestique, le travail dans l'agriculture et dans les ateliers aux cadences infernales. [...] La traite des humains constitue le sombre "dessous" de la mondialisation. »

UNFPA, *État de la population mondiale : Vers l'espoir. Les femmes et la migration internationale.* 2006 [en ligne], réf. du 11 mars 2009.

● Dans quel but fait-on la traite des femmes et des filles ?

39 **Des immigrants illégaux en route vers les États-Unis**

Que ce soit par terre ou par mer, le passage illégal d'une frontière peut s'avérer une entreprise périlleuse. La faim, la soif, les arrestations et même la mort guettent les clandestins. De 1998 à 2004, près de 2000 personnes sont décédées en tentant de traverser la frontière entre le Mexique et les États-Unis.

● Quels sont les dangers de l'immigration clandestine ?

● Selon vous, pourquoi, malgré les risques, les gens tentent-ils de traverser les frontières de façon clandestine ?

L'intensification des migrations clandestines amène les gouvernements et les organisations internationales à tenter de freiner le mouvement. Ainsi, tous s'entendent pour intensifier la lutte contre les réseaux criminels organisés. Par ailleurs, certains pays tentent de sécuriser leurs frontières en érigeant des murs et en utilisant des moyens technologiques sophistiqués (détecteur de mouvement, radar, etc.).

41 **La construction d'un mur à la frontière mexico-américaine**

En 2006, le gouvernement américain a approuvé la construction d'un mur à haute sécurité sur plus du tiers de sa frontière avec le Mexique, longue de 3000 km.

• Selon vous, la construction d'un mur est-elle une solution durable au problème de l'immigration clandestine ? Pourquoi ?

42 **Une manifestation en faveur des travailleurs clandestins**

En 2008, à Paris, la fête du Travail s'est transformée en marche pour la régularisation de la situation des travailleurs « sans papiers », venus principalement d'Afrique. Membres des syndicats et immigrants clandestins ont défilé à travers la ville, en scandant le slogan « Ils bossent ici, ils vivent ici, ils restent ici ».

Dans la mesure où les emplois clandestins sont au cœur du problème, les inspections en milieu de travail deviennent de plus en plus fréquentes. En 2006, plus de 22 000 travailleurs illégaux ont été expulsés du Royaume-Uni à la suite d'opérations de contrôle. D'autres pays européens, tels la France, l'Espagne et l'Italie, choisissent de régulariser la situation de certains illégaux. En effet, de nombreux clandestins ont des emplois stables et s'intègrent à leur société d'accueil grâce au soutien des membres de leur communauté déjà installés. De plus, dans certains secteurs qui bénéficient largement du travail clandestin, comme la restauration et la construction, les employeurs sont favorables à la légalisation du statut de ces immigrants.

• Pourquoi certains pays choisissent-ils de régulariser la situation des immigrants illégaux ?

QUESTIONS d'interprétation CD 1

1 En quoi consistent les politiques d'immigration des pays industrialisés ?

2 Qu'est-ce qui explique l'ampleur des migrations clandestines ?

3 Quelles sont les conséquences des migrations clandestines ?

4 Quels sont les impacts des migrations ?

CONCEPTS
☐ Culture ☐ Diaspora
☐ Migration ☐ Mondialisation
☐ Pouvoir ☐ Réseau
☐ Urbanisation

L'intensification des migrations entraîne des transformations sociales et économiques à l'échelle de la planète. Qu'elle soit interne ou internationale, la mobilité des populations contribue notamment à l'expansion urbaine. De plus, l'immigration internationale soulève le problème de l'intégration des nouveaux arrivants dans les pays d'accueil. Elle a aussi des effets importants sur les sociétés des pays de départ.

4.1 Les migrations, un facteur de croissance urbaine

En 2008, le taux d'urbanisation mondial a passé le cap des 50 %. La tendance ne montre aucun signe de relâchement : les démographes estiment qu'en 2050, 70 % de la population du globe habitera en milieu urbain. À l'échelle planétaire, cette augmentation résulte surtout de l'accroissement naturel de la population des villes. Cependant, l'exode rural et les migrations internationales peuvent contribuer de façon significative à l'expansion urbaine.

43 **L'urbanisation dans le monde, de 1950 à 2050**

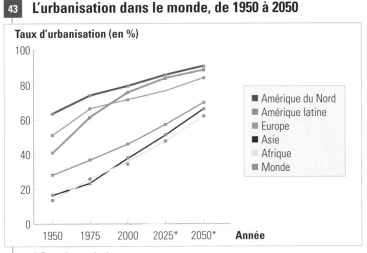

* Données estimées.
ONU, *World Urbanization Prospects: The 2007 Revision* [en ligne], réf. du 17 mars 2009.

● Dans quelles régions du monde l'augmentation du taux d'urbanisation est-elle la plus marquée ?

44 **Le taux d'accroissement dans la population de la ville de New York*, de 1970 à 2007**

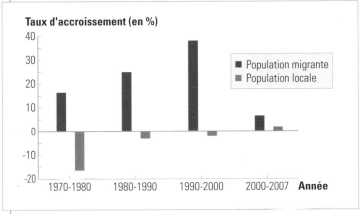

* Il s'agit ici de la ville et non pas de la région métropolitaine.
D'après New York City Department of City Planning, Population Division [en ligne] ; US Census Bureau 2007 [en ligne], réf. du 17 mars 2009.

● À quelle catégorie de la population la croissance de la ville de New York peut-elle être attribuée ?

Dans les années à venir, l'expansion des villes se poursuivra principalement dans les pays en développement. En effet, d'ici 2025, le taux de croissance urbaine dans les pays industrialisés plafonnera à 0,5 %, alors qu'en Afrique, il dépassera les 3 %. Par exemple, dans la ville de Lagos, au Nigeria, la population a connu une croissance extraordinaire. Le boum pétrolier des années 1970 a relancé l'économie de cette agglomération portuaire, entraînant un afflux de migrants venus des campagnes et des pays voisins. En quelques décennies, Lagos est passée d'un peu plus d'un million d'habitants à près de 10 millions en 2007.

45 **Lagos, un cauchemar urbain**

Capitale du Nigeria jusqu'en 1991, Lagos est le principal centre économique et culturel du pays. Le taux de croissance phénoménal de sa population ainsi que l'absence de planification urbaine de la part des pouvoirs publics expliquent le développement totalement désordonné de cette métropole africaine.

● Quelles sont les principales causes du développement désordonné de Lagos ?

Banlieue Quartier résidentiel en périphérie des grands centres.

Pavillonnaire Qui regroupe des pavillons d'habitation, c'est-à-dire des maisons unifamiliales.

Périurbain Relatif à ce qui est aux abords, en périphérie d'une ville.

Ville centre Noyau urbain autour duquel se développent les banlieues.

Les défis posés par l'urbanisation font régulièrement la une des médias. Des problèmes, tels la misère, le chômage, la violence et la dégradation de l'environnement, se trouvent aggravés par l'accélération de la croissance urbaine. Dans certaines **banlieues** défavorisées des pays développés, le nombre de familles à faible revenu, l'inefficacité des transports en commun et le manque de possibilités d'emploi créent des milieux propices à la criminalité.

Parallèlement, l'expansion des banlieues **pavillonnaires** à faible densité et l'utilisation généralisée de l'automobile font constamment l'objet de critiques. En effet, ce développement **périurbain** contribue à la pollution atmosphérique, causant entre autres divers problèmes de santé (troubles respiratoires, allergies, etc.).

46 Une itinérante dans les rues de Paris

À des échelles différentes, la pauvreté touche autant les villes industrialisées que celles des pays en développement. La construction de logements à loyer modique constitue un des enjeux de la gestion de l'urbanisation.

• Qu'est-il possible de faire pour réduire le problème de l'itinérance dans les villes en croissance ?

47 La répartition des immigrants arrivés au Canada, de 2001 à 2006

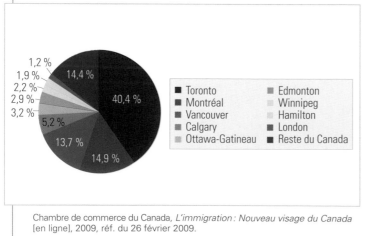

1,2 %
1,9 %
2,2 %
2,9 %
3,2 %
14,4 %
40,4 %
5,2 %
13,7 %
14,9 %

- Toronto
- Montréal
- Vancouver
- Calgary
- Ottawa-Gatineau
- Edmonton
- Winnipeg
- Hamilton
- London
- Reste du Canada

Chambre de commerce du Canada, *L'immigration : Nouveau visage du Canada* [en ligne], 2009, réf. du 26 février 2009.

• Quelle ville canadienne attire le plus grand nombre d'immigrants ?

Bien qu'il y ait des banlieues riches dans les pays en développement, l'étalement urbain s'y manifeste surtout par la présence de bidonvilles. Un nombre important de personnes s'entasse dans ces grands ensembles d'habitations précaires. En effet, plus de 60 % des habitants de ces quartiers n'ont pas accès à l'eau courante, 40 % vivent sans électricité et 25 % sans toilettes décentes. De plus, ces taudis urbains prolifèrent de façon désordonnée et illégale. Ne disposant d'aucun droit de résidence, les habitants des bidonvilles vivent dans la crainte d'être expulsés à tout moment.

4.2 La ville, pôle d'attraction des migrants

Malgré les problèmes associés à l'urbanisation, plusieurs immigrants choisissent de s'installer dans les centres urbains. À elle seule, la ville de Londres regroupe près de la moitié de toutes les communautés ethniques du Royaume-Uni, alors que Sydney attire le tiers des immigrants qui s'installent en Australie. Aux États-Unis, selon le Bureau du recensement, plus de 40 % de la population née à l'étranger vivait dans une **ville centre**, en 2003.

Les avantages offerts par ces agglomérations sont indéniables. D'importantes ressources nécessaires à la création de la richesse y sont concentrées : un vaste bassin de travailleurs et d'entrepreneurs, des capitaux et des services financiers, de même qu'une diversité de commerces et d'industries. Carrefours économiques, les villes proposent donc aux nouveaux arrivants un grand éventail d'emplois et de possibilités d'affaires dans divers secteurs.

Par ailleurs, l'anonymat des grandes villes favorise le développement d'une économie parallèle. En effet, l'économie parallèle, ou travail au noir, consiste à produire des biens (vêtements, meubles, etc.) et à échanger des services (entretien ménager, construction et rénovation, etc.) en dehors du contrôle de l'État, c'est-à-dire sans payer d'impôts et sans appliquer les réglementations en vigueur. Pour les immigrants qui vivent dans la clandestinité, cette économie parallèle représente souvent la seule source de revenus. Les consommateurs trouvent aussi un avantage économique au travail au noir. Ils épargnent les taxes et paient moins cher les services domestiques, l'entretien paysager ou la rénovation. Toutefois, ils enfreignent les lois fiscales et n'ont aucune garantie légale pour les travaux effectués.

48 Travailler au noir en Californie

Aux États-Unis, on estime à environ cinq millions le nombre de travailleurs illégaux qui encaissent des salaires en argent comptant pour éviter de payer de l'impôt ou pour protéger leur clandestinité.

Quelles sont les conséquences du travail au noir sur les finances publiques ?

Ce système économique parallèle fonctionne notamment avec la complicité d'entrepreneurs qui y trouvent un avantage compétitif : rémunération très faible, longues heures de travail, réduction des charges sociales (assurances et régime de retraite), etc. Selon certains observateurs, la mondialisation incite de plus en plus d'entreprises des pays industrialisés à embaucher des immigrants clandestins afin de concurrencer la main-d'œuvre bon marché d'Asie et d'Amérique latine.

49 La ville de Lagos, capitale du « système D »

Malgré son développement chaotique, Lagos fait figure de paradis économique aux yeux des migrants. Tout y semble possible. Toutefois, pour plusieurs, l'espoir d'une vie meilleure repose largement sur l'économie parallèle.

« L'économie souterraine permet à au moins la moitié des habitants de s'en sortir et réduit les risques de soulèvement de la population. [...] Dans ce monde de la débrouille, l'esprit d'initiative rejoint aussi l'énergie du désespoir : la nuit venue, des brouettes sont « empruntées » sur des chantiers, puis louées 20 cents la nuit aux sans-abri en quête de lit. Lorsque la pluie transforme le marché en bourbier, les enfants prennent des seaux d'eau et proposent aux clients de leur laver les pieds pour quelques nairas [monnaie nigériane]. Le secteur informel, c'est aussi un homme qui pousse une charrette de maison en maison pour enlever les ordures : 65 dollars par mois, sans compter les 55 autres dollars qu'il gagne en vendant les déchets récupérables. »

Amy Otchet, « Lagos, la métropole du "système D" », *Le Courrier de l'Unesco* [en ligne], juin 1999, réf. du 17 mars 2009.

Quels sont les avantages de l'économie souterraine à Lagos ?

Les villes procurent aussi aux nouveaux arrivants d'importantes ressources socioculturelles. La proximité et la concentration de ces dernières en facilitent grandement l'accès. De façon générale, les villes sont aussi en mesure d'offrir à leurs résidents une grande variété de services. Dans le domaine de la santé, les centres urbains possèdent entre autres de nombreux hôpitaux à la fine pointe de la technologie, un éventail de spécialistes ainsi que tout un ensemble de ressources paramédicales (ambulances, centres de réadaptation, pharmacies, etc.). Sur le plan de l'éducation, les milieux urbains regroupent un nombre important d'établissements d'enseignement supérieur et d'écoles spécialisées. Avec plus de 40 universités, Londres possède la plus grande concentration d'institutions universitaires dans le monde.

Les villes possèdent des infrastructures culturelles variées: musées, théâtres, bibliothèques, salles de concert, cinémas, etc. Leurs habitants peuvent choisir parmi une gamme d'activités et de ressources, dont certaines sont gratuites. De plus, les rues des métropoles s'animent régulièrement de manifestations multiculturelles. À titre d'exemple, Montréal offre chaque année plus d'une centaine d'événements et de festivals. Près de la moitié de ces activités ont une portée internationale, tel le Festival International de Jazz de Montréal.

50 **Le tramway, navette entre le centre et la banlieue**

La plupart des agglomérations urbaines disposent d'un important réseau de transport en commun (métro, autobus, tramway, etc.). Dans la région parisienne, plus de 70 millions de passagers empruntent chaque année le tramway et plus de 1,5 milliard de voyageurs utilisent le métro.

- En quoi le transport en commun constitue-t-il un atout pour les nouveaux arrivants ?

51 **La ville, lieu de promotion des femmes**

En 2007, le rapport sur la croissance urbaine du Fonds des Nations Unies pour la population (UNFPA) s'est penché sur les principaux enjeux de l'urbanisation au XXIe siècle. Il décrivait notamment les multiples avantages de la vie en milieu urbain pour les femmes.

« Les commodités sociales et matérielles des villes facilitent les changements dans le sens de l'égalité des sexes. La concentration de la population en milieu urbain ouvre [...] aux femmes, migrantes ou autochtones, de nombreuses possibilités de se rencontrer, de travailler, de former des réseaux de soutien social, d'échanger des informations et de s'organiser [...]. Les villes offrent aux femmes des meilleures options d'éducation et des emplois plus divers que les campagnes. Elles leur donnent davantage de possibilités de participation à la vie sociale et politique, ainsi qu'un accès aux médias, à l'information et à la technologie ; elles favorisent l'acquisition d'un pouvoir décisionnel par la participation communautaire et politique. »

UNFPA, *Libérer le potentiel de la croissance urbaine, État de la population mondiale 2007* [en ligne], réf. du 17 mars 2009.

- De quelle façon les villes favorisent-elles l'émancipation des femmes ?

52 **Des musulmans à Whitechapel, un quartier multiethnique de Londres**

La présence de communautés ethniques dans certains quartiers constitue un atout pour l'intégration économique, sociale et culturelle des migrants. Dans les villes, les populations immigrantes organisent des réseaux d'entraide afin de mieux s'implanter dans leur pays d'accueil. Elles recréent parfois dans ces quartiers de véritables villages à l'image de leur culture d'origine, avec des lieux de culte, des organismes communautaires, des boutiques d'alimentation et de vêtements traditionnels, etc.

● La présence d'une importante communauté ethnique dans une ville peut-elle constituer un facteur d'attraction pour la population migrante ? Pourquoi ?

4.3 Les politiques d'intégration des pays d'accueil

Les pays d'accueil doivent se doter de politiques d'intégration afin de gérer de façon efficace l'afflux d'immigrants sur leur territoire. Ces mesures profitent à la fois aux nouveaux arrivants et à la société en général. D'une part, elles visent l'épanouissement et la protection des droits des migrants. D'autre part, elles permettent le maintien de la cohésion sociale. Dans certaines sociétés, l'intensification et la diversification des migrations soulèvent la question de la capacité d'accueil et de tolérance à l'égard des différences culturelles. Il appartient donc aux pouvoirs publics de maintenir l'équilibre entre les besoins des migrants et ceux de la population locale.

Les politiques d'intégration varient d'un pays à l'autre et évoluent selon la situation internationale (crise économique, menace terroriste, etc.). Les différentes approches d'intégration se situent entre deux pôles : l'assimilation et le multiculturalisme. Par exemple, le gouvernement français préconise l'assimilation à une seule culture : les migrants doivent s'adapter et adhérer aux valeurs et aux traditions de la France.

À l'autre extrémité, des pays comme le Canada, le Royaume-Uni et l'Australie adoptent un modèle basé sur le multiculturalisme. Cette approche consiste à mettre en valeur la diversité culturelle de la société dans son ensemble, y compris la culture des immigrants. Elle demande une plus grande souplesse de la part de la société d'accueil et moins d'adaptation de la part des migrants. Ce type de politique impose néanmoins à tous un ensemble de valeurs fondamentales tels la démocratie, l'égalité et le respect des droits et des libertés.

L'approche privilégiée par les États-Unis réunit des caractéristiques de ces deux modèles d'intégration. Les différences culturelles y sont davantage acceptées, comme dans l'approche multiculturelle, mais les autorités américaines s'attendent néanmoins à ce que les immigrants participent activement au développement de la culture du pays.

53 **Un mariage interethnique**

Ce couple de jeunes Canadiens a tenu à célébrer son mariage par deux cérémonies distinctes : l'une de tradition hindoue, l'autre de tradition catholique. Dans un Canada de plus en plus multiculturel, cette tendance est à la hausse.

L'interculturalisme au Québec

Au Québec, les pouvoirs publics emploient le concept d'interculturalisme pour décrire leur politique d'intégration. Comme dans la politique canadienne, on y favorise le développement de la diversité culturelle et sa mise en valeur. Toutefois, la prédominance du français comme langue commune de la vie publique doit être respectée.

En 1990, le Québec a confirmé sa politique à l'égard des immigrants et proposé un «contrat moral» entre les nouveaux arrivants et la société d'accueil: société francophone et pluraliste, le Québec s'engage à soutenir les communautés culturelles; en retour, les immigrants doivent souscrire à la Charte québécoise des droits et libertés de la personne et participer à l'édification de la nation québécoise.

Le vote à visage voilé interdit

En 2007, à l'occasion des élections provinciales, le Directeur général des élections du Québec s'est opposé au vote à visage voilé. Le principe selon lequel les électeurs doivent s'identifier au moment du scrutin ne tolère aucune exception.

---

54 Une campagne en faveur de l'intégration

Depuis le début des années 2000, l'Aragon, une région située au nord de l'Espagne, connaît une importante vague d'immigration. Afin de favoriser l'intégration de ces nouveaux arrivants, le gouvernement a lancé en 2008 une vaste campagne publicitaire destinée à promouvoir la diversité culturelle et à lutter contre les préjugés de la population locale.

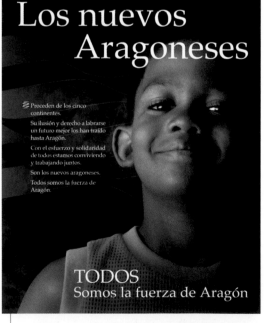

Los nuevos Aragoneses

TODOS
Somos la fuerza de Aragón

• Selon vous, la publicité est-elle un moyen efficace pour lutter contre les préjugés et promouvoir la diversité culturelle?

Les pouvoirs publics mettent en place diverses mesures qui viennent soutenir leurs politiques d'intégration. Selon l'approche choisie par les pays d'accueil, ces moyens d'assistance peuvent varier. La France, qui privilégie l'assimilation, compte sur son système d'éducation public et laïque pour atteindre un degré élevé d'intégration. Au Québec, le gouvernement mise entre autres sur l'apprentissage du français. Le ministère de l'Immigration et des Communautés culturelles propose aux immigrants différents cours gratuits.

55 Un apport culturel controversé

En 2008, une brèche dans la loi a forcé le gouvernement britannique à confirmer la légalité des tribunaux islamiques, ce qui a provoqué un mouvement de protestation dans la population. Cette décision a été perçue comme une atteinte aux droits et aux libertés du pays. Les tribunaux islamiques appliquent en effet la charia, un ensemble de règles de conduite dictées par le Coran. Les musulmans qui vivent en Grande-Bretagne peuvent donc recourir à ces cours d'arbitrage afin de régler des litiges d'ordre privé (divorce, garde d'enfants, testament, etc.).

«Même dans le domaine civil, la charia est discriminatoire, abusive et injuste, particulièrement envers les femmes et les enfants. De plus, l'impression qu'on s'y soumet volontairement est trompeuse; beaucoup de femmes seront poussées à se présenter devant ces tribunaux et à se conformer à leurs décisions. Le recours à ces tribunaux mène tout droit à l'injustice et ne favorise en rien les droits des minorités et la cohésion sociale. L'intérêt public, surtout en ce qui a trait aux femmes et aux enfants, exige de mettre fin à la charia ainsi qu'à tout autre tribunal confessionnel.»

Maryam Namazie, «Launch of One Law for All - Campaign against Sharia Law in Britain», *Womensgrid* [en ligne], 2 décembre 2008, réf. du 18 mars 2009 [Traduction libre].

• Pourquoi certains réclament-ils l'abolition des tribunaux islamiques?

Certains pays subventionnent également des organismes qui s'occupent de l'intégration socioéconomique des immigrants. Ces centres communautaires offrent aux nouveaux venus de l'assistance dans leurs démarches administratives, des services de traduction, de l'aide dans la recherche de logement, divers services d'intégration à l'emploi, de même que des cours de langue. Selon plusieurs intervenants, une intégration réussie passe par la participation des migrants au marché du travail. C'est ce qui a incité certains gouvernements à adopter des mesures visant à favoriser l'accès à l'emploi des minorités ethniques.

56 Les obstacles à la reconnaissance professionnelle

En 2008, la journaliste de *La Presse* Rima Elkouri a suivi pendant six mois le parcours de familles immigrantes. Elle s'est interrogée entre autres sur l'intégration de travailleurs qualifiés au marché du travail au Québec.

« Les immigrés les plus qualifiés n'ont pas nécessairement la tâche plus facile. Surtout s'ils appartiennent à une minorité dite "visible" et qu'ils ont obtenu leur diplôme dans un pays en voie de développement [...]. Pour les ingénieurs étrangers, à qui l'École polytechnique offre une formation d'appoint depuis 1999, le plus difficile est souvent de décrocher un stage de 12 mois au Canada, une étape obligatoire pour obtenir le permis d'exercice de l'Ordre des ingénieurs du Québec. Et même au bout de toutes ces étapes, décrocher un emploi n'est pas simple. Seulement la moitié des ingénieurs étrangers qui passent au travers de ce processus long et coûteux occupent un emploi d'ingénieur [...]. »

Rima Elkouri, « Gaspillage de capital humain », *La Presse* [en ligne], 14 février 2009, réf. du 17 mars 2009.

● Quels obstacles rencontrent les travailleurs migrants qualifiés au Québec ?

Brève culturelle

Le musée comme outil d'intégration

Soucieuses de valoriser l'apport des migrants dans un monde en constante circulation, l'UNESCO et l'OIM ont décidé de mieux faire connaître au grand public l'histoire et l'expérience des migrations en encourageant la création de musées. Le Réseau international des musées des migrations a ainsi été fondé en 2006. Il poursuit trois objectifs principaux : la reconnaissance de la contribution des migrants, leur intégration par le développement d'un sentiment d'appartenance et la sensibilisation de la société d'accueil aux causes de la migration afin de lutter contre les stéréotypes.

Une exposition franco-allemande à la Cité

Ouverts au public depuis les années 1980-1990, les musées des migrations des grands pays d'accueil tels le Canada, les États-Unis et l'Australie ont servi d'exemples aux institutions européennes. À Paris, la Cité nationale de l'histoire de l'immigration a ouvert ses portes en 2007. Elle propose toute une série d'activités sur le thème de l'immigration en France : expositions, séminaires, films, etc.

4.4 Les impacts de l'émigration dans les pays de départ

Les migrations provoquent aussi des changements notables dans les sociétés de départ. En effet, grâce à la création de réseaux **transnationaux** de solidarité, les diasporas contribuent grandement au développement économique et social de leur pays d'origine. Par exemple, avec plus de 50 millions d'individus, les migrants chinois constituent une des plus grandes diasporas du monde. Les Chinois installés à l'étranger ont établi de solides liens économiques avec leur pays natal : plus des deux tiers des investissements en Chine proviennent de la diaspora.

Les transferts de fonds individuels constituent toutefois la forme de solidarité la plus importante. En effet, la plupart des migrants font parvenir régulièrement une part de leurs revenus à des proches restés dans leur pays d'origine. Ces sommes, qui peuvent représenter plus de 50 % du revenu des familles, permettent à ces dernières d'échapper à la pauvreté, de financer des études, des soins de santé ou encore de se procurer un logement décent. En 2005, les immigrants d'origine mexicaine aux États-Unis ont effectué des envois totalisant près de 20 milliards de dollars.

> **Transnational** Qui dépasse le cadre national et concerne plusieurs nations.

57 **Les transferts de fonds et l'aide internationale, en 2006**

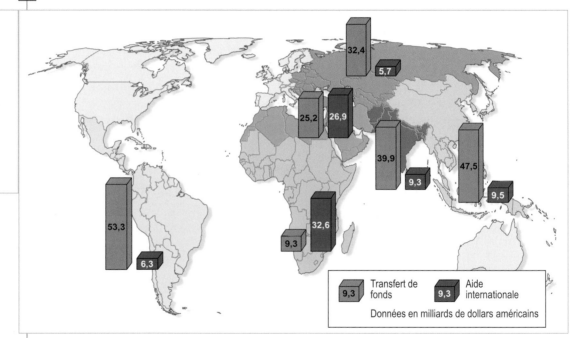

Région aidée
- Afrique du Nord et Moyen-Orient
- Afrique subsaharienne
- Amérique latine
- Asie de l'Est et Pacifique
- Europe de l'Est et Asie centrale
- Sous-continent indien
- Aucune aide

Transfert de fonds 9,3 — Aide internationale 9,3
Données en milliards de dollars américains

D'après OIM, *World Migration 2008* [en ligne], réf. du 4 mars 2009.

● Dans quelle région les transferts de fonds sont-ils les plus importants ?

Les pays d'origine des migrants profitent également des transferts de connaissances et de savoir-faire des membres de leur diaspora. Ainsi, différents programmes internationaux encouragent la participation des émigrés au développement de leur société de départ. C'est dans cet esprit que l'OIM a mis sur pied, à la fin des années 1990, le programme Migration pour le développement en Afrique (MIDA). Depuis 2001, MIDA Grands Lacs, qui vise le Burundi, le Rwanda et la République démocratique du Congo, invite des migrants qualifiés à faire des séjours temporaires à titre de conseillers stratégiques dans les domaines de l'éducation, de la santé et du développement rural.

Après un certain nombre d'années vécues à l'étranger, certains migrants décident de rentrer au pays. Ils deviennent parfois d'importants agents de changement, puisqu'ils ramènent avec eux de nouvelles idées et attitudes qui peuvent contribuer à l'avancement de leur société d'origine. C'est le cas de Myriam Merlet, qui a passé 11 ans au Québec, où elle a étudié l'économie et le féminisme, avant de rentrer en 1987 à Port-au-Prince, capitale d'Haïti.

« [...] Myriam Merlet est devenue l'une des intellectuelles les plus reconnues de son pays et l'une des plus brillantes défenseuses de la cause des femmes en Haïti. Après une brève incursion en politique, comme chef de cabinet au ministère de la Condition féminine et des Droits des femmes, elle continue, inlassable, son travail de militante. Même si Haïti fait du surplace, engoncé dans la corruption et son endémique incapacité à se solidariser, à se mobiliser, même si tout est fait pour décourager, Myriam Merlet continue. Elle œuvre à Enfofanm, une organisation qui défend les droits des femmes sur toutes les tribunes, soutenue notamment par le Centre d'éducation et de coopération internationale et Développement et Paix, deux ONG québécoises. »

Monique Durand, « Une seconde à Haïti », *Le Devoir* [en ligne], 27-28 décembre 2008, réf. du 18 mars 2009.

● Quelle est la contribution de Myriam Merlet à la société haïtienne ?

L'émigration n'a pas que des impacts positifs sur les pays d'origine. Dans les pays pauvres, le départ de travailleurs qualifiés peut nuire à la croissance économique du pays. Ce phénomène s'appelle l'« exode des cerveaux ». La situation est particulièrement grave en Afrique subsaharienne. Les faibles salaires et l'instabilité politique sont les principales causes de cette fuite des cerveaux. Parmi les travailleurs qualifiés africains, les plus enclins à partir semblent être ceux qui œuvrent dans le domaine de la santé. Malgré des problèmes criants en santé publique (sida, malnutrition, etc.), l'Afrique perd chaque année 20 000 médecins et infirmières au profit des pays industrialisés.

Pays industrialisé	Médecins d'origine étrangère		Infirmières d'origine étrangère	
	Nombre	% du total	Nombre	% du total
Australie	11 122	21	—	—
Canada	13 620	23	19 061	6
États-Unis	213 331	27	99 456	5
Nouvelle- Zélande	2 832	34	10 616	21
Royaume-Uni	69 813	33	65 000	10

OIM, *World Migration 2008* [en ligne], réf. du 25 mars 2009.

59 Le personnel médical d'origine étrangère dans les pays industrialisés, en 2006

● Quelles sont les conséquences, pour les pays en développement, du départ des professionnels de la santé ?

QUESTIONS d'interprétation CD 1

1 Quels sont les principaux défis de la croissance urbaine ?

2 Pourquoi les migrants choisissent-ils de s'installer dans les villes ?

3 Quelles sont les principales approches en matière de politique d'intégration ?

4 Quels sont les impacts de l'émigration sur les pays de départ ?

Question bilan

5 Expliquez quels sont les impacts économiques et sociaux des migrations.

L'émigration d'une partie de la population active des pays en développement a aussi des effets sur l'organisation familiale. Le départ d'un parent, ou même des deux parents, provoque des modifications dans la composition des foyers. De nombreuses mères de famille se retrouvent seules pour élever leurs enfants et tenir la maison. De plus, la mobilité croissante des femmes laisse de plus en plus d'enfants aux soins de leurs grands-parents ou d'un autre membre de la parenté.

LES ENJEUX

ENJEU 1 LA GESTION DE L'EXPANSION URBAINE p. 114

L'expansion urbaine résulte à la fois de la croissance naturelle de la population des villes et de l'arrivée de migrants en provenance des zones rurales ou de l'étranger. En effet, les villes constituent un pôle d'attraction pour les personnes qui sont à la recherche de meilleures conditions de vie, car elles offrent de multiples avantages. Toutefois, le rythme de croissance accéléré de l'urbanisation entraîne des enjeux de gestion qui préoccupent de plus en plus les divers intervenants : décideurs, groupes de pression et citoyens.

Ces enjeux varient selon le degré de développement et le portrait démographique des populations des différentes régions du globe. L'accès au logement, à des infrastructures appropriées de même qu'à des services publics (écoles, hôpitaux, police, etc.) représente une priorité pour les villes des pays pauvres. Cependant, la pauvreté, la violence et la pollution constituent des défis communs à toutes les agglomérations urbaines de la planète.

Comment gérer l'expansion urbaine ?

1. Comment assurer le développement durable du territoire et des infrastructures d'une ville en croissance ?
2. Comment lutter contre la violence en milieu urbain ?
3. Comment tenir compte de l'apport culturel des immigrants ?

Une congestion automobile à Kolkata (Calcutta), en Inde

ENJEU 2   LES MIGRATIONS ET LE MONDE DU TRAVAIL p. 130

Dans un contexte de libéralisation des échanges, les flux migratoires ont des répercussions sur le marché mondial de l'emploi. Qu'il s'agisse de l'exode des cerveaux, de délocalisations d'entreprises, de violations des droits des ouvriers dans les pays du Sud ou encore de manifestations contre la main-d'œuvre étrangère, les effets de la mondialisation du travail font quotidiennement les manchettes. Ce phénomène entraîne à la fois le déplacement des emplois et la mobilité de la main-d'œuvre. Aucune région du globe n'échappe à la dynamique d'interdépendance entre les économies du monde, qui profite largement aux entreprises des pays industrialisés. Toutefois, les intérêts des pays en développement, ceux des pays riches et ceux des migrants économiques eux-mêmes ne coïncident pas toujours.

Quels sont les enjeux soulevés par les rapports entre les migrations et le marché de l'emploi ?

1. Comment favoriser l'intégration des immigrants au marché du travail ?
2. Comment atténuer les effets négatifs de l'exode des cerveaux ?
3. Le marché mondial de l'emploi : délocaliser ou ne pas délocaliser ?

Des travailleurs mexicains dans les champs de la Californie, aux États-Unis

Une grève contre l'embauche de travailleurs étrangers, en Grande-Bretagne

ENJEU 1 LA GESTION DE L'EXPANSION URBAINE

POINTS DE VUE SUR L'ENJEU

CONCEPTS
□ Migration □ Pouvoir
□ Urbanisation

1 Comment assurer le développement durable du territoire et des infrastructures d'une ville en croissance ?

L'expansion urbaine engendre des défis logistiques considérables, tant dans les pays riches que dans les pays pauvres. En effet, la planification des infrastructures et du territoire urbains doit tenir compte d'un ensemble de préoccupations à la fois économiques, sociales et écologiques. Afin de garantir un développement durable des villes, les pouvoirs publics doivent s'efforcer de concilier trois enjeux majeurs : assurer la croissance économique, réduire les inégalités sociales et diminuer les impacts écologiques. Les ONG, les groupes communautaires, de même que les citoyens, participent aussi activement à la gestion du développement des régions urbaines en prenant diverses initiatives.

Brève culturelle

Pour une urbanisation durable

Créé en 1978, ONU-Habitat, le programme des Nations Unies pour les établissements humains, s'est donné le mandat de promouvoir l'urbanisation durable et l'accès à un logement décent pour tous. ONU-Habitat vise principalement la réduction de la pauvreté en milieu urbain. Depuis les années 2000, l'amélioration du niveau de vie des habitants des taudis urbains, ou des bidonvilles, est devenue une priorité de l'action internationale.

Afin d'atteindre ses objectifs, ONU-Habitat documente le phénomène de l'urbanisation dans le monde. Il participe également à différents projets de gestion urbaine : amélioration de la gouvernance, programme d'infrastructures, développement de logements sociaux, coopération interurbaine, etc. Depuis 2002, ONU-Habitat organise des conférences internationales, les Forums urbains mondiaux, pour discuter des problèmes liés à l'expansion urbaine et trouver des solutions.

Un Forum urbain mondial à Vancouver

En 2006, la ville de Vancouver a accueilli le troisième Forum urbain mondial, qui avait pour thème « Notre avenir : des villes durables – Passer des idées à l'action ». Le modèle de solution proposé par Vancouver repose sur le principe de l'« écodensité » : une ville moins étendue ayant une forte densité de population, où les habitants utilisent moins leur voiture et consomment moins de ressources non renouvelables.

1.1 Le sort des taudis urbains

Selon l'ONU, un milliard de personnes, soit plus du tiers de la population urbaine mondiale, habitent dans des bidonvilles. Ce chiffre pourrait doubler d'ici 2030, compte tenu des migrations en provenance des zones rurales et de l'accroissement naturel. Les bidonvilles, ou taudis urbains, sont des agglomérations qui naissent généralement à la périphérie des villes, sans aucune planification et en toute illégalité. En effet, les habitants de ces quartiers surpeuplés ne détiennent pas de titres légaux de propriété. De plus, leurs conditions de vie sont très précaires. La plupart des taudis urbains sont dépourvus d'un accès à l'eau courante, d'infrastructures sanitaires (toilettes, égouts, etc.) et d'électricité. La violence et la criminalité y sont aussi une réalité quotidienne.

60 **La population urbaine vivant dans des bidonvilles**

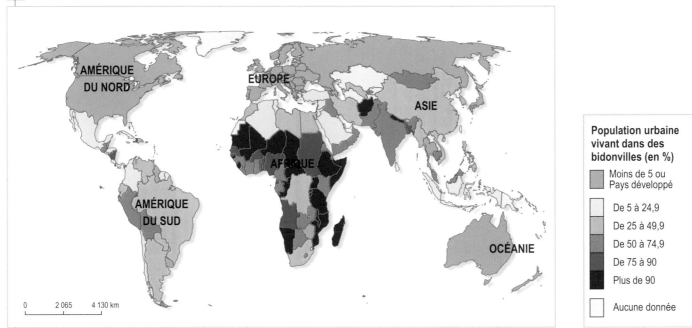

Population urbaine vivant dans des bidonvilles (en %)

- Moins de 5 ou Pays développé
- De 5 à 24,9
- De 25 à 49,9
- De 50 à 74,9
- De 75 à 90
- Plus de 90
- Aucune donnée

D'après « Habitat informel : la norme dans les pays pauvres », dans « Amar Nafa », « Une planète de bidonvilles », *L'état de la mondialisation. Alternatives internationales*, Hors-série n° 6, déc. 2008, p. 63.

- Dans quelle région du monde trouve-t-on la plus grande part de gens vivant dans des bidonvilles ?
- Selon vous, pourquoi le pourcentage est-il si élevé dans cette région ?

61 **Des toilettes de fortune dans un bidonville du Bangladesh**

Dans la Déclaration du Millénaire, adoptée en 2000, les pays membres de l'ONU se sont engagés à améliorer la vie d'au moins 100 millions d'habitants de taudis urbains d'ici 2020.

- Selon vous, quels problèmes éprouvent les habitants des taudis urbains ?

Le manque de ressources financières empêche souvent les pouvoirs publics des pays en développement de résoudre les problèmes liés à l'expansion urbaine non planifiée. Dans ce contexte, certains dirigeants adoptent une politique de laisser-faire. D'autres choisissent plutôt d'autoriser la destruction des bidonvilles et la vente des terrains à des spéculateurs immobiliers. Les spéculateurs cherchent à faire un profit avec ces terrains, soit en les revendant, soit en construisant des immeubles. Enfin, certains pays s'engagent plutôt dans un processus de revitalisation de ces zones défavorisées, en partenariat avec les citoyens et les ONG locales ou internationales.

62 La destruction d'un bidonville en Inde

En 2008, les autorités municipales d'Hyderabad ont autorisé la démolition d'un bidonville, forçant ainsi quelque 120 familles démunies à se reloger. On prévoit y construire un bâtiment qui servira de bureaux à un parti politique.

- Pourquoi une ville décide-t-elle de détruire un bidonville?
- Selon vous, quelles sont les conséquences de la démolition d'un bidonville pour les habitants?

63 Des habitations à loyer modique au Caire

L'Égypte compte plus de 1200 zones urbaines illégales. Elles abritent près de 15 millions des 77 millions d'habitants du pays. Un grand nombre de ces bidonvilles sont situés en périphérie du Caire, la capitale.

« Le ministère [du Logement] réoriente les flux de population provenant des grandes villes d'Égypte au moyen de projets de développement et de programmes de logement à loyer modéré des "villes nouvelles". Celles-ci ont absorbé, dans la seule région du Caire, 1,2 million de personnes qui se seraient autrement retrouvées dans des taudis. Toutefois, malgré les incitations offertes par l'État, nombreux sont ceux qui n'ont pas les moyens de profiter de ces programmes. »

UNFPA, *État de la population mondiale 2007 : Libérer le potentiel de la croissance urbaine* [en ligne], 2007, p. 17, réf. du 20 février 2009.

- Quelle est la solution envisagée par l'État égyptien en ce qui concerne les bidonvilles?
- Quels sont les résultats de cette solution?

64 Contrôler les migrations internes en Chine

La stratégie d'urbanisation chinoise repose en grande partie sur le *hukou*, un système d'enregistrement des familles. Ce système permet d'exercer un contrôle sur la migration et d'orienter le plus possible les migrants vers les villes de petite ou de moyenne taille. Tous les citoyens chinois doivent nécessairement habiter le lieu désigné par leur *hukou*, ou permis de résidence, sous peine de perdre de nombreux privilèges : accès aux logements sociaux, à l'école gratuite, aux services de santé, etc.

« Une des plus grandes réussites de la Chine en ce qui concerne son urbanisation rapide est qu'elle est si bien arrivée à contenir le processus que l'on observe des conditions de forte promiscuité, mais très peu de taudis [...]. C'est une réalisation importante pour un pays en développement. [...] Sur le plan négatif, [...] la pollution de l'eau et de l'air en milieu urbain est un grave problème et les services offerts aux migrants, ainsi que les filets de sécurité pour les pauvres et les personnes âgées doivent être abordés sérieusement. »

BANQUE MONDIALE, *Urbanisation rapide de la Chine : avantages, défis et stratégies* [en ligne], 18 juin 2008, réf. du 20 février 2009.

● Quelle solution la Chine a-t-elle adoptée pour contrôler les effets de l'urbanisation rapide ?

65 Des droits pour les habitants des bidonvilles, à São Paulo

En 2004, le Centre pour le droit au logement et contre les évictions forcées (COHRE), une ONG basée à Genève, en Suisse, a décerné un prix à la municipalité de São Paulo, au Brésil, pour les efforts investis dans la promotion du droit au logement.

« Comme l'a expliqué un représentant de la mégapole brésilienne, le programme "Bairro Legal" (quartier légal) s'adresse à quelque trois millions de personnes qui résident sur des parcelles pour lesquelles elles n'ont pas de titre de propriété. Elles peuvent donc en être expulsées à tout moment. [...] Le programme se fonde sur la législation fédérale, ce qui lui permettra de survivre aux changements politiques dans la municipalité. [...] Plus de 45 000 familles – soit plus de 210 000 personnes – ont déjà obtenu un titre légal pour leurs résidences, ce qui leur a permis d'exiger l'approvisionnement en eau potable et en électricité. [...] Les habitants sont protégés contre les évictions forcées des spéculateurs qui seraient tentés de saisir les terrains pas encore régularisés. »

Robert James Parsons, « Quand les bidonvilles reculent », *Le Courrier* [en ligne], 30 novembre 2004, réf. du 20 février 2009.

● En quoi cette politique municipale est-elle favorable aux plus démunis ?

66 Une loi pour éliminer les bidonvilles, en Afrique du Sud

En août 2007, le gouvernement du KwaZulu-Natal, la province la plus peuplée d'Afrique du Sud, a adopté une loi visant à supprimer les bidonvilles et à prévenir leur réapparition. Les habitants de ces quartiers, soutenus par des organismes de défense des droits des résidents de bidonvilles, manifestent contre cette loi qu'ils jugent discriminatoire envers les pauvres. Ils ont porté leur cause devant les tribunaux. Sur les chandails des manifestants, on peut lire « Ne détruisez pas nos maisons ! Améliorez-les. »

● Selon vous, en quoi cette loi sud-africaine est-elle discriminatoire ?

1.2 Le phénomène de la banlieue pavillonnaire

À partir des années 1950, l'augmentation généralisée du niveau de vie dans les pays développés permet à plusieurs ménages d'accéder à la propriété et d'acquérir une automobile. Au même moment, les pouvoirs publics favorisent le développement du réseau autoroutier et l'aménagement de zones résidentielles en périphérie des grands centres. De nombreuses familles décident alors de quitter les quartiers urbains plus densément peuplés pour des banlieues, caractérisées par une faible densité de population, des maisons unifamiliales, des espaces verts et des accès privilégiés pour les voitures. C'est ainsi que se développent des quartiers périurbains. Toutefois, ce modèle d'**urbanisme** ne fait pas l'unanimité, notamment à cause des impacts socioéconomiques sur la ville centre et des problèmes environnementaux qu'il engendre.

Urbanisme Étude de l'aménagement des villes.

Brève culturelle

Jane Jacobs, adversaire de la banlieue

Canadienne d'origine étasunienne, Jane Jacobs (1916-2006) a passé une grande partie de sa vie à réfléchir à l'architecture et à l'urbanisme. Dans les années 1950, lorsque les politiques d'aménagement urbain font naître la banlieue américaine, Jacobs critique ce phénomène dans un ouvrage controversé, intitulé *Déclin et survie des grandes villes américaines* (1961). L'auteure y vante les mérites de la densité urbaine et de l'animation de la vie de quartier, où s'entremêlent commerces, résidences et lieux de travail.

Une manifestation pour sauver Penn Station à New York, aux États-Unis

Tant aux États-Unis qu'au Canada, Jane Jacobs a lutté contre les interventions mettant en danger l'intégrité et le cachet des quartiers urbains (démolition d'habitations ou de bâtiments publics, construction de voies rapides, etc.). Sur la photographie ci-contre, on la voit au centre lors d'une manifestation en 1963 contre la démolition de Penn Station, une gare de la ville de New York.

67 **Les avantages de la banlieue**

Un sondage, effectué auprès de 610 personnes de la région métropolitaine de Montréal, fait état des avantages de la vie en banlieue.

Avantages	Pourcentage des répondants
Tranquillité, moins de bruit	35 %
Maison plus grande, cour arrière, prix moins élevé, etc.	32 %
Milieu plus propice pour élever des enfants (qualité des écoles, garderies, etc.)	23 %
Sécurité du milieu de vie	6 %
Autre	3 %
Aucun avantage	2 %

LÉGER MARKETING, « Sondage : la rivalité 514-450 », *Journal de Montréal* [en ligne], 1er octobre 2007, réf. du 20 février 2009.

68 **Des conséquences considérables sur l'environnement et la santé publique**

Le Regroupement national des conseils régionaux de l'environnement du Québec (RNCREQ) est le porte-parole des régions en matière d'environnement auprès des instances gouvernementales. À l'occasion de la Commission sur l'avenir de l'agriculture et de l'agroalimentaire québécois, le Regroupement dénonce les conséquences de l'étalement urbain.

« L'accroissement des besoins de transport induit par l'étalement [urbain] provoque une hausse significative de la pollution atmosphérique et des émissions de gaz à effet de serre. Les épisodes de smog sont de plus en plus fréquents, plus longs et touchent un plus large territoire. Par ailleurs, la construction de nouveaux quartiers en banlieue et des infrastructures de desserte qu'ils nécessitent [par exemple, les routes et les autoroutes] se fait au détriment des milieux naturels et agricoles. Il s'ensuit une perte dramatique et irréversible de la biodiversité [...]. D'autres études confirment le lien entre l'étalement et l'accroissement du taux de sédentarité de la population. »

RNCREQ, « Étalement urbain : Quand allons-nous enfin stopper l'hémorragie ? », Communiqué [en ligne], 28 mai 2007, réf. du 20 février 2009.

● Quels sont les effets de l'étalement urbain que dénonce le RNCREQ ?

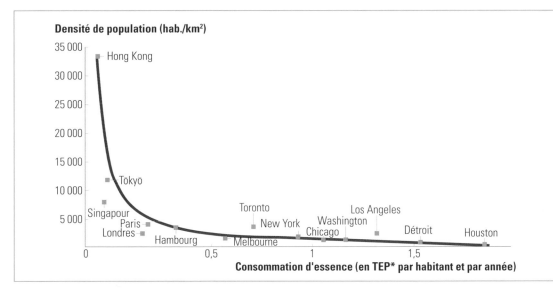

* Mesure qui correspond à la quantité d'énergie contenue dans une tonne de pétrole.
D'après *Atlas de la menace climatique*, 2005.

69 **L'étalement urbain et les répercussions de l'automobile**

Dans les villes de faible densité, le transport en commun est habituellement moins développé. Les habitants y utilisent donc plus souvent, et sur de plus grandes distances, l'automobile qui émet davantage de gaz à effet de serre.

70 **Le centre-ville avant tout**

Richard Bergeron, responsable des analyses stratégiques à l'Agence métropolitaine de transport (AMT), mise sur l'aménagement de nouveaux logements au centre-ville plutôt que sur l'étalement des banlieues.

« Il y a tant de trous à boucher à Montréal, qu'il faudrait éviter toute mesure favorisant la construction de maisons et de routes aux confins de la campagne, comme on le fait actuellement. Selon le plan d'urbanisme de la Ville, le centre-ville compte 248 terrains vagues, dont plusieurs servent de stationnements à ciel ouvert. Le centre-ville a une capacité de 25 000 logements neufs supplémentaires et de 10 000 en reconversion. On pourrait aller chercher quelque 75 000 habitants de plus. »

Richard Bergeron cité par Antoine Robitaille, « L'étalement urbain, c'est les autres », *Le Devoir* [en ligne], 22 janvier 2005, réf. du 20 février 2009.

● Pourquoi l'auteur propose-t-il l'aménagement du centre-ville de Montréal plutôt que le développement des banlieues ?

QUESTIONS de point de vue **CD 2**

1 Quelles sont les conséquences d'une expansion urbaine rapide sur le territoire et les infrastructures ?

2 Quels rôles les gouvernements, les organismes et les citoyens peuvent-il jouer dans le développement durable du territoire et des infrastructures ? Donnez des exemples.

3 Quelles sont les solutions envisagées pour gérer cet enjeu ?

2 Comment lutter contre la violence en milieu urbain ?

Le rythme croissant de l'urbanisation semble s'accompagner d'une hausse significative de la criminalité à l'échelle mondiale. Selon un rapport d'ONU-Habitat publié en 2007, l'urbanisation trop rapide et souvent non planifiée est l'une des causes de l'augmentation de la violence en milieu urbain. Ce phénomène alarmant préoccupe aussi bien les citoyens des pays développés que ceux des pays en développement. Le maintien de la sécurité représente donc un enjeu de taille pour les pouvoirs publics.

71 La vulnérabilité des villes à la violence

À la suite de la publication du *Rapport mondial sur les établissements humains* de 2007, consacré à l'amélioration de la sécurité urbaine, le secrétaire général de l'ONU, Ban Ki-moon, formule un sombre diagnostic sur la violence en milieu urbain.

« Comme ce rapport nous le montre, la violence et la criminalité urbaines sont en augmentation partout dans le monde, suscitant une peur généralisée et décourageant les investissements dans de nombreuses villes. Ceci est particulièrement vrai en Afrique, en Amérique latine et dans les Caraïbes, où la violence perpétrée par les gangs urbains est en hausse. Les récentes émeutes dans les banlieues de Paris et dans toutes les villes de France, ainsi que les attaques terroristes sur New York, Madrid et Londres, démontrent que, même au sein des pays à revenu élevé, les villes sont vulnérables. »

ONU-Habitat, « La criminalité et la violence en hausse partout dans le monde : ONU-Habitat lance un cri d'alarme » [en ligne], 1er octobre 2007, réf. du 26 février 2009.

● Quelles sont les conséquences de la violence urbaine ?

Exclusion sociale
Ségrégation, mise à l'écart de personnes dont le statut économique ou social (chômeurs, sans-abri, homosexuels, etc.) ne correspond pas aux valeurs dominantes de la société dans laquelle elles vivent.

2.1 Les causes de la violence urbaine

La violence urbaine se manifeste au quotidien de différentes façons : vandalisme, émeutes, vols, consommation et trafic de drogues, trafic d'armes, prostitution et crimes contre la personne (meurtres, agressions, viols, etc.). Cette violence peut être le fait d'individus ou de réseaux criminels organisés, tels les gangs de rue ou les mafias. Une montée soudaine de la criminalité ou des manifestations de violence dans une zone urbaine suscite inévitablement des réactions. Qu'il s'agisse des pouvoirs publics, des organismes communautaires ou des citoyens, il n'est pas rare que ces différents acteurs interviennent pour dénoncer les causes ou ceux qu'ils estiment responsables de cette explosion de violence.

72 La pauvreté dans un bidonville de Jakarta, en Indonésie

Dans son rapport de 2007 sur la croissance urbaine, le Fonds des Nations Unies pour la population (UNFPA) explique que la pauvreté, les inégalités et l'**exclusion sociale** augmentent les risques de conflit, de crime et de violence dans les grands centres urbains. Sur la photo ci-contre, des Indonésiens fouillent les ordures afin de trouver des objets à récupérer ou à vendre.

73 Les ratés des pouvoirs publics en matière sociale

À l'automne 2005, de violentes émeutes ont éclaté dans des banlieues françaises où vivent des communautés culturelles variées. Ces émeutes sont survenues à la suite du décès suspect de deux adolescents qui auraient cherché à échapper à la police. Sans excuser les soulèvements, le regroupement syndical SUD Éducation dénonce les politiques du gouvernement qui seraient à l'origine de l'augmentation de la violence dans les quartiers à forte concentration d'immigrants.

« Qui favorise la spéculation immobilière qui exclut en banlieue les classes populaires ? [...] Qui diminue le nombre de postes de personnels de l'Éducation [...] ? Qui entretient depuis des années le chômage, la précarité, l'exclusion ? [...] Qui s'emploie à amalgamer les habitants de ces banlieues à des terroristes en puissance ? À la suite du 11 septembre 2001, le discours sécuritaire stigmatise les "immigrés" et les rejette dans la classe des pestiférés de la République. [...] Les véritables coupables sont au pouvoir ou l'ont été : la politique antisociale menée par le gouvernement depuis 2002 [...]. »

SUD Éducation 86, « Violences urbaines : les vrais casseurs sont au gouvernement ! » [en ligne], 8 novembre 2005, réf. du 26 février 2009.

- D'après SUD Éducation, quelles sont les causes des émeutes urbaines en France ?

74 Les jeux de guerre responsables de la violence

Dans la foulée des émeutes de 2005 en France, une citoyenne française en colère critique les choix de consommation des parents.

« Nos enfants s'enflamment. Qui est responsable ? La famille, l'école, l'État ? Nous sommes tous responsables. Dites-moi [...] qui s'est une seule fois exprimé contre l'industrie des jouets qui transforment nos enfants en futurs voyous guerriers ou en policiers détenteurs d'une légale violence ? [...] Qu'allez-vous offrir à votre enfant mâle ? Un revolver en plastique à la mode de la police nationale [...] ? Un char blindé ? Quels nouveaux jeux interactifs guerriers ? [...] Nos enfants consomment à outrance les produits des industries des jeux de guerre et tous nous acceptons cette accumulation plastique des signes de violence. »

Barbara Bouley, « Violences urbaines : Qui est responsable ? La famille, l'école ou l'État ? », *Construire un monde solidaire* [en ligne], 9 novembre 2005, réf. du 26 février 2009.

- Certains jeux peuvent-ils favoriser des comportements violents ? Expliquez votre réponse.

75 Violence xénophobe à Johannesburg, en Afrique du Sud

En mai 2008, dans le contexte difficile marqué par la crise du logement, la hausse des prix des aliments et les problèmes d'approvisionnement en électricité, des habitants des bidonvilles de la métropole sud-africaine s'en sont pris aux résidents étrangers. Ils accusaient ces immigrants de leur voler emplois et logements. Ces violentes attaques **xénophobes** ont fait plusieurs centaines de blessés et des dizaines de morts.

> **Xénophobe**
> Hostile aux étrangers.

- Pourquoi des habitants de Johannesburg participent-ils à des attaques violentes ?

2.2 Des solutions au problème de la violence urbaine

C'est souvent lorsque survient une série de manifestations violentes que les autorités proposent des solutions. En effet, lorsque la violence urbaine fait la une des médias et que la population impuissante et inquiète exige des interventions, les pouvoirs publics se voient forcés de réagir. Les mesures adoptées peuvent être de nature répressive (renforcement de la présence policière, contrôle d'identité plus important, etc.) ou préventive (amélioration de l'éclairage public, organisation de loisirs pour les jeunes, etc.).

76 **Des organismes communautaires contre la violence urbaine, en Afrique du Sud**

À la suite des émeutes meurtrières survenues à Johannesburg en mai 2008, de nombreuses organisations se sont mobilisées ailleurs au pays dans le but de prévenir la violence contre les immigrants. En effet, craignant que des désordres semblables se produisent dans leur région, des syndicats, des organisations religieuses et des organismes humanitaires ont formé une coalition afin de préparer des plans d'urgence et de prévoir des secours pour les victimes en cas de crise.

« Prenant en considération la peur et l'instabilité qui se sont installées à la suite des violences survenues au Gauteng [une province d'Afrique du Sud], nous demandons au gouvernement national qu'il diffuse son plan d'intervention afin de gérer cette crise inacceptable. Nous espérons que ce plan tiendra compte des éléments suivants :

1. un moratoire sur toutes les déportations de **ressortissants** étrangers ;

2. la protection des communautés étrangères et immigrantes, en particulier dans les endroits à haut risque comme les trains, les bureaux d'accueil des réfugiés et les collectivités potentiellement instables ;

3. une offre d'hébergement comprenant de la nourriture, des couvertures et d'autres objets essentiels ;

4. une enquête rapide sur les attaques perpétrées ainsi que l'arrestation et la mise en accusation des responsables. »

« Xenophobic Violence : Western Cape Emergency Civil Society Task Team Established ; WC Security Forum established » [en ligne], 21 mai 2008, réf. du 26 février 2009. (Traduction libre.)

> **Ressortissant** Personne protégée par les autorités diplomatiques d'un pays donné et qui réside à l'étranger.

• Quels moyens sont proposés par les différentes organisations sud-africaines pour protéger les immigrants ?

77 **Prévenir la violence par le divertissement**

Fondée en 1992 en Afrique du Sud, l'ONG Soul City s'est donné pour mission de promouvoir le changement social et la santé au moyen de productions multimédias. L'organisme aborde des thèmes tels que les gangs de rue, le harcèlement et la violence faite aux femmes. Les séries télévisées et radiodiffusées de Soul City remportent un vif succès auprès de la population sud-africaine et contribuent à la mobilisation contre la violence en milieu urbain.

• Pourquoi le recours aux médias constitue-t-il un bon moyen d'action sociale ?

À la suite des émeutes dans les banlieues survenues en 2005, une journaliste de Radio France Internationale décrit les mesures prises par Nicolas Sarkozy, alors ministre de l'Intérieur du gouvernement français.

« Les renforts envoyés sur place par Nicolas Sarkozy n'ont pas permis pour le moment de canaliser la violence dans les cités. Et la manière dont le ministre de l'Intérieur a décidé de gérer la crise a même été directement mise en cause, à la fois par les habitants et par certains membres de la classe politique. Nicolas Sarkozy a, en effet, réaffirmé son désir d'appliquer le principe de « la tolérance zéro » face à la violence. Il a ainsi annoncé que les voitures de patrouille allaient être équipées de caméras dans ces quartiers sensibles et que les policiers seraient désormais chargés « non plus de faire de l'ordre public mais d'interpeller ». C'est d'ailleurs ce qui a été fait et plusieurs dizaines de personnes ont été arrêtées. Certaines ont été jugées en comparution immédiate et condamnées à des peines de prison ferme ou avec sursis. »

Valérie Gas, « Violences urbaines : comment gérer la crise », *RFI* [en ligne], 2 novembre 2005, réf. du 26 février 2009.

● Selon vous, le durcissement des mesures policières et judiciaires est-il justifiable en temps de crise ? Expliquez votre réponse.

MÉDIAS

L'éthique et la dignité humaine

Partout dans le monde, des journalistes sont appelés à couvrir des accidents, des catastrophes ou des conflits armés. Au cours de ces événements, des personnes sont blessées ou même tuées. Il convient alors de déterminer quelles images peuvent être montrées au public. Doit-on photographier la détresse individuelle d'une victime au détriment du drame collectif qui frappe une communauté ? Jusqu'où doit-on filmer ? Les journalistes doivent-ils porter secours à la population ?

Certains journalistes sont d'avis que le simple fait de filmer ou de photographier une catastrophe constitue en soi une manière d'aider les victimes, puisque leurs images visent à sensibiliser l'opinion publique. Cependant, cette attitude est parfois dénoncée par la population, qui y voit un manque de compassion et une atteinte à la dignité humaine.

Plus encore que les mots, les images spectaculaires servent à susciter l'émotion du grand public. Elles peuvent ainsi faire augmenter le nombre de copies vendues et les cotes d'écoute. Toutefois, elles ne sont pas toujours un fidèle reflet des événements survenus.

Des journalistes couvrent une émeute à Johannesburg

En Afrique du Sud, des journalistes des médias locaux et internationaux photographient un homme grièvement blessé par la police au cours des émeutes xénophobes survenues en 2008.

Est-il possible de rapporter fidèlement la réalité au cours d'événements violents ? Expliquez votre réponse.

Les images constituent-elles un bon moyen de véhiculer l'information ? Pourquoi ?

QUESTIONS de point de vue [CD 2]

1 Quelles sont les causes de la violence urbaine ?

2 Quelles sont les pistes de solution proposées par les différents intervenants ?

3 Quelles pourraient être les conséquences des pistes de solution suggérées ?

3 Comment tenir compte de l'apport culturel des immigrants ?

En raison de l'accroissement de l'immigration, les villes sont confrontées au problème de l'intégration des communautés issues de différentes cultures. La plupart des immigrants choisissent de s'installer en milieu urbain. En plus d'offrir des perspectives d'emploi et des occasions d'affaires diversifiées, les villes permettent d'accéder facilement à un ensemble de ressources socioculturelles : éducation, santé, événements culturels, etc. La présence dans les zones urbaines de réseaux ethniques de solidarité constitue un autre facteur déterminant dans le choix de la destination des migrants.

79 **Immigrer dans les grandes villes canadiennes**

En février 2009, la Chambre de commerce du Canada soulignait, dans un énoncé de politique, les différents facteurs d'attraction des grandes villes canadiennes.

« Les immigrants représentaient 45,7 % de la population de Toronto, 39,6 % de celle de Vancouver et 20,6 % de celle de Montréal. [...] Les nouveaux arrivants [...] ont affirmé qu'ils avaient choisi cette destination parce que leur famille et leurs amis s'y étaient déjà installés. Un deuxième facteur avait motivé leur choix et pour Toronto, c'était la perspective d'emploi, pour Montréal, c'était la langue et pour Vancouver, le climat. »

Chambre de commerce du Canada, *L'immigration : Nouveau visage du Canada* [en ligne], 2009, p. 5, réf. du 26 février 2009.

- Quels sont les facteurs d'attraction qui déterminent le choix de destination des migrants ?

81 **Les Antilles dans les rues de Montréal**

Depuis le milieu des années 1970, le défilé de la Carifête fait vibrer les rues de Montréal aux sons et aux couleurs des Caraïbes. Au fil des ans, la fête s'est enrichie de l'apport culturel d'autres communautés originaires d'Haïti et d'Amérique latine. Cet événement, qui reflète la diversité des communautés montréalaises, bénéficie du soutien financier des autorités municipales.

3.1 L'apport culturel des immigrants, l'affaire de tous

La plupart des pays d'accueil mettent en place des politiques destinées à faciliter l'intégration des nouveaux arrivants. Certains pays, tels le Canada, l'Australie et le Royaume-Uni, favorisent également la mise en valeur des cultures d'origine des communautés culturelles établies sur leur territoire. Les différents paliers de gouvernement offrent des subventions et créent des programmes visant à faciliter le dialogue interculturel. Il reste néanmoins que l'apport culturel des communautés est directement lié à la volonté des immigrants de partager leur culture et à l'ouverture de la société d'accueil.

80 **La paroisse à la rencontre des cultures**

L'appartenance religieuse permet aux immigrants de bénéficier d'un réseau d'entraide. Ils se familiarisent ainsi avec la culture d'accueil tout en ayant la possibilité de conserver leur héritage culturel.

« Certains lieux de culte viennent en aide aux immigrants afin qu'ils s'intègrent dans leur nouvelle ville tout en conservant leurs liens avec leur langue, leur religion et leur culture. Ainsi, une église catholique de Glasgow [ville d'Écosse] qui compte de nombreux ressortissants polonais parmi ses paroissiens offre des cours d'histoire, de culture et de langue polonaises aux enfants des immigrants. Selon le prêtre, "[...] pour tous les parents, il est très important de faire connaître la culture polonaise à leur enfant. Nous leur enseignons que c'est une richesse de pouvoir faire partie de deux cultures". Beaucoup d'immigrants trouvent difficile d'établir des réseaux sociaux en dehors de leur groupe culturel à cause du contexte dans lequel ils vivent et travaillent ainsi que de l'attitude du public envers leur communauté. »

The British Council, Living Together Programme : Migrant Cities, *Intercultural Dialogue in South-East Europe and the UK* [en ligne], 2008, p. 15, réf. du 26 février 2009. (Traduction libre.)

- De quelle façon l'appartenance à un réseau culturel peut-elle faciliter l'intégration des immigrants ?

- Comment une manifestation publique peut-elle sensibiliser la population à la diversité des communautés culturelles ?

Un engouement pour la culture italienne

Présents en Amérique depuis la fin du XIXᵉ siècle, les immigrants italiens ont contribué à la vie socioéconomique, culturelle et politique des grandes villes. Les communautés d'accueil ont même adopté avec enthousiasme des éléments de la culture italienne. Avec sa procession, ses mets typiques et ses spectacles musicaux, le festival de *San Gennaro* (Saint-Janvier) est une des traditions les plus populaires du quartier de la Petite Italie, à New York.

• Découvrir la richesse des communautés culturelles est-il un bon moyen d'amorcer le dialogue interculturel ? Expliquez votre réponse.

3.2 Les limites à l'apport culturel des immigrants

Dans les pays de forte immigration, la diversité culturelle soulève des débats entre le respect des traditions des minorités et le respect des valeurs de la société d'accueil. Ainsi, des pratiques comme la polygamie ou encore le recours à des tribunaux religieux qui s'appuient sur des textes sacrés (le Coran, par exemple) ou des traditions religieuses (la Halakha ou loi juive) vont à l'encontre de principes démocratiques tels que la laïcité des institutions publiques et l'égalité entre les hommes et les femmes.

83 **Pas de voile à l'école laïque française**

En 1989, des médias ont dénoncé le port du voile islamique dans les écoles publiques de France. Afin de préserver la laïcité des institutions publiques, le gouvernement français a adopté une politique – et par la suite, une loi – qui interdit le port de signes religieux visibles en milieu scolaire.

« Le 4 décembre [2008], la Cour européenne de justice a refusé de condamner la France pour l'exclusion définitive de leur établissement scolaire en 1999 de deux jeunes filles qui y portaient un foulard sur la tête pendant les cours de gymnastique.

Âgées à l'époque de 12 et 13 ans, [...] il leur avait été demandé de retirer ce foulard qui se voulait une affirmation ostensible de convictions religieuses pour se mettre en conformité avec les règles de la République laïque. [...] Les deux jeunes filles soutenaient que l'interdiction de porter le foulard à l'école était contraire à la liberté religieuse [...] et avait porté atteinte à leur droit à l'éducation [...]. Elles n'ont pas convaincu les juges de Strasbourg. »

Jean-Pierre Rosenczveig, « L'école sans voile », *Les droits des enfants vus par un juge des enfants* [en ligne], 6 décembre 2008, réf. du 26 février 2009.

• Pourquoi interdit-on le port du voile dans les écoles publiques françaises ?

QUESTIONS de point de vue
CD 2

1 Comment l'État et les citoyens peuvent-ils contribuer à l'intégration des immigrants ?

2 Doit-on imposer des limites à l'apport culturel des immigrants ? Justifiez votre réponse.

LES CLÉS DE L'INFO
Afin de vous assurer de la pertinence de vos arguments au cours du débat, consultez la clé 10 de la section «Les clés de l'info», aux pages 242 et 243 du manuel.

L'étalement urbain se définit par le développement de zones urbaines en périphérie d'une ville centre. Il peut s'agir de bidonvilles où règnent la pauvreté et le développement non planifié, de banlieues défavorisées de pays développés ou encore de banlieues plus aisées, caractérisées par leurs maisons unifamiliales et l'utilisation de la voiture.

Le développement des banlieues pavillonnaires à faible densité a plutôt mauvaise presse. Les écologistes, des spécialistes de l'aménagement urbain (urbanistes) ainsi que des experts en santé publique lui reprochent ses effets néfastes sur l'environnement et la santé. Pourtant, la banlieue comme mode de vie continue d'attirer les gens. Le phénomène a connu une hausse constante ces dernières années, tant dans les pays industrialisés que dans les pays en développement. Devant l'attrait qu'exercent ces zones périurbaines, certains estiment qu'il faut accepter cette forme d'étalement urbain, mais qu'il faut aussi mieux la planifier.

Doit-on limiter l'étalement des banlieues?

84 Choisir de vivre en banlieue

Depuis la fin de l'apartheid, en 1991, la criminalité est en hausse dans le centre-ville de Johannesburg, en Afrique du Sud. Peu à peu, l'insécurité a poussé les entreprises et les familles plus fortunées à choisir la banlieue propre et chic de Sandton.

1. Les intervenants qui expriment leur point de vue dans les documents qui suivent prennent part au débat sur le développement des banlieues. En prévision d'un débat en classe sur cet enjeu, interprétez leurs positions à l'aide des questions suivantes.

   • Qui sont les auteurs du document?
     – À quel titre expriment-ils leur opinion?

   • Quelle est leur position?
     – Semblent-ils favorables ou défavorables à l'étalement urbain?
     – Comment justifient-ils leur position? Quels sont leurs arguments?
     – Quelles solutions proposent-ils pour réduire l'impact de l'étalement urbain?

   • Trouvez dans les différents médias d'autres arguments pertinents susceptibles de vous aider à mieux comprendre l'enjeu.

2. En vous basant sur les documents présentés ci-après et sur ceux que vous aurez recueillis, organisez un débat sur les questions suivantes.

   a) Selon vous, doit-on limiter le développement des banlieues?

   b) Comment peut-on concilier l'étalement urbain et le développement durable?

85 Des environnementalistes dénoncent les effets de l'étalement urbain

«Le Regroupement national des conseils régionaux de l'environnement du Québec [RNCREQ] [...] est d'avis que l'urbanisation désordonnée et à faible densité qui se pratique au Québec depuis des décennies va à l'encontre des efforts visant à amener le Québec sur la voie du développement durable. [...] Il croit que ce "mal-développement" se réalise souvent au détriment de la zone et des activités agricoles. En fait, l'étalement urbain est reconnu comme un facteur d'amplification de plusieurs problématiques économiques, environnementales et sociales. L'automobile comme mode dominant des déplacements des personnes, le développement continuel du réseau routier et la sédentarisation croissante des ménages, pour ne donner que quelques exemples, ont des effets dramatiques pour la société.»

RNCREQ, « Étalement urbain : Quand allons-nous enfin stopper l'hémorragie ? » [en ligne], 28 mai 2007, réf. du 23 février 2009.

86 Un historien de l'architecture prend la défense de la banlieue

«Il n'y a aucune raison de supposer que l'habitat à forte densité est nécessairement plus durable ou plus dangereux pour l'environnement que l'habitat à faible densité. [...] On peut très bien, grâce à l'énergie éolienne, solaire, biomassique et géothermique, imaginer un monde dans lequel la plupart des gens pourraient tout simplement se passer des services publics coûteux et polluants qu'exigeait l'ancien modèle de ville industrielle à forte densité. La population pourrait même capter sa propre énergie sur place et ainsi parvenir à la neutralité carbone. [...] La solution consiste à trouver de meilleures sources d'énergie et des façons de faire plus efficaces. De cette façon, les villes les plus durables pourraient très bien s'avérer les moins denses.»

Robert Bruegmann, « In Defense of Sprawl », *Forbes* [en ligne], 11 juin 2007, réf. du 24 février 2009. [Traduction libre.]

87 Les pouvoirs publics sud-africains en faveur d'une ville plus dense

«Les villes sud-africaines se caractérisent par un étalement urbain à faible densité, les zones résidentielles étant séparées des lieux de travail, des commerces et des services publics. [...] Des villes comme Cape Town et Johannesburg tentent de contrer les difficultés logistiques et les coûts associés à l'étalement urbain en s'appliquant à définir et à aménager la zone périurbaine. Le but est d'encourager le développement commercial et résidentiel dans les limites de la ville, et de créer ainsi un tissu urbain plus compact.»

Department of Environmental Affairs and Tourism, Republic of South Africa [en ligne], 2005, réf. du 24 février 2008. [Traduction libre.]

88 Un promoteur immobilier crée un centre-ville en banlieue

«À Villeparisis, banlieue nord-est de Paris, un promoteur immobilier a cherché à créer un centre-ville dense à l'image d'un village ancien. Le nouveau quartier, composé d'un habitat très diversifié, est articulé autour d'une petite place commerçante centrale et situé à proximité d'une gare de RER [train de banlieue]. Cette opération est considérée comme une piste pour densifier les banlieues. »

Ministère de l'Écologie, du Développement et de l'Aménagement du territoire, « Quelques exemples de maîtrise de l'étalement urbain en France » [en ligne], réf. du 23 février 2009.

> « La marche, le jardinage, le jeu et le recyclage forment la panoplie à partir de laquelle nous pouvons composer d'innombrables actions et ainsi réinventer l'urbanité. »
>
> **Mirko Zardini**

Des institutions publiques, des entreprises, différents organismes de même que des citoyens participent à l'amélioration des conditions de vie des milieux urbains, qu'il s'agisse de leur ville ou d'une agglomération où les besoins sont criants. Ces différents acteurs mettent en œuvre des solutions durables pour la gestion de l'expansion urbaine.

Voici quelques exemples d'actions citoyennes visant à mieux gérer certains défis urbains :

- contribuer aux consultations publiques portant sur des enjeux liés à l'expansion urbaine (intégration des immigrants, bien-être des jeunes, gestion de l'eau, développement du réseau cyclable, etc.), en rédigeant un rapport, un témoignage ou en prenant la parole ;
- devenir membre d'un organisme qui fait la promotion de choix durables en matière de gestion urbaine (ici ou à l'étranger), participer à ses activités ou l'encourager par un don ;
- entreprendre des actions individuelles qui soutiennent une gestion responsable de l'expansion urbaine (recycler, favoriser le covoiturage ou le transport en commun, visiter une exposition sur les nouveaux arrivants, etc.).

Les documents suivants illustrent des formes de participation sociale dans différentes villes de la planète. Pour chacune des actions présentées, répondez aux questions ci-dessous.

1. Qui a lancé cette action ?
2. Qui peut participer à cette action ?
3. À quel(s) niveau(x) se situe l'action des intervenants ?
4. Quel(s) aspect(s) de la gestion de l'expansion urbaine cette action vise-t-elle ?
5. Quelles sont les solutions proposées ?
6. Selon vous, cette action peut-elle avoir des répercussions à l'échelle de la planète ? Pourquoi ?
7. Avez-vous d'autres pistes de solution à suggérer ? Si oui, lesquelles ?

Un safari dans les poubelles

Basurama, un organisme créé en 2002 à l'école d'architecture de Madrid, s'intéresse à la gestion des déchets urbains. Une de leurs initiatives consiste à coordonner la collecte des déchets encombrants (meubles, électroménagers, etc.) afin de permettre à des résidents de récupérer les objets mis au recyclage.

Le projet « Vers un paysage comestible », à Colombo, au Sri Lanka

En 2002, le Groupe sur le logement à coût modique de l'École d'architecture de l'Université McGill lance le projet « Vers un paysage comestible » : il s'agit d'introduire l'agriculture en milieu urbain afin d'assurer l'alimentation des citadins des quartiers les plus démunis. Le projet est implanté à Colombo (Sri Lanka), à Kampala (Ouganda) et à Rosario (Argentine). De concert avec les chercheurs, les autorités municipales et les ONG locales, les résidents sont amenés à participer à l'exploitation de leur coin de bidonville (agriculture verticale, culture de plantes médicinales en conteneurs, etc.).

Venir en aide à un bidonville péruvien

L'association française Mano a Mano (De main à main) se consacre à l'amélioration des conditions de vie de La Ensenada, un quartier situé dans un bidonville de Lima, au Pérou. Mano a Mano encourage les Français à contribuer au développement de ce quartier défavorisé de différentes façons. Par exemple, ils peuvent :

- devenir membre de l'association ;
- faire un don ;
- acheter de l'artisanat péruvien ;
- faire parvenir des vêtements et des fournitures scolaires, etc.

Un avis du Conseil jeunesse de Montréal

En 2003, l'administration municipale de Montréal met sur pied le Conseil jeunesse de Montréal (CJM). Le CJM conseille le maire et le comité exécutif sur des questions relatives aux jeunes Montréalais. Il s'assure aussi que le point de vue de ces derniers est considéré au moment de l'élaboration des politiques municipales. Le Conseil est formé de 11 membres âgés de 16 à 30 ans qui sont représentatifs de la diversité sociale, culturelle et linguistique de la Ville. Chaque année, le CJM doit produire un avis sur un thème d'actualité lié au développement durable de la vie urbaine (gestion de l'eau, toits verts, transport, développement culturel, etc.) et réaliser des études sur des questions qui préoccupent les jeunes.

À la place de... CD 2

Répondez à la question suivante en tenant compte de ce que vous avez appris dans ce chapitre.

Si vous étiez à la place de chacun des intervenants suivants, comment pourriez-vous contribuer à la gestion durable de l'expansion ?

- ☑ Promotrice immobilière ou promoteur immobilier
- ☑ Travailleuse ou travailleur communautaire d'un bidonville
- ☑ Responsable d'une ONG environnementale
- ☑ Mairesse ou maire

LE PROBLÈME

Une population à la hausse

La croissance de la population mondiale s'explique par le taux de fécondité élevé et la baisse du taux de mortalité dans les pays en développement.

L'évolution démographique des pays dépend aussi de la dynamique des **migrations**.

Le vieillissement et le recul de l'accroissement naturel dans les pays développés entraînent des pénuries de main-d'œuvre.

Un monde de plus en plus mobile

La **mondialisation** favorise la mobilité des personnes.

L'essentiel de la population migrante vient des pays en développement.

L'Amérique du Nord et l'Europe constituent les principaux foyers d'accueil de l'immigration.

La moitié de la population mondiale vit en milieu urbain. Dans les années à venir, la croissance urbaine se poursuivra surtout dans les pays en développement.

Qui sont les migrants d'aujourd'hui ?

Il existe plusieurs catégories de migrants: les réfugiés, les migrants économiques et les étudiants étrangers.

Les réfugiés fuient leur pays à cause de la guerre ou par crainte de persécutions et demandent la protection d'un autre État.

Provenant surtout de pays en développement, la majorité des migrants économiques s'installent dans les pays industrialisés.

Les femmes représentent la moitié de tous les migrants économiques.

Pourquoi migrer ?

Les migrants quittent leur région ou leur pays pour des motifs personnels, humanitaires ou socioéconomiques.

Les déséquilibres démographiques et l'**interdépendance** économique des États favorisent la mobilité de la main-d'œuvre.

Dans plusieurs pays en développement, les migrations économiques internes sont plus importantes que les migrations internationales.

Comment les migrations s'organisent-elles ?

Les politiques d'immigration des pays industrialisés visent à satisfaire les besoins en main-d'œuvre et à réunir les familles.

Les immigrants doivent répondre à de multiples critères de sélection.

De nombreux migrants ne peuvent satisfaire à ces critères et immigrent clandestinement.

La demande mondiale de main-d'œuvre bon marché et la proximité des pays développés expliquent l'ampleur de l'immigration clandestine.

Quels sont les impacts des migrations ?

L'exode rural et les migrations internationales contribuent de façon significative à l'expansion urbaine.

Le rythme accéléré de l'**urbanisation** pose plusieurs défis aux **pouvoirs** publics: pauvreté, chômage, violence, pollution et étalement urbain.

La proximité et la concentration des ressources économiques, sociales et **culturelles** attirent les migrants dans les grands centres urbains.

Les immigrants clandestins sont souvent dépendants de l'économie parallèle.

Il existe différentes politiques d'intégration, qui vont de l'assimilation au multiculturalisme.

Les **diasporas** contribuent aux changements économiques et sociaux dans leur pays d'origine par la création de **réseaux** de solidarité.

Les transferts de fonds individuels représentent la plus importante contribution des migrants à leur pays d'origine.

Dans les pays pauvres, l'exode des cerveaux peut nuire à la croissance économique du pays.

> **L'essentiel de la population migrante vient des pays en développement.**

LES ENJEUX

ENJEU 1 LA GESTION DE L'EXPANSION URBAINE

Comment assurer le développement durable du territoire et des infrastructures d'une ville en croissance ?

Plus du tiers de la population urbaine mondiale vit dans des bidonvilles implantés sans planification et en toute illégalité, à la périphérie des villes.

Afin de résoudre les problèmes reliés aux bidonvilles, les pouvoirs publics envisagent différentes solutions : destruction des bidonvilles et revente des terrains, revitalisation de ces zones ou contrôle des déplacements internes.

La banlieue pavillonnaire se caractérise par une faible densité de population, des maisons unifamiliales, des espaces verts et des accès privilégiés pour les voitures.

Ce modèle d'urbanisme ne fait pas l'unanimité, en raison des impacts socioéconomiques et environnementaux qu'il engendre.

Comment lutter contre la violence en milieu urbain ?

Les principales causes de la violence urbaine sont la pauvreté, le chômage, les inégalités sociales, le financement insuffisant de l'éducation et l'intégration difficile des immigrants.

Les solutions adoptées peuvent être de nature répressive ou préventive.

Comment tenir compte de l'apport culturel des immigrants ?

Les pouvoirs publics favorisent la mise en valeur de la culture d'origine des immigrants par des subventions ou des programmes visant à promouvoir le dialogue interculturel.

L'apport culturel des communautés dépend de la volonté des immigrants de partager leur culture et de l'ouverture de la société d'accueil.

Dans les pays de forte immigration, la diversité culturelle soulève la question du respect des traditions des minorités et celle du respect des valeurs de la société d'accueil.

ENJEU 2 LES MIGRATIONS ET LE MONDE DU TRAVAIL

Comment favoriser l'intégration des immigrants au marché du travail ?

L'intégration économique des migrants contribue à la prospérité économique des pays d'accueil. Une intégration insuffisante peut nuire à la cohésion sociale.

Les immigrants se retrouvent souvent au chômage ou confinés dans des emplois pour lesquels ils sont surqualifiés.

Afin de faciliter l'intégration des migrants, les pouvoirs publics et les employeurs des pays d'accueil adoptent différentes mesures (lois, programmes, etc.).

Comment atténuer les effets négatifs de l'exode des cerveaux ?

Le recrutement de travailleurs hautement qualifiés traverse les frontières : les pays les plus riches attirent les meilleurs candidats grâce à des conditions de travail avantageuses.

L'exode des cerveaux correspond à un taux d'émigration de travailleurs qualifiés de plus de 25 %.

Le départ de travailleurs qualifiés représente à la fois une perte de compétences et une perte financière pour les pays de départ.

Les organismes internationaux recommandent de tirer parti des départs en misant sur les transferts de fonds et de connaissances par les diplômés de la diaspora.

Le marché mondial de l'emploi : délocaliser ou ne pas délocaliser ?

Les grandes entreprises organisent leur production en tenant compte des avantages socioéconomiques à l'échelle planétaire.

Différents critères déterminent le choix d'une destination de délocalisation : bassin de main-d'œuvre, niveau d'éducation, salaires, fiscalité du pays, stabilité politique, qualité des infrastructures, coûts de transport, langue, etc.

La délocalisation entraîne des pertes d'emplois, mais elle permet d'accroître la productivité des entreprises. Dans les pays d'accueil, elle contribue à la création d'emplois et au transfert de compétences.

ACTIVITÉS de synthèse

1 La mobilité géographique d'hier à aujourd'hui `CD 1`

a) À l'aide de la carte de la page 10 du manuel, repérez les principales origines et destinations des migrants.

b) Comparez cette carte avec celle portant sur l'immigration entre 1830 et 1914, présentée à la page 9 du manuel. Indiquez le ou les changements que vous observez à propos des origines et des destinations des migrants.

c) Aujourd'hui, quels sont les différents types de migrants et pour quelles raisons se déplacent-ils?

d) Expliquez le lien entre l'économie et la mobilité géographique des populations du monde en vous servant des éléments suivants: les progrès dans les transports, le développement des moyens de communication, la mondialisation de l'économie.

e) Pourquoi les villes attirent-elles une majorité de migrants?

2 Des problèmes liés à la population mondiale `CD 1`

Décrivez les causes ainsi que les conséquences économiques et sociales de chacun des aspects ci-dessous relatifs au problème abordé dans le chapitre:

- l'augmentation rapide de la population;
- le vieillissement de la population dans certains pays industrialisés;
- les réfugiés qui fuient des situations de crise;
- l'exode des cerveaux;
- l'intégration des populations immigrantes dans leur société d'accueil;
- l'immigration clandestine;
- l'affluence des migrants vers les centres urbains;
- la délocalisation d'entreprises.

3 L'immigration illégale `CD 1`

Imaginez que vous êtes avocate ou avocat et que vous défendez des clients qui se trouvent en situation d'immigration illégale.

a) Choisissez le pays d'origine des immigrants que vous défendez.

b) Expliquez le point de vue de vos clients et les raisons qui motivent leur déplacement.

c) Renseignez-vous sur les politiques d'immigration dans le pays d'accueil. Quelle est la position de l'État en ce qui concerne l'immigration illégale?

d) Trouvez, dans les médias, des exemples d'immigration illégale. Comparez les cas relevés dans les médias avec ceux de vos clients.

e) Quels sont les risques que vos clients soient expulsés? Quelles sont leurs chances d'être reçus légalement?

f) Préparez vos arguments et plaidez votre cause.

Des réfugiés rwandais sur les routes du Zaïre (l'actuelle République démocratique du Congo), en 1994.

4 Migrer ou ne pas migrer ? `CD 1`

Pour quelles raisons les migrants se déplacent-ils ? Mettez-vous à la place d'une personne qui décide de migrer avec sa famille.

a) Imaginez la situation de votre personnage.

b) Quelles raisons vous motivent à partir ?

c) Quels sont les pays qui vous attirent ? Pourquoi ?

d) Renseignez-vous sur les politiques d'immigration et d'accueil dans ces pays.

e) Quelles démarches devrez-vous entreprendre afin d'immigrer ?

5 Une prise de position sur la gestion de l'expansion urbaine `CD 2 • Enjeu 1`

La gestion de l'expansion urbaine constitue un enjeu dans plusieurs régions du monde.

a) Afin de mieux comprendre cet enjeu :
  • détaillez-en les différents aspects ;
  • relevez les différences ou les similitudes de ces aspects entre les pays industrialisés et les pays en développement.

b) Que pensez-vous des défis liés à la gestion de l'expansion urbaine ?
  • Trouvez, dans votre manuel et dans différents médias, des points de vue sur cet enjeu.
  • Quels sont les points de vue des différents intervenants ? Quels sont leurs intérêts et leurs valeurs ?
  • Quelles solutions proposent les intervenants pour mieux gérer l'expansion urbaine ?
  • Exposez votre point de vue sur l'expansion urbaine : développez au moins deux arguments et appuyez votre argumentation sur des faits.

6 Un sondage sur les migrations `CD 2 • Enjeu 2`

Effectuez un court sondage auprès de votre entourage sur les migrations et le monde du travail.

a) Servez-vous des questions suivantes pour bâtir votre questionnaire.
  • Quelle est la proportion de migrants dans votre entourage ?
  • Quels motifs les ont poussés à s'établir dans votre région ?
  • Ces migrants ont-ils eu de la facilité à se trouver du travail ?
  • Dans quel domaine ont-ils été formés dans leur pays d'origine ? Occupent-ils maintenant un emploi dans ce domaine ? Si oui, lequel ?
  • Dans quels réseaux sociaux et culturels se sont-ils intégrés ? Éprouvent-ils des problèmes d'intégration ?

b) Compilez les résultats de votre sondage.

c) À partir des résultats obtenus, rédigez un article dans lequel vous répondrez aux questions suivantes en expliquant votre point de vue.
  • L'emploi est-il le meilleur moyen de favoriser l'intégration des migrants ?
  • Le développement économique de votre région dépend-il de la venue de migrants ?

Une congestion automobile à Kolkata (Calcutta), en Inde.

OPTION PROJET

Reportez-vous au contenu du chapitre pour réaliser l'un des projets suivants.

PROJET 1 CD 1 • CD 2 • Enjeu 1

Un plan de gestion

Vous siégez à un conseil municipal et vous travaillez sur le dossier du développement urbain. Vous devez préparer votre intervention en vue de la prochaine réunion du conseil. Votre exposé servira à orienter les décisions de votre municipalité en matière d'aménagement urbain.

Les étapes à suivre

1 Exposez la situation de votre municipalité en recueillant des informations sur les enjeux suivants :
- le bilan démographique ;
- le développement des réseaux de transport ;
- l'accès aux logements sociaux ;
- l'intégration des communautés migrantes ;
- la pollution urbaine.

2 Précisez les défis que représentent ces enjeux pour la municipalité.
- a) Quels sont les problèmes liés à la démographie de la municipalité ?
- b) Les citoyens sont-ils satisfaits de leur réseau de transport ? Présentez leurs points de vue à ce sujet.
- c) Les citoyens ont-ils facilement accès à des logements à prix abordables ? Expliquez votre réponse à l'aide de statistiques portant sur ce sujet.
- d) Les communautés immigrantes réussissent-elles à s'intégrer ? Expliquez votre réponse.
- e) Quels sont les principaux problèmes de pollution dans votre municipalité ?

3 Donnez des exemples de conséquences pouvant découler d'une expansion urbaine non planifiée.

4 Inspirez-vous du Code municipal et de la Loi sur l'aménagement et l'urbanisme pour trouver des solutions aux problèmes de votre municipalité.

5 Présentez vos arguments à l'occasion de la réunion.

6 Recueillez les commentaires des autres membres du conseil municipal.
- a) Selon eux, les solutions que vous avez proposées sont-elles réalistes ?
- b) Ces solutions ont-elles déjà été appliquées ailleurs ? Si oui, avec quel résultat ?

La ville de Paris et le développement urbain.

PROJET 2 — CD 1 • CD 2 • Enjeu 2

L'accueil des migrants

Vous travaillez pour un organisme non gouvernemental qui vient en aide aux migrants qui s'installent dans la région. Le mandat de cet organisme consiste à mettre sur pied un programme d'activités visant à faciliter l'intégration des migrants par l'emploi.

Des centres comme celui-ci à Montréal aident les immigrants à s'intégrer à la communauté.

Les étapes à suivre

1 Afin de préparer votre programme d'activités, renseignez-vous sur les caractéristiques des migrants qui s'installent dans votre région.

a) Recueillez des renseignements sur leur pays d'origine.

b) Relevez les principales raisons qui les ont poussés à venir dans votre région.

c) Dressez un tableau de leurs spécialisations ou professions.

d) Recueillez des données sur leur niveau de scolarité.

e) Renseignez-vous sur leur connaissance de la culture de leur pays d'accueil (langues, histoire, valeurs, etc.).

2 Afin de proposer des activités utiles aux migrants, trouvez des solutions qui pourraient les aider :

a) à mieux connaître les différents aspects de la culture locale ;

b) à connaître le Code du travail et les droits des travailleurs ;

c) à se familiariser avec les banques d'emplois et les domaines où il y a une pénurie de main-d'œuvre ;

d) à se renseigner sur les programmes de formation ;

e) à faire des demandes d'emploi.

3 Préparez un feuillet d'information sur votre organisme et sur les activités et services que vous offrez.

4 Avant de présenter votre feuillet aux autres membres de votre organisme :

a) élaborez des arguments solides qui sauront convaincre vos collègues que les solutions proposées auront un effet positif sur l'intégration des migrants ;

b) faites connaître les avantages liés aux activités et solutions que vous mentionnez dans votre feuillet.

5 Présentez votre feuillet.

1 La Première Guerre mondiale

De 1914 à 1918, le monde a vécu un conflit armé d'une ampleur inégalée en raison de l'importance des troupes, de la durée et de l'acharnement des combats, ainsi que de l'étendue du théâtre des opérations. Le conflit qui, au départ, touche l'Europe, se mondialise avec l'entrée en guerre de nouveaux États et la participation des colonies. De plus, la Première Guerre mondiale marque l'affirmation des États-Unis et du Japon comme puissances internationales ainsi que l'arrivée d'un nouveau régime politique en Russie : le communisme.

Les causes de la Première Guerre mondiale

Depuis la fin du XIXᵉ siècle, les relations entre les pays européens sont marquées par la montée des **nationalismes** et de l'**impérialisme**. Les tensions entre les puissances européennes qui en résultent mènent à une course aux armements. Par ailleurs, des alliances sont aussi conclues pour faire face à l'influence grandissante de l'Allemagne sur le plan politique et militaire. En juin 1914, lorsqu'un étudiant serbe assassine l'archiduc d'Autriche-Hongrie à Sarajevo, tout est en place pour qu'éclate un conflit majeur. Grâce à ce complexe jeu d'alliances – et par solidarité envers leurs alliés respectifs –, presque tous les pays d'Europe entrent en guerre. Les Alliés, c'est-à-dire les pays qui appuient la Triple-Entente (France, Royaume-Uni et Russie), s'opposent aux Puissances centrales (Allemagne, Autriche-Hongrie et Empire ottoman). Les dirigeants de l'époque prédisent un conflit de courte durée. Or, il perdure, et bientôt toutes les ressources des nations sont mobilisées dans l'effort de guerre.

> **Nationalisme** Idéologie politique qui reconnaît en tant que nation un groupe d'individus partageant des caractéristiques communes. Ce terme désigne aussi le sentiment d'appartenance d'un individu à une nation.
>
> **Impérialisme** Politique d'un État qui cherche à amener d'autres États, sociétés ou territoires sous sa dépendance politique ou économique. L'impérialisme désigne souvent la vague de colonialisme européen qui a cours entre 1880 et 1914.

1 L'impérialisme

Au XIXᵉ siècle, le Royaume-Uni et son empire colonial est la première puissance mondiale. Or, l'Allemagne cherche à lui faire concurrence. En 1888, l'empereur Guillaume II souhaite faire de l'Empire allemand une grande puissance. Il établit des colonies et développe une marine de guerre et un commerce international. Certains historiens voient dans cette course à la puissance une des causes de la guerre.

Anonyme, *The Devilfish in Egyptian Water*, 1882.

2 Le jeu des alliances

Alliance	Année d'entrée en guerre	Pays
Triple-Entente et ses alliés	1914	**France**, **Royaume-Uni** et ses dominions et colonies (Afrique du Sud, Australie, Canada, Inde, Nouvelle-Zélande, Terre-Neuve), **Russie**, Belgique, Serbie et Japon
	1915	Italie
	1916	Portugal et Roumanie
	1917	États-Unis, certains États des Antilles et d'Amérique centrale, et Grèce
Puissances centrales et leurs alliés	1914	**Allemagne**, **Autriche-Hongrie** et Empire Ottoman
	1915	Bulgarie

Chronologie

1914

1915

1916

1917

Juin
- Assassinat de l'archiduc d'Autriche-Hongrie (28 juin)

Juillet
- Déclaration de guerre de l'Autriche-Hongrie à la Serbie (28 juillet)
- Entrée en guerre de la Russie (29 juillet)

Août
- Déclaration de guerre de l'Allemagne à la Russie (1ᵉʳ août)
- Déclaration de guerre de l'Allemagne à la France (3 août)
- Entrée en guerre du Royaume-Uni, incluant ses dominions et colonies, dont le Canada (4 août)

Mai
- Entrée en guerre de l'Italie du côté de la Triple-Entente (23 mai)

Septembre
- Bataille de la Marne, au cours de laquelle les Allemands sont arrêtés près de Paris (du 6 au 13 septembre)

Février
- Début de l'offensive sur Verdun par les Allemands (21 février)

Avril
- Entrée en guerre des États-Unis (6 avril)
- Bataille de la crête de Vimy où les soldats canadiens jouent un rôle crucial dans la victoire (du 9 au 14 avril)

Le déroulement de la guerre

Sur le plan technologique, la Première Guerre mondiale marque une rupture avec les conflits précédents. Pour la première fois, les armées utilisent à grande échelle des mitrailleuses, des munitions explosives, de l'artillerie lourde, des avions, des tanks, des gaz asphyxiants, des sous-marins, etc. Les soldats combattent dans un réseau de tranchées, où ils vivent dans des conditions misérables.

3 Des soldats après une attaque au gaz

John Singer Sargent, *Gassed*, 1919.

L'Allemagne doit mener la guerre sur deux fronts : à l'est contre la Russie et à l'ouest contre la France. Elle a un plan d'invasion qui privilégie le mouvement. Après avoir traversé rapidement la Belgique, elle fait d'importantes percées dans le nord de la France où elle est finalement bloquée. Alors que les combats stagnent, la Révolution russe et l'entrée en guerre des États-Unis en 1917 marquent un point tournant dans le conflit.

4 Un extrait de la lettre d'un soldat au front

Un soldat français écrit, le jeudi 17 mars 1917, une lettre à sa fiancée dans laquelle il décrit des moments de sa vie au front.

« Avant-hier soir, dans l'encre bleue de la nuit, je parcourais sur la terre les signes de croix de l'au-delà... C'était l'éparpillement macabre du cimetière sans couverture, sans croix, abandonné des hommes, les gisements épars des cadavres innombrables, sans sépultures [...]. Plus d'un millier de cadavres se tordaient là déchiquetés, charriés les uns sur les autres... Je traînais de la nuit vers les lignes, mon fardeau de pièces sur le dos ; je défaillais ; dans ma bouche, dans mes narines ce goût, cette odeur [...]. L'Allemand et le Français pourrissant l'un dans l'autre, sans espoir d'être ensevelis jamais par des mains fraternelles ou pieuses. »

Cité dans Jean-Pierre Gueno et Yves Laplume, *Parole de Poilus, lettres et carnets du front, 1914-1918*, Livrio, 1998.

1918   **1919**   **1920**

Octobre-Novembre
- Révolution russe (octobre et novembre)
- Déclaration Balfour par le ministre des Affaires étrangères britannique, Lord Balfour (2 novembre)

Novembre
- Signature de l'armistice par l'Allemagne (11 novembre)

Septembre
- Traité de Saint-Germain-en-Laye (septembre 1919), suivi du traité de Trianon (juin 1920) avec l'Autriche et la Hongrie

Mars
- Traité de Brest-Litovsk entre la Russie et l'Allemagne (3 mars)

Juin
- Signature du traité de Versailles (28 juin)

Août
- Traité de Sèvres avec la Turquie (10 août), revu en 1923

Août
- Adoption de la Loi du service militaire, qui impose la conscription au Canada (29 août)

La Russie est en proie à d'importants bouleversements. Le régime des **tsars** est menacé depuis le début du siècle par des opposants qui désirent des réformes sociales et économiques. Après l'épisode révolutionnaire de 1905, puis la révolution libérale de février 1917 qui mène à l'abdication du tsar Nicolas II, les **bolcheviks** prennent le pouvoir en octobre 1917.

En mars 1918, les bolcheviks signent avec l'Allemagne le traité de Brest-Litovsk. Ce traité signifie la perte, pour la Russie, de la Pologne, de l'Estonie, de la Lettonie et de la Lituanie. Il force la reconnaissance de l'indépendance de l'Ukraine et de la Finlande. Jusqu'en 1921, les bolcheviks sont ensuite aux prises avec une guerre civile.

5 Lénine et la Révolution russe

À la tête des bolcheviks, Lénine (1870-1924) met un terme à la participation de la Russie à la Première Guerre mondiale en 1918.

En parallèle, l'Allemagne se lance dans une guerre économique visant à détruire les navires de ravitaillement de leurs ennemis. La plupart de ces navires proviennent des États-Unis, qui sont en théorie un pays neutre dans le conflit. Cependant, plus proches du Royaume-Uni et de la France, les États-Unis vendent des armes et du ravitaillement essentiellement à la Triple-Entente. Devant la menace que représente la guerre économique de l'Allemagne pour leur économie, les États-Unis entrent en guerre aux côtés des Alliés en avril 1917. Forts de l'appui financier et militaire des États-Unis, les Alliés remportent les victoires jusqu'à la capitulation de l'Allemagne, le 11 novembre 1918.

Les conséquences de la guerre

La Première Guerre mondiale a été surnommée la « Grande Guerre » en raison du très grand nombre de victimes et de blessés qu'elle a entraîné.

En 1919, les pays vainqueurs signent le traité de Versailles, par lequel l'Allemagne et ses alliés sont tenus entièrement responsables du déclenchement de la guerre. Les clauses militaires, territoriales et économiques du traité affaiblissent considérablement l'Allemagne. Elle perd environ le septième de son territoire, dont l'Alsace-Lorraine, ainsi que ses colonies d'Afrique, d'Asie et d'Océanie. De plus, certaines régions minières et industrielles allemandes dotées d'un fort potentiel économique seront désormais occupées par les Alliés. Enfin, l'Allemagne se voit contrainte de payer d'importantes réparations financières aux pays vainqueurs.

Pour le peuple allemand, ces mesures suscitent l'incompréhension et font naître un grand sentiment d'injustice. Ce ressentiment va favoriser la montée du **nazisme**, qui est à l'origine de la Seconde Guerre mondiale.

6 Une estimation du nombre de soldats morts au combat

Pays	Nombre de morts
Allemagne	1 800 000
Russie	1 700 000
France	1 400 000
Autriche-Hongrie	1 200 000
Royaume-Uni	800 000
États-Unis	116 000
Canada	61 000

W. Hilgemann et H. Kinder, *Atlas historique*, Paris, Perrin, 1997 ; Musée canadien de la guerre [en ligne], réf. du 8 février 2009.

Par ailleurs, le démembrement de l'Empire ottoman modifie la carte du Proche-Orient et entraîne des conséquences qui se répercutent jusqu'à aujourd'hui. En effet, la France et le Royaume-Uni se partagent les anciens territoires arabes de l'Empire ottoman. Ils s'attribuent des « **mandats** administratifs », qui seront confirmés en 1922 par la Société des Nations (SDN), un organisme pour la sécurité et le maintien de la paix dans le monde fondé sous l'influence du président américain Woodrow Wilson.

Alors que la France obtient la Syrie et le Liban, le Royaume-Uni s'empare de l'Irak, de la Transjordanie et de la Palestine. Pendant la guerre, les Britanniques exerçaient déjà une influence en Palestine. C'est dans ce contexte qu'ils se sont prononcés, dans la Déclaration Balfour en 1917, en faveur de l'établissement d'un « foyer national juif » en Palestine.

> **Mandat** En droit international, mission confiée à un État d'assister ou d'administrer un territoire se trouvant en difficulté.

7 **L'Europe et le Proche-Orient après la Première Guerre mondiale, de 1919 à 1923**

La participation des colonies

Cette guerre a été qualifiée de « mondiale ». En effet, le conflit a touché tous les continents puisque les colonies ont participé à l'effort de guerre de leur métropole. En plus de voir plusieurs batailles se dérouler sur leur territoire – notamment dans le nord et l'est de l'Afrique –, certaines colonies ont subi des pertes humaines. De plus, les combats ont fait de nombreux blessés et mutilés provenant des colonies. Ce sacrifice ne contribuera pourtant pas à l'obtention de plus d'autonomie politique pour ces colonies.

Au Canada, la participation à la guerre faisait l'unanimité au départ. Par la suite, le grand nombre de victimes et l'imposition de la conscription en 1917 divisent profondément la population. Alors que les Canadiens anglais soutiennent l'Empire, les Canadiens français refusent de défendre le Royaume-Uni. En reconnaissance de sa contribution à l'effort de guerre, le Canada sera accueilli à la Société des Nations en 1919.

2 La Crise des années 1930

Dans les années 1930, le monde est secoué par la plus grave crise économique depuis les débuts de l'industrialisation. Déclenchée par le krach boursier de Wall Street à New York en 1929, elle se propage à l'échelle mondiale, touche tous les secteurs de l'économie et se termine avec l'amorce de la Seconde Guerre mondiale, en 1939.

Cette crise est caractérisée par la fragilisation du secteur financier, puis par une hausse spectaculaire du chômage, ainsi que par une diminution de la consommation, de la production et des investissements. Cette « Grande Dépression » met en évidence les failles du système capitaliste et entraîne l'adoption de politiques interventionnistes par les gouvernements qui tentent ainsi de la résorber. Finalement, elle prépare le terrain à la montée du fascisme.

> **Politique interventionniste**
> Politique d'intervention de l'État dans divers domaines (social, culturel et économique, notamment).

Les causes de la Crise

Après la Première Guerre mondiale, les États-Unis entrent dans une période de prospérité. La hausse des salaires de même que l'accès au crédit à la consommation augmentent le pouvoir d'achat et le niveau de vie des Américains. La productivité des entreprises atteint des sommets inégalés. Pourtant, cette prospérité est fragile : certains secteurs parmi les plus dynamiques, dont la construction et l'automobile, montrent des signes de ralentissement. Par ailleurs, le pouvoir d'achat ne progresse pas au même rythme que la production. Il devient alors difficile d'écouler, tant sur le marché intérieur que sur le marché extérieur, certaines marchandises. Les agriculteurs sont ainsi gravement touchés par la baisse des prix de leurs produits. La prospérité ne profite pas non plus à tous : la richesse est concentrée entre les mains d'une minorité de la population, des grandes entreprises et dans quelques secteurs industriels.

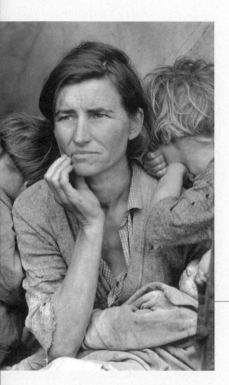

1 Les conséquences sociales de la Crise

En mars 1933, un quart de la population active des États-Unis est sans emploi. Des milliers d'agriculteurs américains, comme cette femme, perdent leurs terres. Les familles les plus gravement touchées se réfugient sur des terrains publics ou abandonnés où ils érigent des tentes pour survivre. Ces camps de fortune apparaissent un peu partout à travers les États-Unis.

Chronologie

1929	1930	1931	1932	1933	1934
• Krach boursier à Wall Street (24 octobre)	• Hausse des tarifs douaniers au Canada et aux États-Unis • Mise en place de l'assurance chômage au Royaume-Uni	• Fermeture de banques en Allemagne • Moratoire du président américain Herbert C. Hoover sur les dettes de guerre des pays européens	• Établissement du programme de « secours directs » au Canada pour venir en aide aux chômeurs • Conférence d'Ottawa et retour au protectionnisme pour le Royaume-Uni et ses dominions • Élection de Franklin D. Roosevelt à la présidence des États-Unis	• Implantation aux États-Unis des premières mesures du *New Deal* • Élection d'Adolf Hitler comme chancelier de l'Allemagne	• Dévaluation du dollar américain

À la fin des années 1920, l'économie américaine est donc vulnérable. Le krach boursier, qui met fin à la **spéculation** intense, apparaît comme le déclencheur de la crise économique et non comme sa cause directe. La crise financière conduit rapidement à des faillites bancaires, à des fermetures d'usines et à la crise économique. L'accès restreint au crédit entraîne une baisse de la consommation, puis de la production. Des mises à pied massives s'ensuivent et font grimper rapidement le taux de chômage.

> **Spéculation** Opération financière qui consiste à acheter des biens ou des titres dans le but de les revendre pour en tirer profit.

2 Des signes avant-coureurs

Dans une entrevue accordée en 1929, l'homme politique français Paul Reynaud se prononce sur l'éventualité de l'éclatement d'une crise.

« – QUE PENSEZ-VOUS DE LA SITUATION ÉCONOMIQUE ET FINANCIÈRE DES ÉTATS-UNIS ? [...]

– Il ne pourra s'agir d'une crise violente. [...] J'estime toutefois qu'une crise pointe aux États-Unis. Des sources de richesse sont taries. Les agriculteurs se plaignent ; la situation du textile est difficile. Il y a surproduction d'automobiles ; les stocks s'accroissent faute de débouchés, et un ralentissement dans la production automobile atteindra directement les industries métallurgiques, industries de base. [...] Des reculs comme ceux qui se sont produits ces jours derniers à Wall Street ne sauraient être négligés ; ils sont comme des signes avertisseurs. »

Entrevue de Paul Reynaud au journal français *Le Temps*, 15 octobre 1929.

> **LE MORATOIRE HOOVER**
> Étant donné ses liens commerciaux étroits avec les États-Unis, l'Allemagne est le pays européen le plus rapidement et le plus gravement touché par la Crise. Elle est incapable d'effectuer les paiements des réparations de la Première Guerre. En 1931, elle se tourne donc vers le président américain, Herbert C. Hoover, pour être soulagée de ce fardeau. Ce dernier propose de suspendre le paiement des réparations et des dettes entre tous les pays alliés pour une durée d'un an.

Les répercussions sur l'économie mondiale

Amorcée aux États-Unis, la Crise se propage rapidement à travers le monde. Seule l'URSS, dont l'économie est planifiée par l'État depuis 1928, n'est pas touchée. Initiées aux États-Unis, la baisse générale des prix et l'imposition de forts tarifs douaniers, qui freinent l'entrée des produits étrangers, affectent brutalement l'économie des pays exportateurs tels le Canada, l'Argentine, le Brésil et le Japon. Parallèlement, les États-Unis, devenus le principal créancier des pays européens, rapatrient les capitaux qu'ils ont investis en Europe, suspendent leurs prêts, ferment leurs frontières aux produits étrangers et exigent le paiement des dettes de guerre. Durement éprouvée par la Première Guerre mondiale, l'Europe sombre alors dans la Crise. Malgré certaines mesures, dont le moratoire Hoover, la Crise s'amplifie et les taux de chômage augmentent considérablement.

3 Le nombre de chômeurs (en millions), de 1930 à 1933

Pays	1929	1930	1931	1932	1933
Allemagne	2,5	3	4,7	6	5,6
États-Unis	1,5	4,2	7,9	11,9	12,6
Royaume-Uni	1	2	2,5	3,4	3

André Gauthier, *L'économie mondiale des années 1880 aux années 2000*, Bréal, 1999.

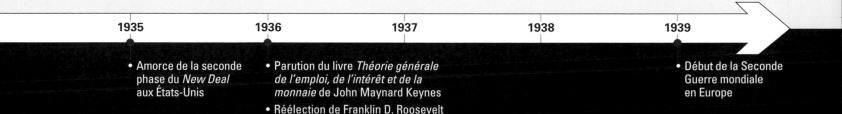

1935	1936	1937	1938	1939

• Amorce de la seconde phase du *New Deal* aux États-Unis

• Parution du livre *Théorie générale de l'emploi, de l'intérêt et de la monnaie* de John Maynard Keynes
• Réélection de Franklin D. Roosevelt

• Début de la Seconde Guerre mondiale en Europe

4 **La Crise vue de Londres**

La foule se presse devant la Bourse de Londres en réponse à la chute des cours, en 1929.

Les réponses économiques à la Crise

Les tenants de libéralisme considèrent qu'une crise économique n'est pas toujours néfaste puisqu'elle peut assainir l'économie en consolidant les entreprises qui sont performantes. Partisans du laisser-faire, ils conviennent cependant que l'État doit encourager la reprise, en particulier en équilibrant le budget de l'État. Forts de ces théories, plusieurs pays, dont le Canada, les États-Unis, l'Allemagne et le Royaume-Uni, touchés par la Grande Dépression, adoptent dans un premier temps une politique caractérisée par la baisse des salaires, l'augmentation des impôts et la diminution des dépenses de l'État. Cette politique s'avère un échec complet et ne fait qu'accentuer le chômage.

Diverses politiques de relance sont alors adoptées, dont la plus connue est le *New Deal*, le programme mis en place par le président des États-Unis, Franklin D. Roosevelt. Ce programme interventionniste en vigueur de 1933 à 1938 repose sur une série de mesures et de lois qui visent à restaurer la confiance de la population, à favoriser la reprise économique, à soutenir les populations les plus touchées et à réformer les marchés financiers. Sans parvenir à maîtriser réellement la Crise (elle semble stoppée en 1937, mais une baisse de la production industrielle est rapidement observée, suivie d'une augmentation du chômage), les politiques du *New Deal* ont un effet bénéfique à plus long terme.

5 **Les principales mesures du *New Deal***

Domaine	Année	Mesures	Description
Agriculture	1933	*Agricultural Adjustment Act*	Octroi de prêts et de subventions aux agriculteurs et mesures pour augmenter les prix des denrées agricoles
Travail	1933	*Civil Works Administration*	Création d'une agence d'embauche de chômeurs
		Tennessee Valley Authority	Mise en branle d'un vaste projet de construction de barrages hydroélectriques
	1935	*Wagner Act*	Garantie du droit de faire partie d'un syndicat pour les ouvriers et création d'organismes pour arbitrer les conflits entre patrons et ouvriers
		Works Progress Administration	Création de chantiers de construction pour l'embauche de chômeurs
	1938	*Fair Labor Standards Act*	Introduction de la semaine de travail de 40 heures, salaire horaire minimum à 40 cents et interdiction de travail dans les usines pour les enfants
Finance	1933	*Securities Act*	Création d'un organisme de surveillance des marchés boursiers
		Federal Deposit Insurance Corporation	Assurance des dépôts des épargnants pour une valeur maximale de 5000 $
Industrie	1933	*National Industrial Recovery Act*	Création d'un organisme œuvrant à la création d'emplois
Aide sociale	1935	*Social Security Act*	Mise en place de prestations d'assurance chômage et de retraite pour les plus de 65 ans, d'allocations aux aveugles et aux enfants infirmes et de crédits pour la santé publique

André Kaspi, *Franklin D. Roosevelt*, Fayard, 2007.

6 **Le *New Deal* en action**

L'un des objectifs du *New Deal* est de combattre le chômage élevé. Des chantiers de construction, tel celui du barrage hydroélectrique de la Tennessee Valley, et des programmes de travaux publics font partie des mesures adoptées pour fournir du travail à des millions d'hommes.

Les conséquences de la Crise

Les mesures de relance adoptées dans le monde obtiennent un succès mitigé. La reprise économique est, selon plusieurs analystes, attribuable principalement au réarmement découlant de la Seconde Guerre mondiale. Cette crise économique a par ailleurs entraîné l'instabilité gouvernementale dans de nombreux pays et rendu des idéologies extrémistes, dont le communisme et le **fascisme**, attrayantes pour les populations gravement touchées.

Des partis auparavant marginaux augmentent leur représentation électorale en promettant de mettre fin au chômage. Par exemple, en Allemagne, le Parti national-socialiste, dirigé par Adolf Hitler, gagne en popularité en recrutant des militants parmi ceux qui sont les plus affectés par la Crise, c'est-à-dire les jeunes et les membres des classes moyennes. En France, le **Front populaire**, qui a remporté les élections en 1936, entend relancer l'économie et diminuer le chômage en octroyant des hausses de salaires moyennes de 12 %, deux semaines de congés payés et la semaine de travail de 40 heures.

La Crise oblige les sociétés à revoir les conceptions conventionnelles de l'économie. Pour l'économiste britannique John Maynard Keynes, la Crise n'a rien d'un bienfait et l'État doit intervenir fortement pour en limiter les effets. Selon lui, les pouvoirs publics doivent augmenter leurs dépenses et enregistrer des déficits pour injecter des liquidités dans le système économique, notamment en augmentant le pouvoir d'achat des plus démunis. Ces mesures auraient pour effet de restaurer la demande et de favoriser la reprise économique. Cette nouvelle philosophie économique influencera les gouvernements d'après-guerre, qui seront plus enclins à adopter des politiques sociales et économiques interventionnistes, inaugurant ainsi l'ère de l'**État-providence**.

Fascisme Idéologie et mouvement politique anticommuniste et ultranationaliste ayant conduit à des régimes autoritaires.

Front populaire (FP) Coalition de partis de gauche et d'extrême gauche au pouvoir en France de 1936 à 1938. Né d'abord pour contrer la montée du fascisme et du nazisme, le FP implante des réformes sociales pour tenter de remédier à la Crise.

État-providence État qui intervient sur les plans social et économique dans le but d'assurer un certain bien-être à l'ensemble de la population.

7 **La montée des extrémismes**

Des militants nazis entourent Adolf Hitler au lendemain de son élection comme chancelier de l'Allemagne, en 1933. Gravement touchées par la crise économique, les classes moyennes (paysans, étudiants, commerçants, petits propriétaires) constituent, dans un premier temps, l'essentiel des militants des mouvements fascistes. Devant l'expansion du chômage, les ouvriers, au départ réticents, adhèrent en grand nombre aux mouvements fascistes, tant en Allemagne qu'en Italie.

7 Le monde depuis 1990

Au début des années 1990, au moment de la dissolution de l'URSS et du bloc de l'Est, le président des États-Unis, George H.W. Bush, annonce le début d'un « nouvel ordre mondial ». La fin de la Guerre froide confirme la domination américaine et laisse espérer un partenariat international pour défendre les droits de l'homme. Cependant, de vieux désaccords perdurent (Palestine, Cachemire) et d'autres problèmes voient le jour, comme une nouvelle menace nucléaire (Iran, Pakistan, Corée du Nord), ainsi que la montée de l'**islamisme** dans le monde musulman. La multiplication des conflits régionaux amène l'Organisation des Nations Unies (ONU) à revoir son rôle sur la scène internationale. Par ailleurs, la libéralisation des échanges au niveau mondial encourage l'apparition de nouvelles puissances économiques.

> **Islamisme** Idéologie et mouvement politique ayant pour but l'instauration d'un État régi par les règles du Coran et dirigé par les chefs religieux.

1 Un extrait du discours de George H.W. Bush au Congrès américain, en 1990

En 1990, le président George H.W. Bush évoque la possibilité d'une nouvelle ère de coopération mondiale entre les nations, malgré les crises encore présentes.

« Il est clair qu'aucun dictateur ne peut plus compter sur l'affrontement Est-Ouest pour bloquer l'action de l'ONU contre toute agression. Un nouveau partenariat des nations a vu le jour. [...] La crise dans le golfe Persique, malgré sa gravité, offre une occasion rare pour s'orienter vers une période historique de coopération. De cette période difficile [...] un nouvel ordre mondial peut voir le jour : une nouvelle ère, moins menacée par la terreur, plus forte dans la recherche de la justice et plus sûre dans la quête de la paix. [...] Un monde où les États reconnaissent la responsabilité commune de garantir la liberté et la justice. Un monde où les forts respectent les droits des plus faibles. »

« Discours du président américain George Bush au Congrès », *Le Monde diplomatique* [en ligne], 11 septembre 1990, réf. du 5 mai 2009.

La mondialisation

La fin de la Guerre froide accélère l'unification économique entreprise par le Fonds monétaire international (FMI, en 1945) et l'Accord général sur les tarifs douaniers et le commerce (GATT, en 1948). En même temps, la déréglementation des marchés financiers durant les années 1980 facilite la circulation des marchandises et des capitaux. En 1995, la transformation du GATT en Organisation mondiale du commerce (OMC) contribue à l'intégration des pays émergents à l'économie mondiale. La mondialisation économique est renforcée par des accords régionaux tels l'Accord de libre-échange nord-américain (ALENA), la Coopération économique pour l'Asie-Pacifique (APEC) ou l'Union européenne (UE).

Chronologie

1990	1991	1992	1993	1994	1995	1996
• Invasion du Koweït par l'Irak	• Éclatement de la Yougoslavie • Guerre du Golfe	• Début de la guerre de Bosnie • Signature du traité de Maastricht, amenant la création de l'Union européenne en 1993	• Reconnaissance mutuelle d'Israël et de l'Organisation de libération de la Palestine (OLP) • Création du Tribunal pénal international pour l'ex-Yougoslavie	• Guerre en Tchétchénie • Création du Tribunal pénal international pour le Rwanda	• Transformation du GATT en Organisation mondiale du commerce • Fin de la guerre de Bosnie • Assassinat du premier ministre israélien, Yitzhak Rabin	• Premières élections en Palestine, qui portent au pouvoir Yasser Arafat, chef du Fatah • Prise du pouvoir des talibans en Afghanistan

Bien que certains pays émergents, notamment la Chine et l'Inde, profitent de l'ouverture des marchés, l'Afrique bénéficie peu des effets positifs de la mondialisation. Par ailleurs, l'inquiétude que suscitent les conséquences sociales et environnementales de la libéralisation des marchés contribue à l'apparition d'un vaste mouvement altermondialiste. Ce mouvement se manifeste parfois avec violence au moment de grandes réunions économiques internationales.

2 **Une protestation contre le Forum économique mondial de Davos, en Suisse**

Depuis 1971, le Forum économique mondial (FEM) rassemble une fois par année, à Davos, les dirigeants d'entreprises, les chefs politiques ainsi que l'élite intellectuelle mondiale pour discuter des problèmes économiques et sociaux touchant la planète. À partir de la fin des années 1990, le Forum s'attire les critiques des altermondialistes. Des manifestations violentes ont lieu au moment de la réunion de janvier 2000. L'année suivante, le Forum social mondial est créé pour contrebalancer le FEM.

Le monde depuis la fin de la Guerre froide

Après la dissolution de l'URSS en 1991, la démocratisation pacifique de l'Europe de l'Est permet d'envisager l'union de l'Europe. Grâce à l'adoption du traité de Maastricht en 1992, l'union économique et monétaire devient une réalité. Une citoyenneté européenne commune est alors créée. Depuis, une certaine harmonisation économique, sociale et institutionnelle s'est faite. Toutefois, les négociations en vue de l'adhésion de nouveaux pays membres et le projet de Constitution européenne provoquent des désaccords entre les membres de l'UE.

2000   2002   2004   2006

2000
- Début de la deuxième Intifada

2001
- Attentats terroristes contre le World Trade Center et le Pentagone, aux États-Unis
- Renversement des talibans lors

2002
- Implantation de l'euro comme monnaie unique dans 11 pays de l'Union européenne

2003
- Invasion de l'Irak par les États-Unis
- Feuille de route : projet de règlement du conflit israélo-palestinien
- Décès de Yasser Arafat

2006
- Victoire du Hamas, mouvement islamiste palestinien, aux élections législatives en Palestine

2007
- Nouvel élargissement de l'Union européenne (27 membres)

3 L'Union européenne, de 1990 à 2007

Constituée de six pays à sa fondation en 1957, la Communauté économique européenne (CEE), qui devient l'Union européenne (UE) en 1993, ne cesse d'élargir ses rangs après la chute du mur de Berlin. En 2007, elle compte 27 membres.

L'Union européenne, 1990-2007

- Europe des Douze, en 1990
- Adhésion, en 1995
- Adhésion, en 2004
- Adhésion, en 2007
- En négociation

1. Bosnie-Herzégovine
2. Croatie
3. Macédoine
4. Moldavie
5. Monténégro
6. Serbie
7. Slovaquie
8. Slovénie

Au début des années 1990, la coopération entre les membres de l'ONU suscite beaucoup d'espoirs pour le maintien de la paix mondiale. Mais en réalité, l'ONU est souvent tiraillée entre le respect de la souveraineté politique et de l'intégrité territoriale des États, et la nécessité d'empêcher les violations des droits de l'homme. Elle tarde ainsi à réagir pendant les conflits graves (ex-Yougoslavie, Tchétchénie, Rwanda, Somalie et Sierra Leone). Le maintien de la paix et l'action humanitaire s'avèrent même insuffisants dans l'ex-Yougoslavie et au Rwanda. Ces deux conflits amènent l'ONU à mettre sur pied des tribunaux pénaux internationaux pour poursuivre les responsables de crimes de guerre et de crimes contre l'humanité.

Par ailleurs, des essais nucléaires sont effectués en 1998 par l'Inde et le Pakistan, qui se disputent le Cachemire, et en 2006 par la Corée du Nord, traditionnellement opposée à la Corée du Sud. La menace d'utilisation de l'arme nucléaire rend ces vieux conflits régionaux potentiellement plus dangereux.

4 Le génocide rwandais, en 1994

L'affrontement entre les Hutus et la minorité tutsie au Rwanda donne lieu à un génocide. Le nombre de personnes tuées en trois mois, essentiellement des Tutsis, est évalué entre 500 000 et 1 000 000.

Le Proche-Orient

Depuis la création de l'État d'Israël en 1948, le Proche-Orient est qualifié de « poudrière du monde ». En 1993, un certain rapprochement a mené à la reconnaissance mutuelle d'Israël et de l'Organisation de libération de la Palestine. Toutefois, à partir de 1995, les actions des extrémistes des deux camps provoquent une radicalisation des positions et l'éclosion de nouveaux épisodes de violence.

Toujours dans le monde musulman, la montée de l'islamisme représente une menace pour la stabilité du Proche-Orient, et du reste du monde. Au pouvoir en Iran depuis 1979, un régime islamiste entretient dans la région un fort sentiment antiaméricain et accélère un programme nucléaire qui semble lourd de menaces. De plus, la prise du pouvoir en 1996 par les talibans en Afghanistan contribue à une intensification des attentats terroristes contre les intérêts américains. Les talibans sont renversés en 2001, lorsque les États-Unis, accompagnés entre autres par le Canada, entrent en guerre en Afghanistan.

Par ailleurs, le golfe Persique, qui possède les deux tiers des réserves de pétrole mondial, devient le lieu de conflits majeurs. Appuyé d'abord par l'Occident dans sa guerre contre l'Iran (1980-1988), l'Irak envahit le Koweït en 1990. Au moment de la première guerre du Golfe, l'Irak est rapidement écrasé par une coalition internationale, dont font partie les États-Unis et le Canada. Au début des années 2000, le renversement du régime dictatorial de Saddam Hussein devient l'une des priorités des États-Unis, qui envahissent l'Irak en 2003 sans l'accord de l'ONU.

La guerre au terrorisme

La fin de la Guerre froide fait des États-Unis l'unique superpuissance de la planète. Dans les années 1990, ils n'entendent plus nécessairement arbitrer seuls l'ordre mondial et souhaitent partager leurs responsabilités. Cependant, les attentats terroristes du 11 septembre 2001 aux États-Unis et la surprise générale qu'ils provoquent remettent en question leur retrait relatif.

Au nom de la lutte contre un nouvel « axe du Mal » (Iran, Irak et Corée du Nord), les États-Unis entreprennent au début du XXIᵉ siècle une « guerre au terrorisme ». Celle-ci défend d'abord les intérêts américains, et va parfois à l'encontre des partenaires des États-Unis ou de certains accords internationaux.

5 Les Intifadas, en Palestine

La frustration des Palestiniens quant à l'occupation israélienne et à la colonisation dans la bande de Gaza et en Cisjordanie déclenche deux Intifadas, ou « guerres des pierres » : la première, de 1988 à 1993 ; la deuxième, à partir de septembre 2000. Ces mouvements, violemment réprimés par la force militaire israélienne, ont causé plusieurs milliers de morts, surtout des Palestiniens.

6 Les attentats contre le World Trade Center, en 2001

Le 11 septembre 2001, des avions détournés s'écrasent sur les tours du World Trade Center à New York, qui s'écroulent, ainsi que sur le Pentagone, à Washington. Ces attentats, attribués au groupe terroriste islamiste al-Qaida, font plus de 3000 morts.

OCÉAN ARCTIQUE

AMÉRIQUE
DU
NORD

EUROPE

ASIE

OCÉAN
ATLANTIQUE

OCÉAN
PACIFIQUE

AFRIQUE

OCÉAN
INDIEN

AMÉRIQUE
DU SUD

OCÉAN AUSTRAL

180

ANTARCTIQUE

ATLAS

1 Le produit intérieur brut (PIB) par habitant dans le monde

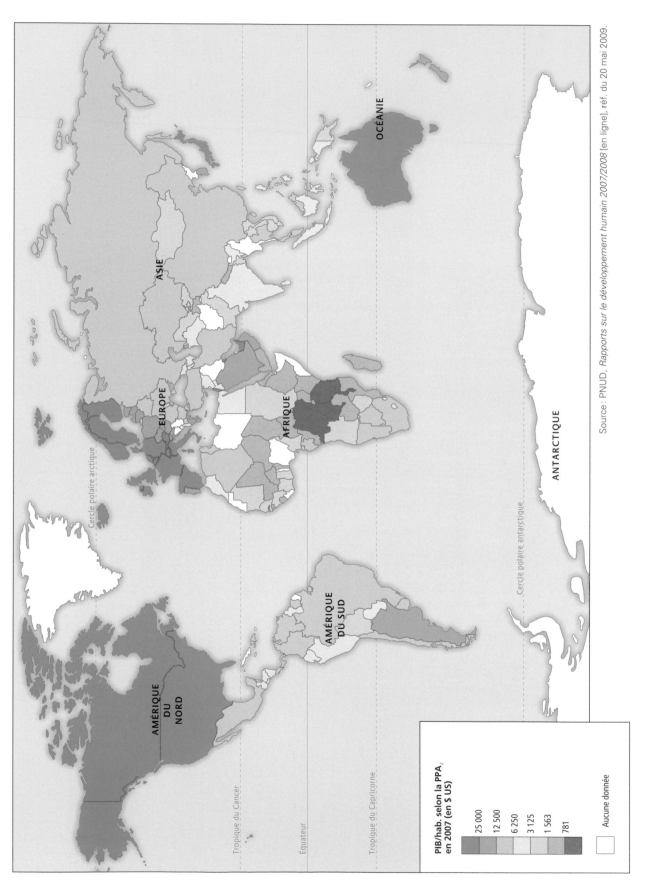

Source : PNUD, *Rapports sur le développement humain 2007/2008* [en ligne], réf. du 20 mai 2009.

**PIB/hab. selon la PPA,
en 2007 (en $ US)**

25 000
12 500
6 250
3 125
1 563
781

Aucune donnée

2 L'indice de développement humain (IDH) dans le monde

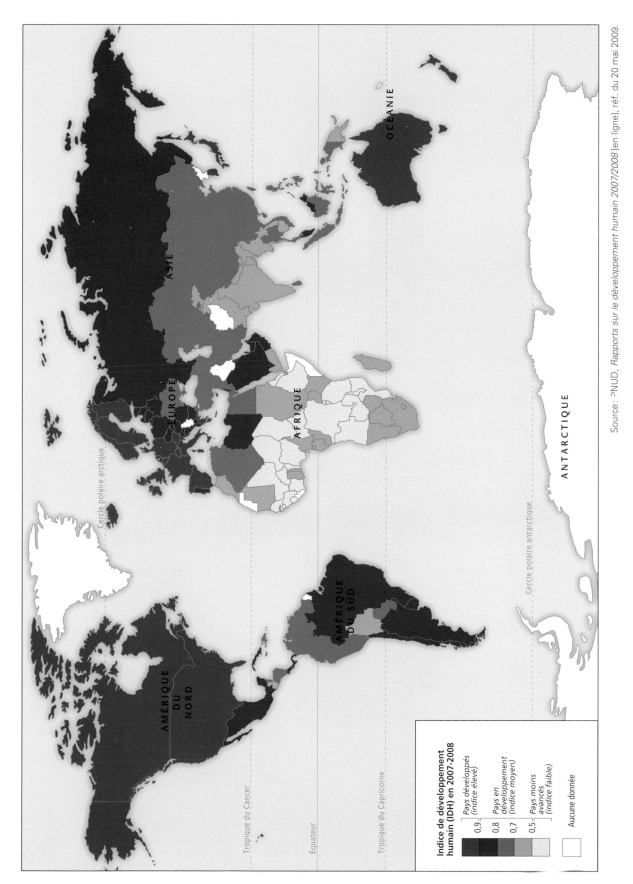

Source : PNUD, *Rapports sur le développement humain 2007/2008* [en ligne], réf. du 20 mai 2009.

Indice de développement humain (IDH) en 2007-2008

- 0,9 / 0,8 — Pays développés (indice élevé)
- 0,7 — Pays en développement (indice moyen)
- 0,5 — Pays moins avancés (indice faible)
- Aucune donnée

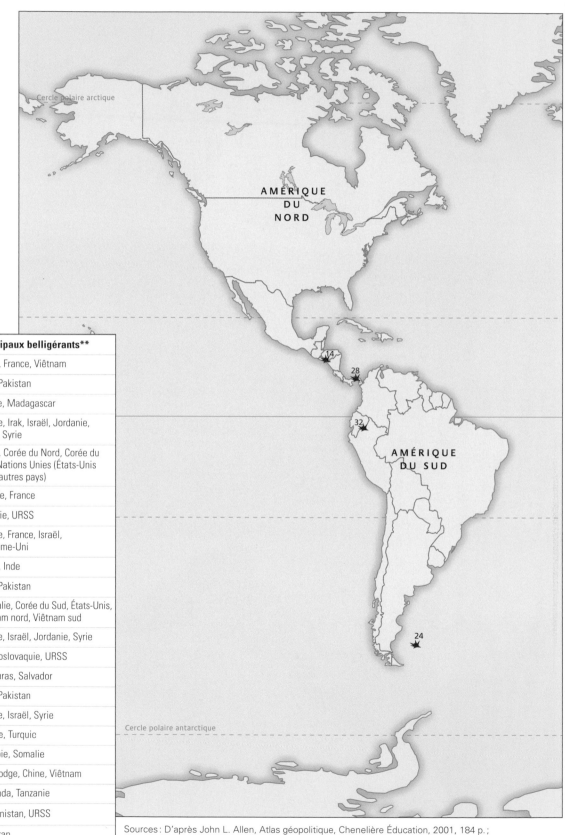

	Zone de conflit

	Conflit*	Début	Principaux belligérants**
1	Indochine	1946	Chine, France, Viêtnam
2	Indo-pakistanais	1947	Inde, Pakistan
3	Madagascar	1947	France, Madagascar
4	Palestine	1948	Égypte, Irak, Israël, Jordanie, Liban, Syrie
5	Guerre de Corée	1950	Chine, Corée du Nord, Corée du Sud, Nations Unies (États-Unis et 11 autres pays)
6	Guerre d'Algérie	1954	Algérie, France
7	Soviéto-hongrois	1956	Hongrie, URSS
8	Crise de Suez	1956	Égypte, France, Israël, Royaume-Uni
9	Sino-indien	1962	Chine, Inde
10	Cachemire	1965	Inde, Pakistan
11	Viêtnam	1965	Australie, Corée du Sud, États-Unis, Viêtnam nord, Viêtnam sud
12	Guerre des Six Jours	1967	Égypte, Israël, Jordanie, Syrie
13	Soviétique-tchèque	1968	Tchécoslovaquie, URSS
14	Guerre du Football	1969	Honduras, Salvador
15	Indo-pakistanais	1971	Inde, Pakistan
16	Yom Kippour	1973	Égypte, Israël, Syrie
17	Chypre	1974	Chypre, Turquie
18	Ogaden	1977	Éthiopie, Somalie
19	Viêtnamo-cambodgien	1978	Cambodge, Chine, Viêtnam
20	Ougando-tanzanien	1978	Ouganda, Tanzanie
21	Afghanistan	1979	Afghanistan, URSS
22	Golfe Persique	1980	Irak, Iran
23	Angola	1981	Afrique du Sud, Angola, Cuba

Sources : D'après John L. Allen, *Atlas géopolitique*, Chenelière Éducation, 2001, 184 p. ; *Perspective monde*, *Université de Sherbrooke* [en ligne], réf. du 19 mai 2009.

	Conflit*	Début	Principaux belligérants**
24	Falkland (Malouines)	1982	Argentine, Royaume-Uni
25	Saharien	1983	Libye, Tchad
26	Chine-Viêtnam	1985	Chine, Viêtnam
27	Liban	1987	États-Unis, France, Israël, Liban, Syrie
28	Panama	1989	États-Unis, Panama
29	Golfe Persique	1990	Irak, Nations Unies (États-Unis et 7 autres pays)
30	Yougoslavie	1990	Bosnie-Herzégovine, Croatie, Serbie
31	Nagorno-Karabakh	1990	Arménie, Azerbaïdjan
32	Péruvo-équatorien	1995	Équateur, Pérou
33	Albanie	1995	Albanie, Yougoslavie (Serbie-Monténégro)
34	Rwanda	1995	Burundi, Rwanda

	Conflit*	Début	Principaux belligérants**
35	Timor oriental	1995	Indonésie, révolte en Nouvelle-Guinée
36	Cameroun	1996	Cameroun, Nigeria
37	Irak (nord)	1996	Irak, révolte kurde
38	Érythrée	1997	Érythrée, Yémen
39	Irak	1998	États-Unis, Irak, Royaume-Uni
40	Kosovo	1999	Albanie, pays de l'OTAN, Yougoslavie
41	Afghanistan	2001	Afghanistan, Canada, États-Unis, Royaume-Uni et plusieurs pays de l'OTAN
42	Irak	2003	Irak, États-Unis, Royaume-Uni

* Un « conflit » sous-entend un minimum de mille morts au cours des combats.
** En ordre alphabétique.

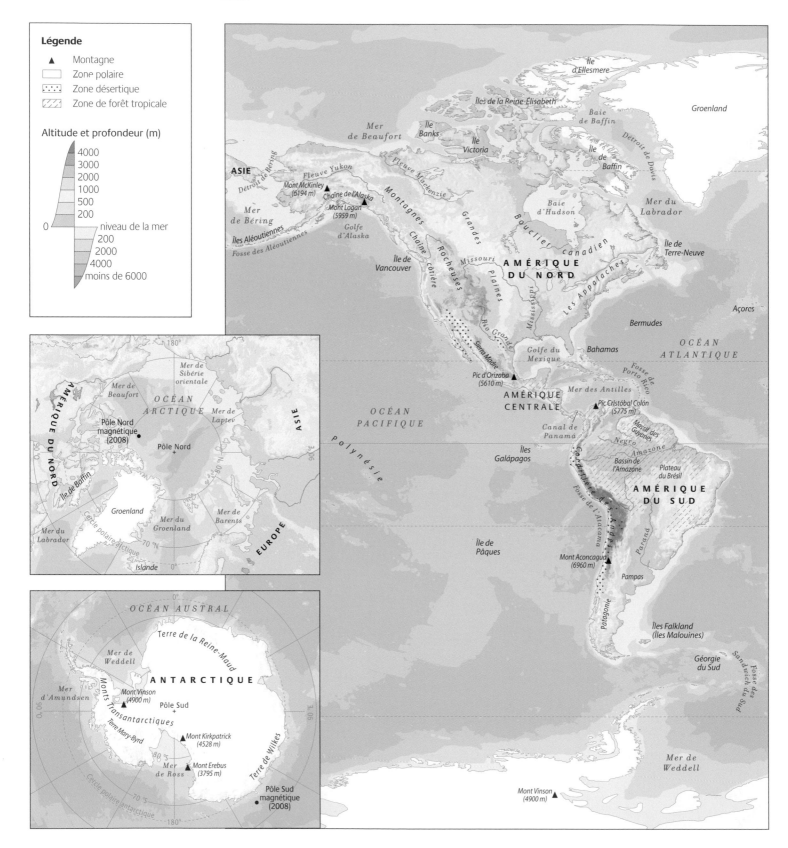

Légende

▲ Montagne

☐ Zone polaire

⋯ Zone désertique

▨ Zone de forêt tropicale

Altitude et profondeur (m)

4000
3000
2000
1000
500
200
0   niveau de la mer
200
2000
4000
moins de 6000

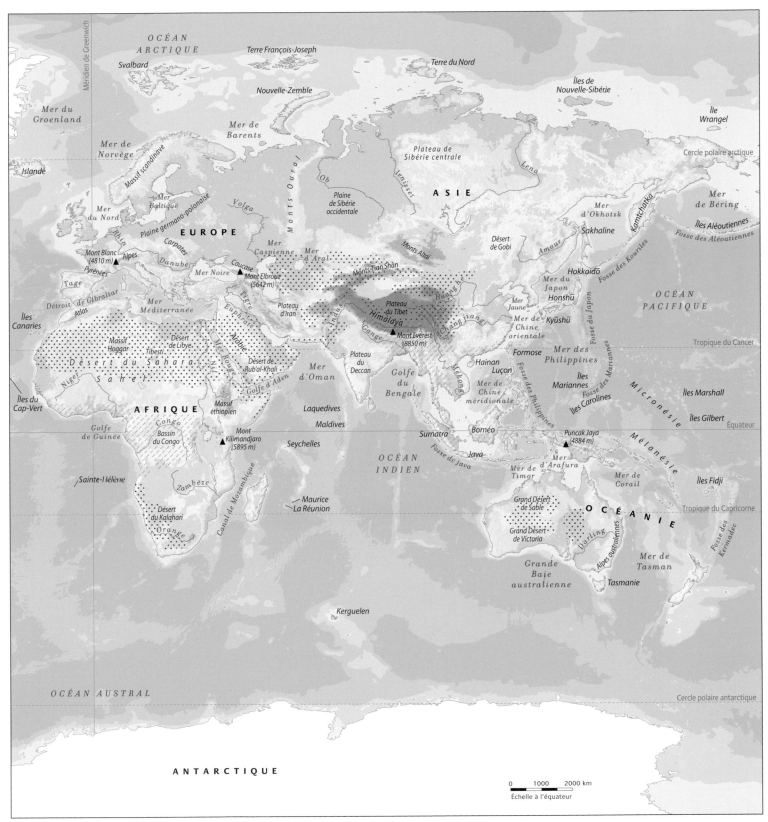

OCÉAN
ARCTIQUE

Terre François-Joseph

Terre du Nord

Svalbard

Îles de
Nouvelle-Sibérie

Nouvelle-Zemble

Île
Wrangel

Mer du
Groenland

Mer de
Barents

Mer de
Norvège

Mer de
Béring

Islande

Plateau de
Sibérie centrale

Cercle polaire arctique

Mer d'Okhotsk

Kamtchatka

Massif scandinave

Lena

Mer
Baltique

Monts Oural

Ob

Ienisseï

ASIE

Mer
du Nord

Plaine germano-polonaise

Plaine
de Sibérie
occidentale

Mer
d'Okhotsk

Sakhaline

Îles Aléoutiennes

Fosse des Aléoutiennes

EUROPE

Volga

Mer
d'Aral

Désert
de Gobi

Amour

Hokkaidō

Mer du
Japon

OCÉAN
PACIFIQUE

Carpates

Mont Blanc
(4810 m)

Alpes

Mer
Caspienne

Monts Altaï

Honshū

Pyrénées

Danube

Mer
Noire

Caucase

Monts Tian Shan

Huang he

Mer
Jaune

Kyūshū

Mont Elbrouz
(5642 m)

Tage

Détroit de Gibraltar

Plateau
d'Iran

Indus

Plateau
du Tibet

Himalaya

Changjiang

Mer de
Chine
orientale

Atlas

Mer
Méditerranée

Tigre

Euphrate

Arabie

Mont Everest
(8850 m)

Fosse du Japon

Îles
Canaries

Mer Rouge

Désert de
Libye

Désert de
Rub'al-Khali

Ganges

Mékong

Formose

Mer des
Philippines

Massif
Hoggar

Tibesti

Plateau
du
Deccan

Hainan

Luçon

Îles
Marianne

Désert du Sahara

Golfe d'Aden

Mer
d'Oman

Golfe
du
Bengale

Mer de
Chine
méridionale

Îles
Carolines

Îles Marshall

Niger

Sahel

Micronésie

AFRIQUE

Massif
éthiopien

Laquedives

Îles Gilbert

Îles du
Cap-Vert

Congo

Bassin
du Congo

Maldives

Sumatra

Bornéo

Puncak Jaya
(4884 m)

Mélanésie

Équateur

Golfe
de Guinée

Mont
Kilimandjaro
(5895 m)

Seychelles

OCÉAN
INDIEN

Java

Fosse de Java

Mer
d'Arafura

Îles Fidji

Sainte-Hélène

Zambèze

Mer
de Timor

Mer de
Corail

OCÉANIE

Canal de Mozambique

Maurice

La Réunion

Grand Désert
de Sable

Tropique du Capricorne

Désert
du Kalahari

Grand Désert
de Victoria

Alpes australiennes

Fosse des
Kermadec

Orange

Darling

Mer de
Tasman

Grande
Baie
australienne

Tasmanie

Kerguelen

OCÉAN AUSTRAL

Cercle polaire antarctique

ANTARCTIQUE

0   1000   2000 km

Échelle à l'équateur

Projection de Gall

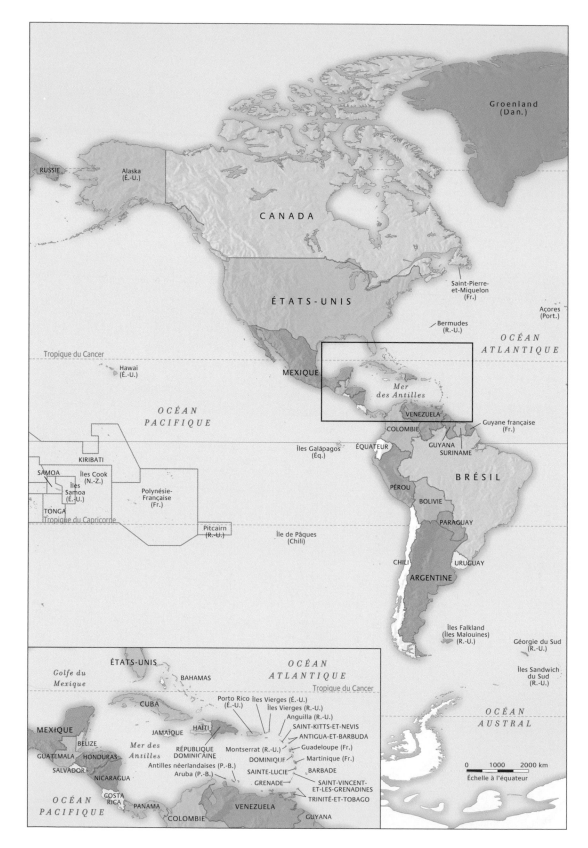

Groenland
(Dan.)

RUSSIE

Alaska
(É.-U.)

CANADA

ÉTATS-UNIS

Saint-Pierre-
et-Miquelon
(Fr.)

Açores
(Port.)

Bermudes
(R.-U.)

OCÉAN
ATLANTIQUE

Tropique du Cancer

Hawaï
(É.-U.)

MEXIQUE

Mer
des Antilles

VENEZUELA

Guyane française
(Fr.)

OCÉAN
PACIFIQUE

COLOMBIE

Îles Galápagos
(Éq.)

ÉQUATEUR

GUYANA
SURINAME

BRÉSIL

KIRIBATI

SAMOA

Îles Cook
(N.-Z.)

Îles
Samoa
(É.-U.)

Polynésie-
Française
(Fr.)

PÉROU

BOLIVIE

TONGA

Tropique du Capricorne

Pitcairn
(R.-U.)

Île de Pâques
(Chili)

PARAGUAY

CHILI

URUGUAY

ARGENTINE

Îles Falkland
(Îles Malouines)
(R.-U.)

Géorgie du Sud
(R.-U.)

Îles Sandwich
du Sud
(R.-U.)

ÉTATS-UNIS

Golfe du
Mexique

BAHAMAS

OCÉAN
ATLANTIQUE

Tropique du Cancer

OCÉAN
AUSTRAL

CUBA

Porto Rico Îles Vierges (É.-U.)
(É.-U.)

Îles Vierges (R.-U.)

Anguilla (R.-U.)

SAINT-KITTS-ET-NEVIS

ANTIGUA-ET-BARBUDA

MEXIQUE

JAMAÏQUE

HAÏTI

BELIZE

Mer des
Antilles

RÉPUBLIQUE
DOMINICAINE

Montserrat (R.-U.)

Guadeloupe (Fr.)

GUATEMALA

HONDURAS

DOMINIQUE

Martinique (Fr.)

SALVADOR

Antilles néerlandaises (P.-B.)

SAINTE-LUCIE

BARBADE

Aruba (P.-B.)

NICARAGUA

GRENADE

SAINT-VINCENT-
ET-LES-GRENADINES

OCÉAN
PACIFIQUE

COSTA
RICA

PANAMA

COLOMBIE

VENEZUELA

TRINITÉ-ET-TOBAGO

GUYANA

0   1000   2000 km

Échelle à l'équateur

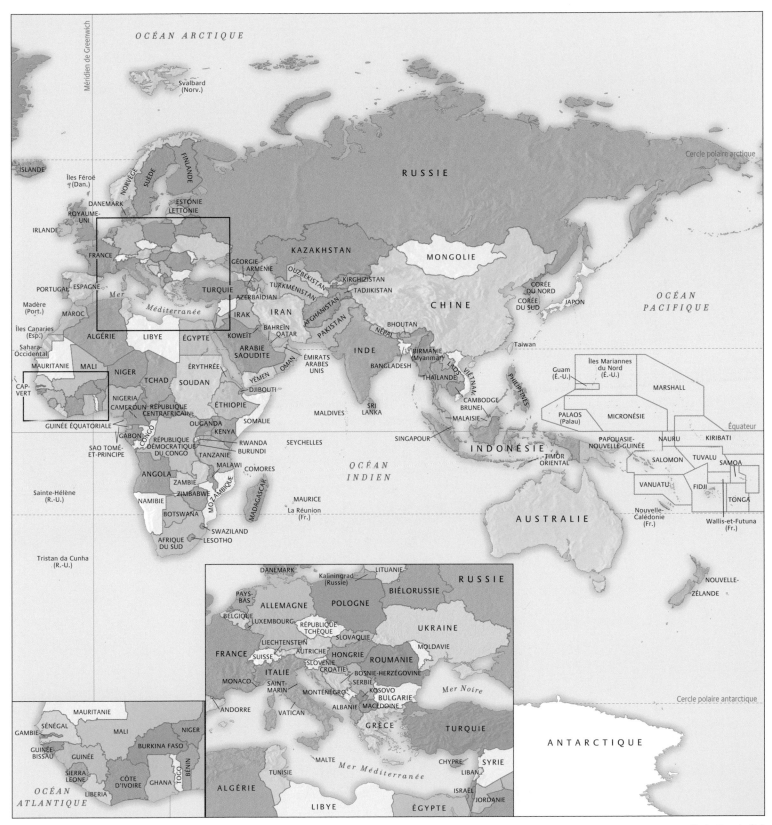

OCÉAN ARCTIQUE

Méridien de Greenwich

Svalbard
(Norv.)

Cercle polaire arctique

ISLANDE

Îles Féroé
(Dan.)

NORVÈGE
SUÈDE
FINLANDE

RUSSIE

DANEMARK
ESTONIE
LETTONIE

ROYAUME-
UNI

IRLANDE

KAZAKHSTAN

MONGOLIE

FRANCE

GÉORGIE
ARMÉNIE
OUZBÉKISTAN
KIRGHIZISTAN
TADJIKISTAN

CORÉE
DU NORD

OCÉAN
PACIFIQUE

PORTUGAL
ESPAGNE

TURQUIE
AZERBAÏDJAN
TURKMÉNISTAN

CHINE

CORÉE
DU SUD
JAPON

Mer

Madère
(Port.)

MAROC

Méditerranée

IRAK
IRAN

AFGHANISTAN

Taiwan

Îles Canaries
(Esp.)

ALGÉRIE
LIBYE
ÉGYPTE

BAHREÏN
QATAR

PAKISTAN

NÉPAL

BHOUTAN

KOWEÏT

Sahara-
Occidental

ARABIE
SAOUDITE

INDE

BIRMANIE
(Myanmar)

MAURITANIE
MALI

ÉRYTHRÉE

ÉMIRATS
ARABES
UNIS

OMAN

BANGLADESH

Guam
(É.-U.)

Îles Mariannes
du Nord (É.-U.)

CAP-
VERT

NIGER
TCHAD
SOUDAN

YÉMEN

LAOS
THAÏLANDE
VIETNAM

MARSHALL

DJIBOUTI

NIGERIA
CAMEROUN
RÉPUBLIQUE
CENTRAFRICAINE

ÉTHIOPIE

MALDIVES

SRI
LANKA

CAMBODGE
BRUNEI

PHILIPPINES

PALAOS
(Palau)

MICRONÉSIE

GUINÉE ÉQUATORIALE

OUGANDA
KENYA

SOMALIE

MALAISIE

Équateur

GABON
CONGO

RÉPUBLIQUE
DÉMOCRATIQUE
DU CONGO

RWANDA
BURUNDI

SEYCHELLES

SINGAPOUR

INDONÉSIE

TIMOR
ORIENTAL

PAPOUASIE-
NOUVELLE-GUINÉE

NAURU
KIRIBATI

SAO TOMÉ-
ET-PRINCIPE

TANZANIE

MALAWI

COMORES

OCÉAN

SALOMON
TUVALU

SAMOA

ANGOLA
ZAMBIE

MOZAMBIQUE

MADAGASCAR

INDIEN

VANUATU
FIDJI

TONGA

Sainte-Hélène
(R.-U.)

ZIMBABWE

MAURICE

AUSTRALIE

Nouvelle-
Calédonie
(Fr.)

Wallis-et-Futuna
(Fr.)

NAMIBIE
BOTSWANA

La Réunion
(Fr.)

Tristan da Cunha
(R.-U.)

AFRIQUE
DU SUD

SWAZILAND
LESOTHO

NOUVELLE-
ZÉLANDE

DANEMARK
Kaliningrad
(Russie)
LITUANIE

RUSSIE

PAYS-
BAS
ALLEMAGNE
POLOGNE

BIÉLORUSSIE

BELGIQUE
LUXEMBOURG
RÉPUBLIQUE
TCHÈQUE
SLOVAQUIE

UKRAINE

FRANCE
LIECHTENSTEIN
SUISSE
AUTRICHE
HONGRIE
SLOVÉNIE

MOLDAVIE

ROUMANIE

ITALIE
CROATIE
BOSNIE-HERZÉGOVINE

MONACO
SAINT-
MARIN
SERBIE
MONTÉNÉGRO
KOSOVO
BULGARIE

Mer Noire

ANDORRE
VATICAN
ALBANIE
MACÉDOINE

Cercle polaire antarctique

GRÈCE
TURQUIE

ANTARCTIQUE

MALTE
TUNISIE

Mer Méditerranée

CHYPRE
LIBAN
SYRIE

MAURITANIE

SÉNÉGAL
MALI
NIGER

GAMBIE

BURKINA FASO

GUINÉE-
BISSAU
GUINÉE

SIERRA
LEONE
CÔTE
D'IVOIRE
GHANA
TOGO
BÉNIN

OCÉAN
ATLANTIQUE

LIBERIA

ALGÉRIE

LIBYE
ÉGYPTE

ISRAËL
JORDANIE

Projection de Gall

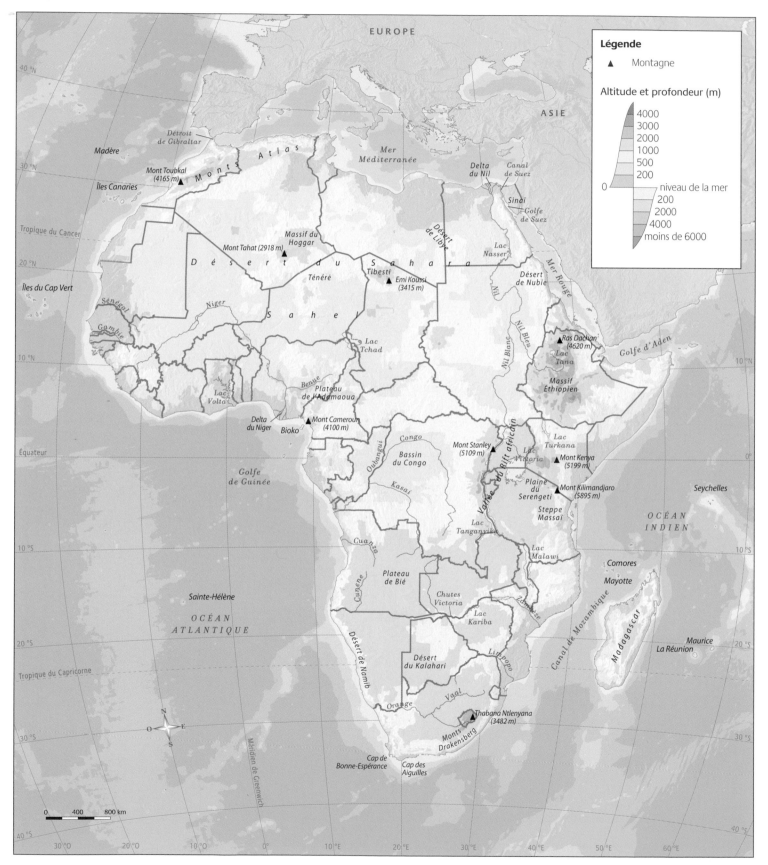

Légende

▲ Montagne

Altitude et profondeur (m)

4000
3000
2000
1000
500
200
0 — niveau de la mer
200
2000
4000
moins de 6000

EUROPE

ASIE

Madère

Détroit de Gibraltar

Mer Méditerranée

Mont Toubkal (4165 m) ▲

Îles Canaries

Monts Atlas

Delta du Nil

Canal de Suez

Sinaï

Golfe de Suez

Tropique du Cancer

Massif du Hoggar

Désert de Libye

Lac Nasser

Désert de Nubie

Mer Rouge

Îles du Cap Vert

Mont Tahat (2918 m)

Désert du Sahara

Ténéré

Tibesti

Emi Koussi (3415 m) ▲

Sénégal

Niger

Sahel

Lac Tchad

Nil

Ras Dachan (4620 m) ▲

Lac Tana

Golfe d'Aden

Gambie

Benue

Lac Volta

Plateau de l'Adamaoua

Nil Blanc

Nil Bleu

Massif Éthiopien

Delta du Niger

Bioko

Mont Cameroun (4100 m) ▲

Congo

Oubangui

Bassin du Congo

Mont Stanley (5109 m) ▲

Vallée du Rift africain

Lac Victoria

Lac Turkana

Mont Kenya (5199 m) ▲

Équateur

Golfe de Guinée

Kasaï

Mont Kilimandjaro (5895 m) ▲

Plaine du Serengeti

Seychelles

OCÉAN INDIEN

Steppe Massaï

Cuanza

Lac Tanganyika

Sainte-Hélène

Cunene

Plateau de Bié

Lac Malawi

Comores

Mayotte

Chutes Victoria

Lac Kariba

Zambèze

Canal de Mozambique

Madagascar

OCÉAN ATLANTIQUE

Désert de Namib

Désert du Kalahari

Limpopo

Maurice

La Réunion

Tropique du Capricorne

Orange

Vaal

Thabana Ntlenyana (3482 m) ▲

N
O — E
S

Monts Drakensberg

Cap de Bonne-Espérance

Cap des Aiguilles

Méridien de Greenwich

0   400   800 km

Projection azimutale équivalente de Lambert

Légende
★ Capitale nationale
— Frontière internationale

EUROPE

ASIE

Détroit de Gibraltar

Madère (Por.)

Îles Canaries (Esp.)

Mer Méditerranée

Tunis
Alger
★ Tripoli
TUNISIE

Rabat
MAROC

Le Caire

El Aïun
ALGÉRIE
LIBYE
ÉGYPTE

Sahara-Occidental

Tropique du Cancer

MAURITANIE
Nouakchott

MALI

Niger

NIGER

TCHAD

Mer Rouge

CAP-VERT

Sénégal

Dakar
Praia
GAMBIE ★SÉNÉGAL
Banjul★
Bissau
GUINÉE-BISSAU

Bamako

Niamey
Ouagadougou
BURKINA FASO

Lac Tchad

Khartoum

ÉRYTHRÉE
Asmara

DJIBOUTI
Golfe d'Aden

Nil

Nil Bleu

SOUDAN

N'Djamena
NIGERIA
Abuja

Djibouti

Conakry
Freetown★
SIERRA LEONE
GUINÉE

GHANA
TOGO
BÉNIN

Porto-Novo

RÉPUBLIQUE CENTRAFRICAINE

ÉTHIOPIE
Addis-Abeba

Nil Blanc

Monrovia★
LIBERIA
Yamoussoukro
CÔTE D'IVOIRE
Lomé
Accra

Malabo
CAMEROUN
Yaoundé

Bangui
Congo

SOMALIE

Mogadiscio

Golfe de Guinée

Sao Tomé
SAO TOMÉ-ET-PRINCIPE

Libreville
GABON
CONGO

GUINÉE ÉQUATORIALE

Brazzaville

Kinshasa

RÉPUBLIQUE DÉMOCRATIQUE DU CONGO

OUGANDA
Kampala

RWANDA
Kigali
BURUNDI
Bujumbura

Lac Victoria

KENYA
Nairobi

SEYCHELLES
Victoria

Équateur

Cabinda (Angola)

Luanda

Dodoma
Lac Tanganyika
TANZANIE

OCÉAN INDIEN

OCÉAN ATLANTIQUE

ANGOLA

Lac Malawi

COMORES
Moroni

Sainte-Hélène (R.-U.)

ZAMBIE
Lusaka

MALAWI
Lilongwe
MOZAMBIQUE

MADAGASCAR
Antananarivo

MAURICE
Port-Louis

Zambèze

Harare

NAMIBIE

Windhoek

BOTSWANA
Gaborone

ZIMBABWE

Limpopo

Canal de Mozambique

La Réunion (Fr.)

Tropique du Capricorne

Pretoria
Mbabane★
Maputo
SWAZILAND

Orange

Maseru
AFRIQUE DU SUD
LESOTHO

Le Cap

N O E S

Méridien de Greenwich

0   400   800 km

40°N
30°N
20°N
10°N
0°
10°S
20°S
30°S
40°S

30°O 20°O 10°O 0° 10°E 20°E 30°E 40°E 50°E 60°E

Projection azimutale équivalente de Lambert

Projection conique conforme de Lambert

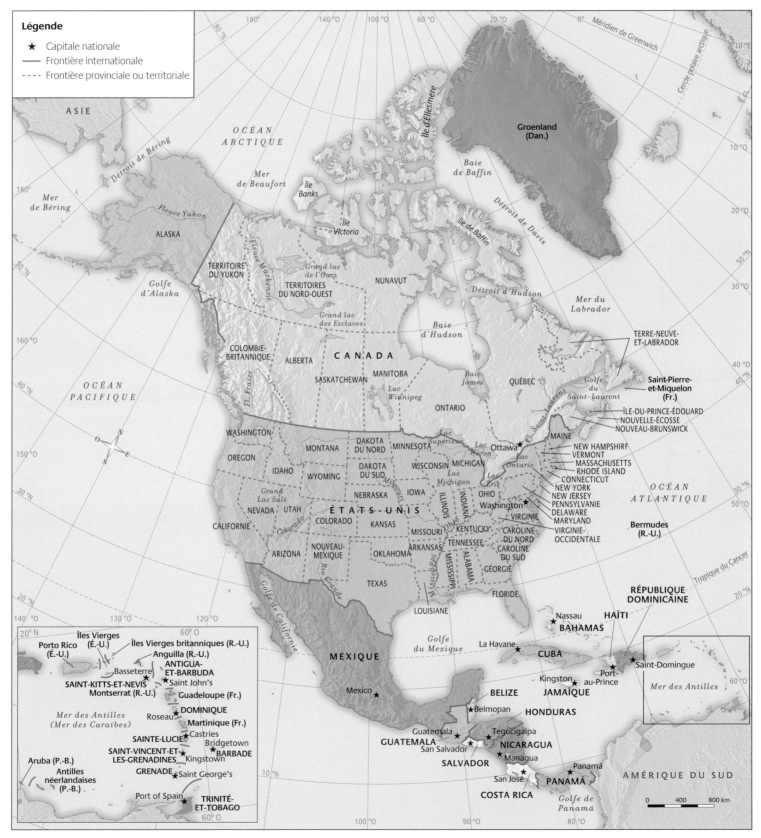

Légende

★ Capitale nationale
— Frontière internationale
---- Frontière provinciale ou territoriale

ASIE

OCÉAN ARCTIQUE

Détroit de Béring

Mer de Béring

Fleuve Yukon

Mer de Beaufort

Île Banks

Île Victoria

ALASKA

Golfe d'Alaska

Grand lac de l'Ours

TERRITOIRE DU YUKON

TERRITOIRES DU NORD-OUEST

Fleuve Mackenzie

NUNAVUT

Île d'Ellesmere

Groenland (Dan.)

Baie de Baffin

Détroit de Davis

Île de Baffin

Détroit d'Hudson

Cercle polaire arctique

Méridien de Greenwich

OCÉAN PACIFIQUE

COLOMBIE-BRITANNIQUE

ALBERTA

Fl. Fraser

SASKATCHEWAN

MANITOBA

CANADA

Grand lac des Esclaves

Lac Winnipeg

Baie James

Baie d'Hudson

Mer du Labrador

TERRE-NEUVE-ET-LABRADOR

ONTARIO

QUÉBEC

Golfe du Saint-Laurent

Saint-Pierre-et-Miquelon (Fr.)

ÎLE-DU-PRINCE-ÉDOUARD
NOUVELLE-ÉCOSSE
NOUVEAU-BRUNSWICK

Fl. Saint-Laurent

WASHINGTON

OREGON

IDAHO

MONTANA

WYOMING

NEVADA

UTAH

Grand Lac Salé

Colorado

CALIFORNIE

ARIZONA

NOUVEAU-MEXIQUE

DAKOTA DU NORD

DAKOTA DU SUD

NEBRASKA

COLORADO

KANSAS

OKLAHOMA

Rio Grande

TEXAS

MINNESOTA

WISCONSIN

IOWA

MISSOURI

ARKANSAS

LOUISIANE

Missouri

Lac Supérieur

Lac Michigan

Lac Huron

MICHIGAN

ILLINOIS

INDIANA

Ohio

KENTUCKY

TENNESSEE

MISSISSIPPI

ALABAMA

GÉORGIE

FLORIDE

OHIO

Lac Érié

Lac Ontario

Ottawa ★

Washington ★

VIRGINIE

CAROLINE DU NORD

CAROLINE DU SUD

É T A T S - U N I S

MAINE
NEW HAMPSHIRE
VERMONT
MASSACHUSETTS
RHODE ISLAND
CONNECTICUT
NEW YORK
NEW JERSEY
PENNSYLVANIE
DELAWARE
MARYLAND
VIRGINIE-OCCIDENTALE

Bermudes (R.-U.)

OCÉAN ATLANTIQUE

Tropique du Cancer

MEXIQUE

Golfe de Californie

Mexico ★

Golfe du Mexique

La Havane

CUBA

Nassau ★

BAHAMAS

HAÏTI

RÉPUBLIQUE DOMINICAINE

Saint-Domingue ★

Kingston ★

Port-au-Prince ★

JAMAÏQUE

Mer des Antilles

BELIZE

Belmopan ★

Guatemala ★

GUATEMALA

San Salvador ★

SALVADOR

HONDURAS

Tegucigalpa ★

NICARAGUA

Managua ★

San José ★

COSTA RICA

Panamá ★

PANAMÁ

Golfe de Panamá

AMÉRIQUE DU SUD

0   400   800 km

Carton (encadré inférieur gauche) :

20° N

60° O

Îles Vierges (É.-U.)

Porto Rico (É.-U.)

Îles Vierges britanniques (R.-U.)

Anguilla (R.-U.)

ANTIGUA-ET-BARBUDA

Basseterre

Saint John's ★

SAINT-KITTS-ET-NEVIS

Montserrat (R.-U.)

Guadeloupe (Fr.)

Mer des Antilles (Mer des Caraïbes)

Roseau ★

DOMINIQUE

Martinique (Fr.)

Castries ★

SAINTE-LUCIE

Bridgetown ★

BARBADE

SAINT-VINCENT-ET-LES-GRENADINES

Kingstown ★

Aruba (P.-B.)

Antilles néerlandaises (P.-B.)

GRENADE

Saint George's ★

Port of Spain ★

TRINITÉ-ET-TOBAGO

60° O

Projection conique conforme de Lambert

OCÉAN
PACIFIQUE

AMÉRIQUE
CENTRALE

Mer des Antilles

Golfe du
Venezuela

Pico Cristóbal Colón
(5775 m)

Lagune de
Maracaïbo

Golfe de
Panama

Llanos

Orénoque

Massif des Guyanes

Équateur

Chimborazo (6310 m)

Golfe de
Guayaquil

Îles Galapagos

Madgalena

Cordillère

Putumayo

Japurá

Rio Negro

Amazone

Bassin
Amazonien

Amazone

Cap São
Roque

Juruá

Purus

Ucayali

Selvas

Madeira

Tapajós

Tocantins

Nevado Huascaran
(6768 m)

des Andes

Lac
Titicaca

São Francisco

Plateau du
Mato Grosso

Plateau
du Brésil

OCÉAN
PACIFIQUE

Fosse d'Atacama
-7971 m

Altiplano

Désert d'Atacama

Tropique du Capricorne

Cordillère des Andes

Gran Chaco

Paraná

Nevado Ojos del Salado
(6891 m)

Salado

Paraná

Uruguay

Lagoa
dos Patos

OCÉAN
ATLANTIQUE

Aconcagua
(6960m)

Pampas

Rio de
La Plata

Île
de Chiloe

Patagonie

Îles Falkland
(Îles Malouines)

Bahia
Grande

Tierra del Fuego
(Terre de Feu)

Géorgie du Sud

Détroit
de Magellan

Cap Horn

Détroit de Drake

Légende

▲ Montagne

Altitude et profondeur (m)

4000
3000
2000
1000
500
200
0 — niveau de la mer
200
2000
4000
moins de 6000

0   200   400   600 km

Projection conique équivalente de Lambert

Projection conique équivalente de Lambert

Projection de Bonne

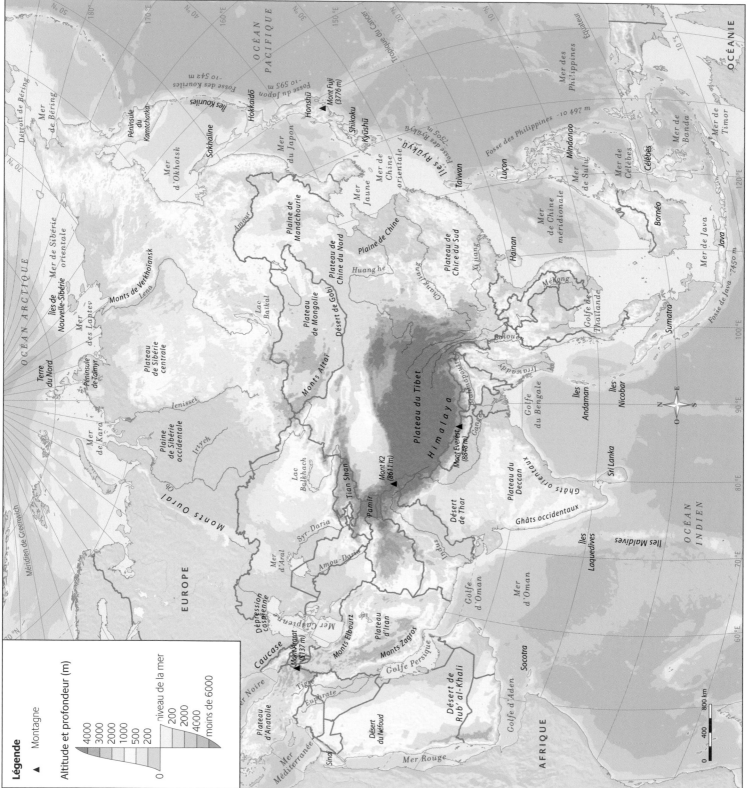

OCÉAN PACIFIQUE

Détroit de Béring

Mer de Béring

Péninsule du Kamtchatka

OCÉAN ARCTIQUE

Mer de Sibérie orientale

Terre du Nord

Îles de Nouvelle-Sibérie

Péninsule de Taïmyr

Mer des Laptev

Monts de Verkhoïansk

Lena

Sakhaline

Mer d'Okhotsk

Îles Kouriles

Fosse des Kouriles -10 542 m

Fosse du Japon -10 595 m

Hokkaidō

Honshū

Mont Fuji (3776 m)

Shikoku

Kyūshū

Mer du Japon

Mer Jaune

Mer de Chine orientale

Îles Ryūkyū

Fosse des Ryūkyū -7 505 m

Taiwan

Fosse des Philippines -10 497 m

Tropique du Cancer

Mer des Philippines

Mindanao

Luçon

Mer de Sulu

Mer de Célèbes

Célèbes

Mer de Banda

Mer de Timor

OCÉANIE

Équateur

Plaine de Mandchourie

Amour

Plateau de Chine du Nord

Plaine de Chine

Huang he

Chang Jiang

Mer de Chine méridionale

Hainan

Plateau de Chine du Sud

Xijiang

Bornéo

Mer de Java

Java

Fosse de Java -7 450 m

Sumatra

Golfe de Thaïlande

Mékong

Saloue

Plateau de Sibérie centrale

Plateau de Mongolie

Désert de Gobi

Lac Baïkal

Monts Altaï

Ienisseï

Plateau du Tibet

Himalaya

Mont Everest (8848 m)

Brahmapoutre

Gange

Plaine de Sibérie occidentale

Irtych

Lac Balkhach

Tian Shan

Pamir

Mont K2 (8611 m)

Désert de Thar

Plateau du Deccan

Ghâts orientaux

Golfe du Bengale

Îles Andaman

Îles Nicobar

Sri Lanka

OCÉAN INDIEN

Monts Oural

EUROPE

Syr-Daria

Amou-Daria

Mer d'Aral

Ghâts occidentaux

Indus

Îles Laquedives

Îles Maldives

Dépression Caspienne

Mer Caspienne

Plateau d'Iran

Golfe d'Oman

Mer d'Oman

Monts Elbourz

Mont Ararat (5137 m)

Caucase

Monts Zagros

Golfe Persique

Désert de Rub' al-Khali

Golfe d'Aden

Socotra

AFRIQUE

Mer Noire

Tigre

Euphrate

Plateau d'Anatolie

Désert du Néfoud

Sinaï

Mer Rouge

Mer Méditerranée

Meridien de Greenwich

N. 80°

N. 70°

N. 60°

N. 40°

N. 30°

180°

170° E

160° E

150° E

40° E

30° E

20° N

10° S

120° E

100° E

90° E

80° E

70° E

60° E

O - E - S

Légende

▲ Montagne

Altitude et profondeur (m)

4000
3000
2000
1000
500
200
0

niveau de la mer

200
2000
4000
moins de 6000

0   400   800 km

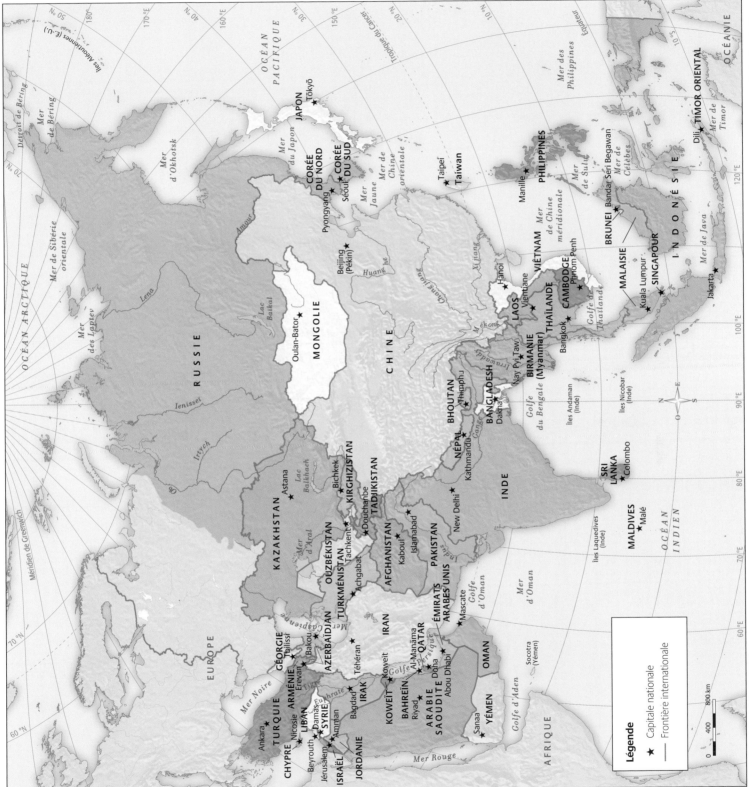

Projection de Bonne

Légende

★ Capitale nationale

— Frontière internationale

0 400 800 km

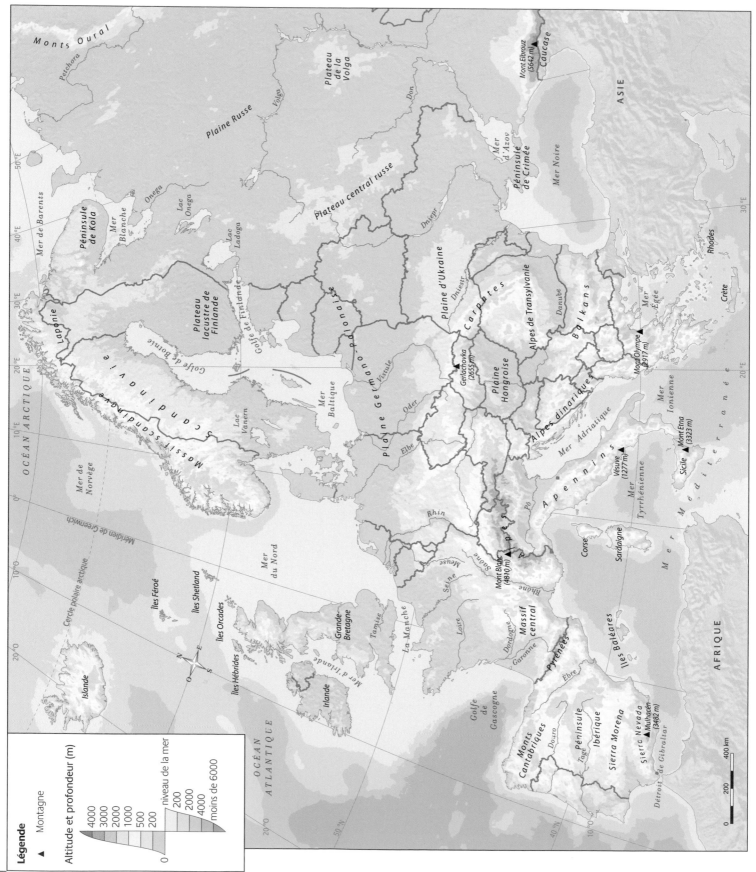

Projection azimutale équivalente de Lambert

Légende

▲ Montagne

Altitude et profondeur (m)

4000
3000
2000
1000
500
200
0

niveau de la mer
200
2000
4000
moins de 6000

0 200 400 km

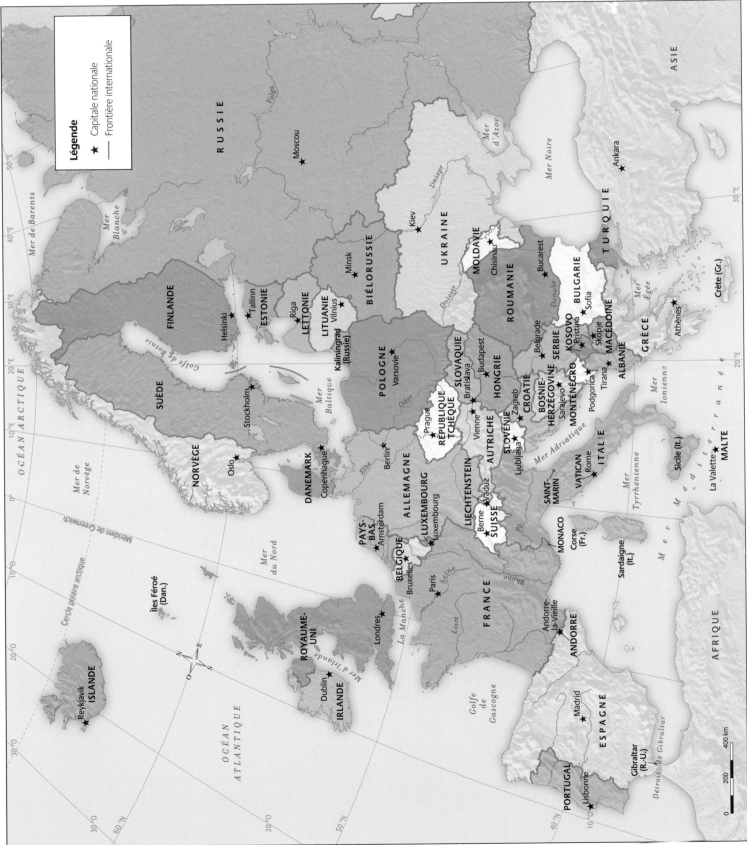

Projection azimutale équivalente de Lambert

Légende
★ Capitale nationale
— Frontière internationale

RUSSIE

Moscou ★

ASIE

Mer de Barents

Mer Blanche

Mer d'Azov

Mer Noire

Kiev ★

UKRAINE

Ankara ★

TURQUIE

FINLANDE

Minsk ★

BIÉLORUSSIE

MOLDAVIE
Chisinau ★

Bucarest ★

Crète (Gr.)

Helsinki ★

Tallinn ★
ESTONIE

Riga ★
LETTONIE

Vilnius ★
LITUANIE

ROUMANIE

Danube

BULGARIE
Sofia ★

Mer Égée

GRÈCE

Athènes ★

Golfe de Botnie

Dniestr

Dniepr

Kaliningrad
(Russie)

Varsovie ★
POLOGNE

Belgrade ★
SERBIE

KOSOVO
Pristina ★

Skopje ★
MACÉDOINE

OCÉAN ARCTIQUE

SUÈDE

Stockholm ★

Mer Baltique

Oder

Budapest ★
HONGRIE

SLOVAQUIE
Bratislava ★

CROATIE
Zagreb ★

BOSNIE-
HERZÉGOVINE
Sarajevo ★

MONTÉNÉGRO
Podgorica ★

Tirana ★
ALBANIE

NORVÈGE

Oslo ★

Mer de Norvège

Copenhague ★
DANEMARK

Berlin ★

Elbe

Prague ★
RÉPUBLIQUE
TCHÈQUE

Vienne ★
AUTRICHE

SLOVÉNIE
Ljubljana ★

Mer Adriatique

Mer Ionienne

Méridien de Greenwich

PAYS-
BAS
Amsterdam ★

ALLEMAGNE

LUXEMBOURG
Luxembourg ★

LIECHTENSTEIN
Vaduz ★

Berne ★
SUISSE

SAINT-
MARIN

VATICAN
Rome ★
ITALIE

Mer
Tyrrhénienne

Sicile (It.)

La Valette ★
MALTE

Mer Méditerranée

Cercle polaire arctique

Mer du Nord

BELGIQUE
Bruxelles ★

Paris ★
Seine

Po

MONACO

Corse
(Fr.)

Sardaigne
(It.)

Mer

Îles Féroé
(Dan.)

La Manche

Rhône

FRANCE

Loire

Andorre-
la-Vieille ★
ANDORRE

AFRIQUE

ROYAUME-
UNI

Londres ★

Mer d'Irlande

Golfe
de
Gascogne

ISLANDE
Reykjavik ★

Dublin ★
IRLANDE

OCÉAN
ATLANTIQUE

Madrid ★
ESPAGNE

Gibraltar
(R.-U.)

Détroit de Gibraltar

PORTUGAL
Lisbonne ★

0   200   400 km

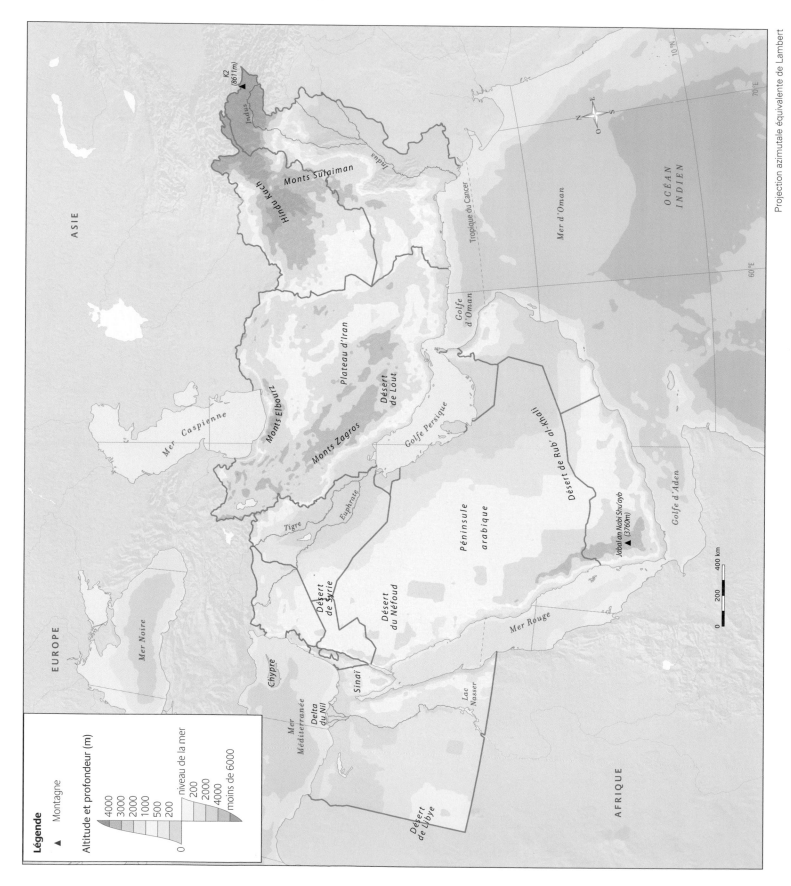

Projection azimutale équivalente de Lambert

Légende

▲ Montagne

Altitude et profondeur (m)

4000
3000
2000
1000
500
200
0

niveau de la mer

200
2000
4000
moins de 6000

ASIE

EUROPE

AFRIQUE

OCÉAN INDIEN

K2 (8611m)

Indus

Monts Sulaiman

Hindu Kuch

Indus

Tropique du Cancer

Mer d'Oman

Golfe d'Oman

Plateau d'Iran

Désert de Lout

Monts Elbourz

Mer Caspienne

Monts Zagros

Golfe Persique

Désert de Rub' al-Khali

Golfe d'Aden

Jabal an Nabi Shu'ayb (3760m)

Péninsule arabique

Euphrate

Tigre

Désert de Syrie

Désert du Néfoud

Mer Rouge

Lac Nasser

Mer Noire

Chypre

Sinaï

Mer Méditerranée

Delta du Nil

Désert de Libye

0   200   400 km

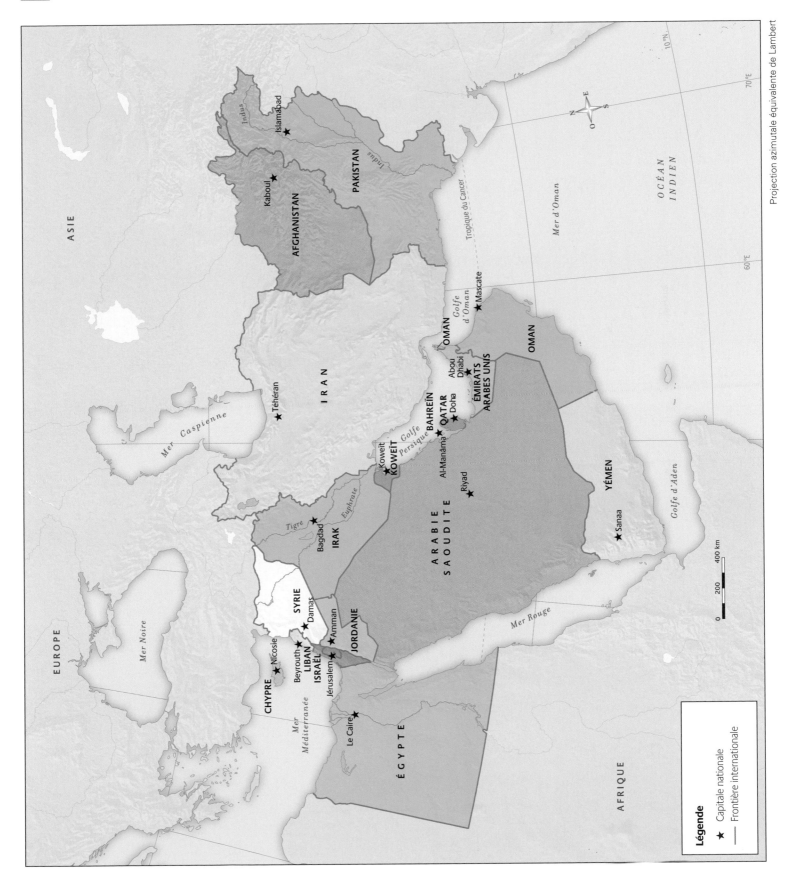

Projection azimutale équivalente de Lambert

ASIE

EUROPE

AFRIQUE

OCÉAN INDIEN

PAKISTAN

Islamabad ★

Indus

AFGHANISTAN

Kaboul ★

Indus

IRAN

Téhéran ★

Mer Caspienne

OMAN

Mer d'Oman

Mascate ★

Golfe d'Oman

Tropique du Cancer

Abou Dhabi ★

ÉMIRATS ARABES UNIS

OMAN

BAHREÏN

QATAR

Doha ★

Al-Manâma ★

Golfe Persique

Koweït ★

KOWEÏT

Riyad ★

ARABIE SAOUDITE

Euphrate

Tigre

Bagdad ★

IRAK

YÉMEN

Sanaa ★

Golfe d'Aden

Mer Noire

SYRIE

Damas ★

Amman ★

JORDANIE

Nicosie ★

Beyrouth ★

LIBAN

ISRAËL

Jérusalem ★

CHYPRE

Mer Méditerranée

Le Caire ★

ÉGYPTE

Mer Rouge

10°N

70°E

60°E

400 km

200

0

Légende

★ Capitale nationale

—— Frontière internationale

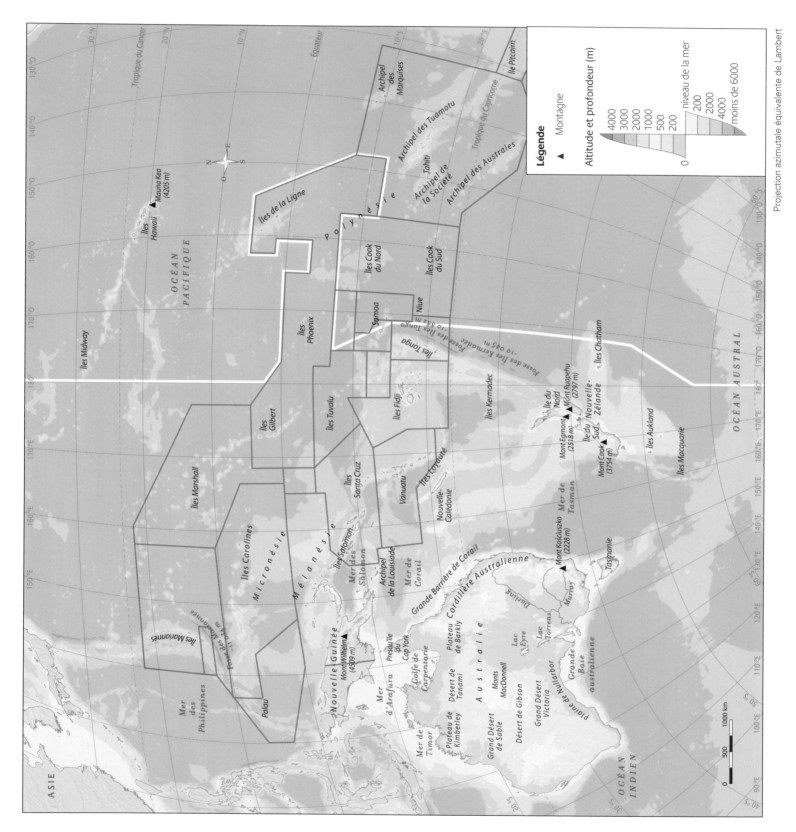

Projection azimutale équivalente de Lambert

Légende

▲ Montagne

Altitude et profondeur (m)

4000
3000
2000
1000
500
200
0
niveau de la mer
200
2000
4000
moins de 6000

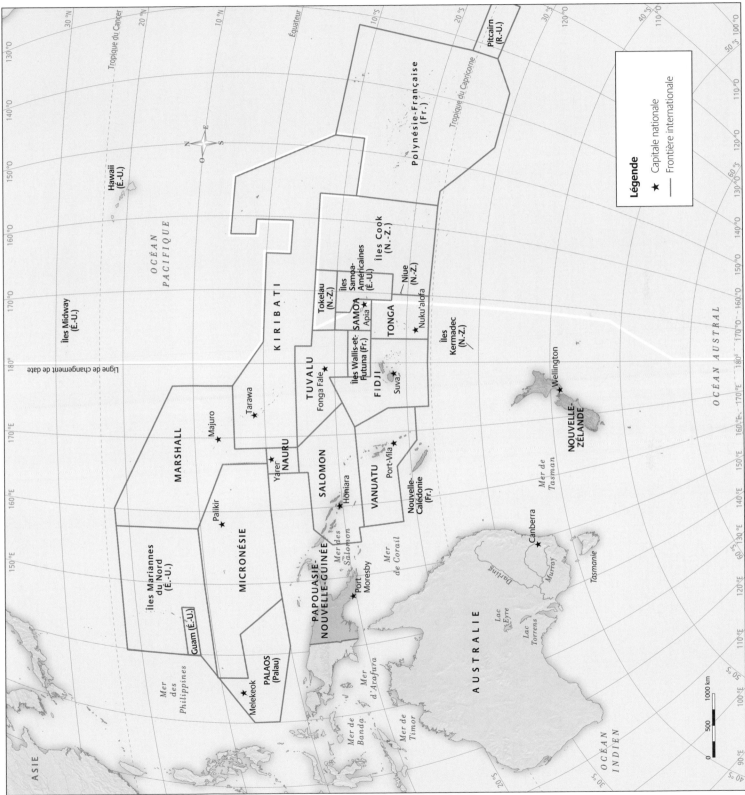

Projection azimutale équivalente de Lambert

Légende

★ Capitale nationale
— Frontière internationale

OCÉAN PACIFIQUE

OCÉAN AUSTRAL

OCÉAN INDIEN

ASIE

Tropique du Cancer

Équateur

Tropique du Capricorne

Ligne de changement de date

Hawaii (É.-U.)

Îles Midway (É.-U.)

Pitcairn (R.-U.)

Polynésie-Française (Fr.)

Îles Cook (N.-Z.)

Samoa Américaines (É.-U)

Tokelau (N.-Z.)

Îles

Niue (N.-Z.)

SAMOA
Apia ★

TONGA
★ Nuku'alofa

Îles Kermadec (N.-Z.)

KIRIBATI

TUVALU
Fonga Fale ★

Îles Wallis-et-Futuna (Fr.)

FIDJI
Suva ★

Tarawa ★

MARSHALL
Majuro ★

NAURU
Yaren ★

SALOMON
Honiara ★

VANUATU
Port-Vila ★

Nouvelle-Calédonie (Fr.)

Wellington ★

NOUVELLE-ZÉLANDE

Mer de Tasman

Palikir ★

MICRONÉSIE

Îles Mariannes du Nord (É.-U.)

Guam (É.-U.)

PALAOS (Palau)

Melekeok ★

Mer des Philippines

PAPOUASIE-NOUVELLE-GUINÉE

Mer des Salomon

Port Moresby ★

Mer de Corail

Mer d'Arafura

Mer de Banda

Mer de Timor

AUSTRALIE

Lac Eyre

Lac Torrens

Darling

Murray

Canberra ★

Tasmanie

1000 km

500

0

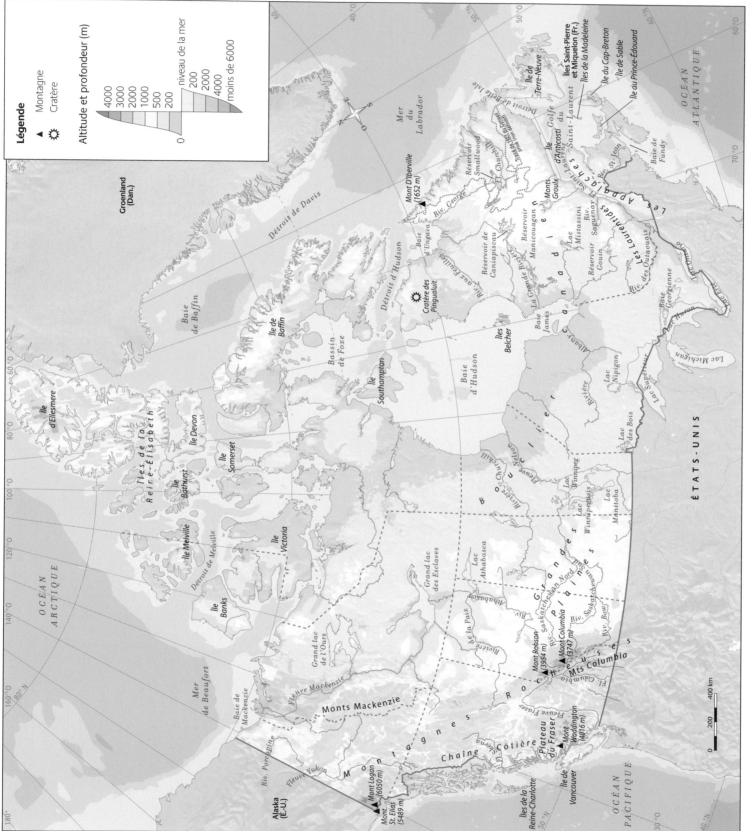

Projection azimutale équivalente de Lambert

Légende

▲ Montagne
✴ Cratère

Altitude et profondeur (m)

4000
3000
2000
1000
500
200
niveau de la mer
0
200
2000
4000
moins de 6000

Groenland
(Dan.)

Détroit de Davis

Baie
de Baffin

Île de
Baffin

Bassin
de Foxe

Île
Southampton

Détroit d'Hudson

Baie
d'Ungava

Mont D'Iberville
(1652 m)

Mer
du
Labrador

Détroit de Belle Isle

Île de
Terre-Neuve

Golfe
du
Saint-Laurent

Îles Saint-Pierre
et Miquelon (Fr.)
Îles de la Madeleine

Île du Cap-Breton
Île de Sable

Île du Prince-Édouard

OCÉAN
ATLANTIQUE

Baie de
Fundy

Riv. St-Jean

Les Appalaches

Monts
Groulx

Fl. Churchill

Réservoir
Smallwood

Riv. George

Réservoir de
Caniapiscau

Réservoir
Manicouagan

La Grande Rivière

Riv. aux Feuilles

Baie
James

Îles
Belcher

Baie
d'Hudson

Île
d'Ellesmere

Île Devon

Île
Somerset

Îles de la
Reine-Élisabeth

Île
Bathurst

Île
Melville

Île
Victoria

Détroit de Melville

Île
Banks

OCÉAN
ARCTIQUE

Mer
de Beaufort

Baie de
Mackenzie

Grand lac
de l'Ours

Grand lac
des Esclaves

Fleuve Mackenzie

Monts Mackenzie

Lac
Athabasca

Rivière de la Paix

Riv. Athabasca

Cratère des
Pingualuit

Lac Mistassini

Réservoir
Gouin

Riv.
Saguenay

Riv. des Outaouais

Baie
Georgienne

Lac
Nipigon

Lac Huron

Lac Michigan

Lac
Supérieur

Lac
des Bois

Lac
Winnipeg

Lac
Winnipegosis

Lac
Manitoba

Fleuve Nelson

Rivière Churchill

Riv. Saskatchewan Nord

Riv. Saskatchewan

Riv. Bow

Mont Robson
(3954 m)
Mont Columbia
(3747 m)

Mts Columbia

Fl. Columbia

Grandes Plaines

Bouclier canadien

Montagnes Rocheuses

Mont Waddington
(4016 m)

Plateau
du Fraser

Fleuve Fraser

Chaîne Côtière

Chaîne Stikine

Fleuve Yukon

Riv. Porcupine

Mont Logan
(6050 m)

Mont
St. Elias
(5489 m)

Alaska
(É.-U.)

Île de
Vancouver

Îles de la
Reine-Charlotte

OCÉAN
PACIFIQUE

ÉTATS-UNIS

0 200 400 km

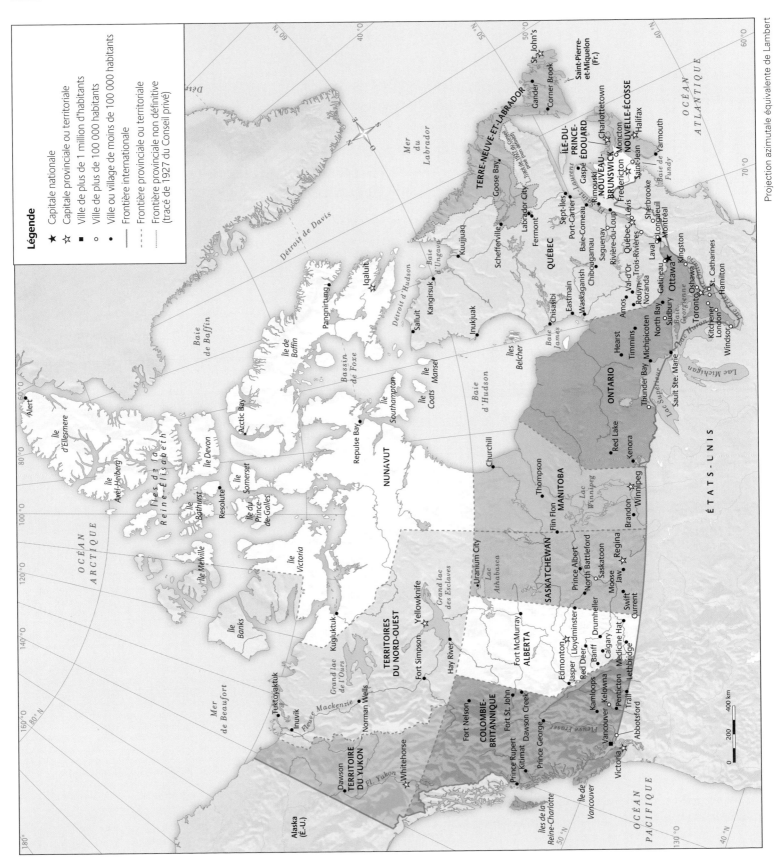

Projection azimutale équivalente de Lambert

Légende

★ Capitale nationale
☆ Capitale provinciale ou territoriale
■ Ville de plus de 1 million d'habitants
○ Ville de plus de 100 000 habitants
● Ville ou village de moins de 100 000 habitants
— Frontière internationale
--- Frontière provinciale ou territoriale
⋯⋯ Frontière provinciale non définitive
(tracé de 1927 du Conseil privé)

BREAKING NEWS
KARADZIC AT THE HAGUE
Karadzic plea entered as 'not guilty' by tribunal
BBC WORLD NEWS   FORMER BOSNIAN SERB LEADER RADOVAN

KIN SPECIALIST & Cosmetologist
Room No. 113rd Floor
Ph. 7789666 - 7789677
➜ TAJ MEDICAL COMPLEX

LES CLÉS DE L'INFO

Média Moyen de communication qui sert à transmettre un contenu à une personne ou à un groupe. Les principaux médias sont : Internet, la presse écrite, les livres, les affiches, la télévision, la radio, le cinéma et le téléphone cellulaire.

Médias électroniques Radio et télévision. Les termes « nouveaux médias électroniques » ou « nouveaux médias » s'appliquent au réseau Internet et aux appareils portables qui véhiculent de l'information, tel le téléphone cellulaire.

Agence de presse Organisation qui vend de l'information (nouvelles, reportages, images, etc.) à des médias. Les agences les plus connues sont : La Presse canadienne, l'Agence France-Presse (AFP), Reuters et l'Associated Press.

■ Qu'est-ce que l'information ?

Les **médias** diffusent divers types de contenus : divertissement, publicité, information journalistique, etc. Le rôle de l'information journalistique est de faire connaître au public les enjeux du monde contemporain. C'est en bonne partie grâce à ce type d'information que les citoyens peuvent se forger une opinion sur le monde dans lequel ils vivent. Il importe donc de comprendre comment est produite cette information et quelles en sont les limites.

Les **médias électroniques** et écrits communiquent de grandes quantités d'informations de toutes sortes : les faits divers, tels les accidents et les incendies ; l'actualité politique locale, nationale ou internationale ; les nouvelles sportives, culturelles, économiques, etc. Malgré leur diversité, tous ces sujets répondent à la même définition du terme « information ».

Une information est un fait, généralement récent, que des journalistes et des médias jugent important de porter à la connaissance du public.

L'information peut provenir d'origines diverses : une recherche entreprise par des journalistes, un renseignement rapporté par des citoyens, une dépêche ou un reportage produit par une **agence de presse** située à l'étranger, une conférence de presse donnée par une personnalité politique ou une entreprise, etc. Mais quelle que soit son origine, l'information que transmettent les journalistes doit se rapporter à un fait ou à un événement réel. Le travail journalistique consiste principalement à recueillir les faits essentiels pour comprendre un événement, à les vérifier et à choisir les aspects les plus importants à communiquer aux lecteurs ou aux spectateurs.

Le traitement de l'information

Comme le travail journalistique consiste essentiellement à rapporter des faits d'intérêt public, cette contrainte oblige les professionnels des médias à faire de nombreux choix. Ils doivent d'abord décider quels événements couvrir. Une fois sur place, ils ont à déterminer quels faits méritent d'être vérifiés, afin de bien saisir la portée de l'événement. Enfin, il leur appartient de décider quels faits seront communiqués au public. À chacune de ces étapes, l'interprétation et le jugement personnel entrent en jeu. Ainsi, il se peut qu'un même événement soit décrit de manières différentes par les journalistes qui le couvrent.

1 **Le pour et le contre**

Les journalistes s'efforcent de montrer différents points de vue, ce qui peut parfois semer la confusion. Par exemple, un reportage sur les changements climatiques propose deux points de vue : celui de scientifiques qui croient que l'activité humaine est responsable des changements climatiques, et celui d'autres scientifiques qui soutiennent le contraire. Le public peut penser que la communauté scientifique est divisée à ce sujet. Pourtant, dans les faits, la plupart des scientifiques s'entendent pour dire que les humains en sont les principaux responsables. Prise en 2006, la photographie ci-contre montre une zone très polluée située près d'une usine au Yutian, à 100 km de Beijing, en Chine.

Par ailleurs, les médias qui diffusent les nouvelles ont chacun une approche différente. Par exemple, certains s'intéressent davantage à l'aspect humain des événements, alors que d'autres mettent plutôt l'accent sur leurs conséquences sociales ou politiques.

Les médias se basent également sur des critères de sélection généraux afin de déterminer si un fait ou un événement fera l'objet d'une couverture médiatique. Les éléments suivants sont généralement pris en compte.

- La **nouveauté** : un fait ou un événement récent.
- L'**impact** : un événement qui touche un grand nombre de personnes ou la société.
- La **notoriété** : les actions d'une personne ou d'une institution connue.
- La **proximité** : elle est géographique, lorsqu'un événement se déroule près du public du média ; elle est émotionnelle, s'il touche une personne à laquelle on peut s'identifier.
- Le **conflit** : les guerres, les grèves, les débats politiques, etc.
- Le **caractère inusité** : un événement insolite, inhabituel.
- L'« **air du temps** » : certains sujets se retrouvent soudainement dans l'actualité pour diverses raisons (changements dans les mentalités, lien avec des événements récents, etc.).
- L'**injustice**, l'**illégalité** et les **actes antisociaux** : des événements qui passent inaperçus jusqu'au moment où des journalistes se mettent à enquêter à leur sujet.

> **Acte antisocial** Acte qui peut causer du tort à la société, tout en étant légal.

L'information, l'analyse et l'opinion

L'information journalistique doit se limiter à rapporter les événements et les faits, sans les juger ni les commenter. Cependant, certains journalistes ont pour mandat d'analyser les événements ou de se montrer plus subjectifs. C'est pourquoi il est important de faire la distinction entre ce qui constitue l'information, ce qui relève de l'analyse et ce qui est du domaine de l'opinion.

Le *reportage* d'information présente les faits essentiels d'un événement afin que le public puisse le comprendre et se forger sa propre opinion. Même si la perception des journalistes joue un rôle dans la façon de rapporter l'événement, l'objectif d'un reportage consiste à relater les faits sans porter de jugement.

L'*analyse* vise à approfondir l'information communiquée à la population. Par exemple, dans le cas d'un conflit armé, les médias diffusent quantité d'informations sur le nombre de morts dans la journée, les villes attaquées, les déclarations des combattants, etc. Une analyse permet de replacer les événements dans leur contexte pour mieux en saisir le sens. Encore une fois, le but n'est pas de déterminer qui a raison ou qui a tort, mais de comprendre des faits qui peuvent sembler incohérents. Les articles et les reportages qui intègrent des analyses sont souvent qualifiés de « document » ou d'« analyse ».

2 Les images, ce sont aussi de l'information

En 2008, un fort tremblement de terre a touché la région du Sichuan en Chine. La secousse de 7,8 sur l'échelle Richter a fait plusieurs dizaines de milliers de victimes et détruit d'innombrables constructions.

Enfin, un *texte d'opinion* (ou un commentaire) suggère au public ce qu'il faut penser d'un événement: qui a raison, qui a tort, quelles mesures devraient être prises dans l'avenir, etc. Même si les commentateurs peuvent avancer des arguments solides, il reste que leur but n'est pas d'informer mais de convaincre. Par exemple, lorsque d'anciens politiciens commentent des événements d'actualité, le public doit tenir compte du fait que leur opinion est partisane. Les textes qui contiennent des opinions sont souvent désignés dans les médias par des termes tels que « billet », « critique » ou « commentaire ».

Les éditoriaux font également partie de la catégorie des textes d'opinion. Ces textes reflètent la **ligne éditoriale** d'un journal ou d'un média électronique. Chantal Hébert, chroniqueure-analyste politique au *Devoir*, au *Toronto Star*, à Radio-Canada et à CBC, utilise l'exemple de l'éditorial pour souligner la confusion qui règne entre information et opinion. Selon elle, la différence entre les « columnistes » [chroniqueurs-analystes] et les éditorialistes est la chose la plus mal comprise au monde. Les chroniqueurs-analystes ne sont pas payés pour refléter la ligne éditoriale d'un journal. Sinon, comment pourrait-elle travailler à la fois pour un journal fédéraliste et un journal souverainiste? La ligne éditoriale d'un média peut également transparaître dans le choix de ses chroniqueurs ou commentateurs.

3 **Chantal Hébert, chroniqueure-analyste politique**

« Ce n'est pas parce que je dis que ça va mal pour un parti que je suis contre ce parti. De la même façon, ce n'est pas parce qu'un docteur diagnostique un cancer qu'il aime le cancer. C'est parce qu'il est payé pour comprendre ce qui va ou ce qui ne va pas. C'est ça mon travail. »

Brève culturelle

L'information, le divertissement et le monde du spectacle

Au Canada et ailleurs dans le monde, les médias ont tendance à mélanger de plus en plus l'information et le divertissement. Des reportages « légers » ou spectaculaires sont intégrés à des émissions d'information sérieuses. Inversement, des politiciens participent – parfois au détriment de leur crédibilité – à des émissions d'info-variétés ou d'humour. Plusieurs médias font aussi la promotion de leurs chroniqueurs vedettes, une pratique empruntée au monde du spectacle. Certaines de ces vedettes des médias sont reconnues pour leurs interventions provocantes, qui souvent choquent davantage qu'elles n'informent.

Quelques exemples d'émissions d'infovariétés

Une marionnette (à gauche) des Guignols de l'info (France, Canal +) et Rick Mercer (à droite), animateur de Rick Mercer Report (CBC). Très populaires, ces deux émissions télévisées présentent des parodies de bulletins de nouvelles et de publicités, ainsi que des rencontres avec des personnalités connues.

Les limites de l'information

Les nouvelles que communiquent les médias sont généralement fiables. Toutefois, certains facteurs limitent la qualité de l'information transmise et sa quantité.

Les journalistes et leur environnement de travail

- Les **erreurs** : les journalistes peuvent commettre des erreurs, qui viennent parfois de leurs sources d'information.
- Le **temps de production** : il s'agit d'une des principales contraintes à la qualité de l'information. Obligés de travailler rapidement, les journalistes n'ont pas toujours le temps de vérifier tous les faits qui se rapportent à leur sujet. Cela est particulièrement vrai depuis l'avènement des chaînes d'**information continue** et de la prolifération de l'information dans Internet. Le rythme de diffusion rapide de l'information empêche parfois les journalistes d'approfondir leur sujet.
- L'**espace disponible** : la durée d'un bulletin de nouvelles est limitée, tout comme le nombre de pages d'un journal.
- Les **ressources financières** : des contraintes financières obligent tous les médias à choisir les sujets qu'ils couvriront. La couverture internationale et le journalisme d'enquête souffrent particulièrement de ce manque de ressources.

Information continue
Information offerte 24 heures sur 24 par les chaînes d'information continue dans la presse électronique.

PERSPECTIVE

L'information continue dans le monde

En 1980, la chaîne américaine CNN (Cable News Network) devient la première chaîne à diffuser des nouvelles 24 heures sur 24. Le modèle est ensuite adopté par de nombreux pays. Au Canada, Newsworld (affilié à CBC) est en ondes depuis 1989, suivi en 1995 par le Réseau de l'information (RDI, affilié à Radio-Canada), et par Le Canal Nouvelles (LCN, affilié à TVA), créé en 1997. Voici d'autres exemples : Al Jazeera, présent depuis 1996 dans le monde arabe et au Maghreb ; France 24, qui couvre l'actualité depuis 2006 ; Sky News (Royaume-Uni), en ondes depuis 1989.

Les contraintes à la libre circulation de l'information

La censure est pratiquée dans de nombreux pays non démocratiques. En 2008, selon l'organisation Reporters sans frontières, qui défend la liberté de presse dans le monde, au moins 60 journalistes ont été tués, 673 ont été arrêtés, 929 ont été agressés ou menacés, et 353 médias ont été censurés.

5 Internet censuré en Chine

Reporters sans frontières s'inquiète de la censure pratiquée en Chine sur Internet.

« La Toile chinoise est l'une des plus contrôlées au monde. Depuis le mois d'août 2007, une "cyberpolice" a été instaurée pour surveiller les connexions des internautes. Une vingtaine d'entreprises, notamment américaines, ont été contraintes de signer un "Pacte d'autodiscipline" qui les oblige à censurer le contenu des blogues qu'elles hébergent en Chine et à demander aux blogueurs de communiquer leur vraie identité. [...] Au moins 51 cyberdissidents sont actuellement enfermés en Chine pour avoir usé de leur droit à la liberté d'expression sur le Web. »

Reporters sans frontières, *Chine : Rapport annuel 2008* [en ligne], réf. du 13 février 2009.

4 De retour après une captivité en Biélorussie, en 2006

Les journalistes canadiens qui travaillent dans les pays où la censure sévit ne sont pas à l'abri de certains dangers. En avril 2006, Frédérick Lavoie, journaliste pigiste, a été emprisonné en Biélorussie pendant deux semaines parce qu'il couvrait une manifestation antigouvernementale.

Le lien étroit qui unit la liberté de presse, la liberté individuelle et la démocratie est reconnu dans certaines constitutions et autres textes fondateurs.

La Charte canadienne des droits et libertés définit la « liberté de pensée, de croyance, d'opinion et d'expression, y compris la liberté de la presse et des autres moyens de communication » comme une liberté fondamentale (article 2.b).

D'après CanLII, Institut canadien d'information juridique, « Loi constitutionnelle de 1982 » [en ligne], 1982, réf. du 2 mai 2009.

Aux États-Unis, les 10 premiers amendements à la Constitution forment le *Bill of Rights*, ou « déclaration des droits ». Le premier amendement affirme que « Le Congrès ne fera aucune loi qui interdit l'établissement ou le libre exercice d'une religion, ou qui restreint la liberté de parole ou de presse, ou le droit du peuple de se rassembler paisiblement et d'adresser des pétitions au gouvernement pour lui réclamer réparation. » (Traduction libre.)

D'après gouvernement des États-Unis, *Archives nationales, The Charters of Freedom* [en ligne], réf. du 2 mai 2009.

• Selon vous, pourquoi la liberté de presse est-elle protégée par des lois ?

Il arrive aussi que des groupes empêchent la libre circulation de l'information. Par exemple, les narcotrafiquants ou les meneurs de guérillas armées peuvent souhaiter que leurs activités demeurent inconnues du public. Ils peuvent harceler (et même tuer) les journalistes qui tentent de rapporter leurs faits et gestes.

La censure est généralement absente des pays démocratiques, sauf en temps de guerre. Cependant, la libre circulation de l'information a aussi des limites. Par exemple, le public peut avoir accès à la plupart des documents détenus par le gouvernement, à l'exception de ceux qui renferment des renseignements personnels ou commerciaux, ou encore ceux qui concernent la sécurité publique. Toutefois, l'accès public aux documents de l'État n'est pas gratuit. Les petits médias et les journalistes pigistes n'ont pas toujours les moyens d'assumer les frais exigés pour pouvoir consulter ces documents, ce qui peut nuire à leur travail.

Le rôle de la libre circulation de l'information

L'information a des effets sur la vie privée et sur la vie collective. La libre production et la libre circulation de l'information sont essentielles à la démocratie. Celle-ci s'appuie sur le principe selon lequel les citoyens sont capables de prendre des décisions quant à leur avenir collectif. Or, pour prendre des décisions éclairées, les citoyens ont besoin d'être informés.

La démocratie repose aussi sur l'idée que le pouvoir de l'État doit être surveillé afin d'empêcher les abus de toutes sortes. En effet, dans une démocratie saine, les trois pouvoirs de l'État, soit l'exécutif (le gouvernement), le législatif (l'Assemblée législative) et le judiciaire (les tribunaux), doivent être autonomes et s'équilibrer les uns les autres. Dans cette dynamique, les médias jouent le rôle d'un « quatrième pouvoir », celui qui surveille les trois autres.

Brève culturelle

Le Watergate, un scandale politique aux États-Unis

En 1972, cinq hommes sont arrêtés pour avoir pénétré illégalement dans les locaux du Comité national du Parti démocrate, situés dans l'hôtel Watergate, à Washington (États-Unis). Ils sont accusés de vol et d'écoute électronique. Le président républicain en place, Richard Nixon, nie tout lien avec les accusés. Les journalistes Bob Woodward et Carl Bernstein réussissent à prouver le contraire, grâce à une source haut placée dans la police fédérale (FBI). Leurs dénonciations entraînent la mise sur pied d'une commission d'enquête qui mènera, en juin 1974, à la démission du président Nixon.

Des journalistes au travail

Bob Woodward (à gauche) et Carl Bernstein (à droite) travaillent dans les locaux du *Washington Post*. Ils ont relaté leur enquête dans un livre, *Les hommes du président*, qui a fait l'objet d'une adaptation au cinéma.

Que sont les médias ?

Les médias jouent plusieurs rôles dans la société : divertir, vendre des produits, informer, faire réfléchir, etc. Dans cette section sera abordé le rôle d'information des médias.

Les médias ont subi des transformations importantes au cours des dernières décennies, en particulier depuis l'arrivée d'Internet, dans les années 1990. Qu'il s'agisse du mode de diffusion des informations, de leur quantité ou de leur qualité, le public peut constater jour après jour les effets de cette évolution dans les principaux médias.

Internet

De tous les médias, Internet est certainement celui qui connaît la plus forte hausse de popularité. Les quantités phénoménales d'informations auxquelles ce réseau donne accès proviennent de partout dans le monde, et sont en général offertes gratuitement. Les médias traditionnels, comme les journaux, sont aussi présents dans Internet. Par ailleurs, certains journaux et magazines n'ont pas d'équivalent papier.

Internet exerce une forte pression sur les médias traditionnels, qui se voient de plus en plus contraints d'offrir une information gratuite. Il contribue également à faire disparaître les frontières entre les différents médias. Ainsi, des journaux présentent des vidéos sur leur site Web, ou encore des chaînes de télévision mettent en ligne des dossiers étoffés sur des sujets d'actualité. De plus, le mode de fonctionnement interactif propre à Internet permet aux utilisateurs de personnaliser leur rapport à l'information. Ils peuvent, par exemple, écrire un commentaire qui sera affiché sur le site Web du média.

Comme les médias traditionnels, Internet offre différents types de contenus : sites d'organismes publics ou privés, sites d'entreprises, sites personnels, banques de données, publicité, divertissement, petites annonces, etc. Accessible principalement sur les sites Web des grands médias, l'information journalistique professionnelle ne représente qu'une infime partie des contenus offerts dans Internet.

De nombreux blogues, la plupart indépendants, laissent une grande liberté à leurs créateurs et servent surtout à diffuser des opinions. Il arrive qu'ils fournissent des sources d'information utiles aux internautes ou qu'ils débusquent certaines histoires que les médias traditionnels reprennent par la suite. Contrairement à la plupart des blogueurs indépendants, les journalistes disposent normalement de plus de ressources (temps, argent, habiletés professionnelles, etc.) pour vérifier les faits qu'ils communiquent au public.

- Pourquoi les médias présents dans Internet retirent-ils de plus en plus de revenus publicitaires ?

> **1 Quelques médias d'information présents dans Internet seulement**
>
> | **Québec** |
> | --- |
> | Branchez-vous.com |
> | **Ailleurs dans le monde** |
> | Slate.com (États-Unis) |
> | Christian Science Monitor (États-Unis) |
> | Rue 89 (France) |

2 L'évolution des revenus publicitaires d'Internet au Québec, en 2005 et en 2006

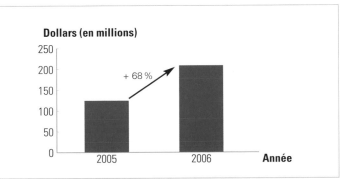

Infopresse, *Guide des médias 2008*, p. 160.

Barack Obama et Internet

Au cours de sa campagne électorale, Barack Obama (président des États-Unis élu en 2008) a habilement exploité les possibilités offertes par Internet. Il a, entre autres, mis à contribution les réseaux sociaux, comme Facebook, pour mobiliser ses partisans et obtenir du financement. Plusieurs de ses partisans ont aussi enregistré des vidéos qu'ils ont diffusées sur YouTube, ce qui a généré un apport important de publicité gratuite. Sa campagne a démontré qu'Internet permet non seulement de diffuser de l'information, mais qu'il peut aussi être mis au service des causes politiques ou sociales.

Le site Web de Barack Obama

De nombreuses personnes ont consulté le site d'Obama au cours de la campagne électorale de 2008 aux États-Unis.

> **Tirage** Nombre d'exemplaires d'une publication (livre, journal, magazine, etc.).

Les journaux

Les journaux ont pour mission de faire connaître et d'analyser l'actualité quotidienne dans tous les domaines (politique, économie, arts, sports, etc.). Ce sont également des tribunes où s'échangent des idées et des opinions. En plus de distribuer des journaux québécois et canadiens, certains points de vente spécialisés offrent de nombreux journaux étrangers.

Les quotidiens du monde entier font face actuellement à de graves difficultés financières, notamment en raison de l'abondance de l'information accessible dans Internet et de la prolifération des quotidiens gratuits. Ces derniers puisent la plus grande partie de leurs informations auprès des agences de presse, ce qui est beaucoup moins coûteux que de faire appel directement à des journalistes pour couvrir les événements.

En plus des quotidiens, de nombreux journaux hebdomadaires ou mensuels distribués dans des quartiers, des régions et des agglomérations de faible densité offrent une information locale. La plupart de ces journaux sont gratuits au Québec, mais ce n'est pas le cas ailleurs au Canada. Selon le Centre d'études sur les médias de l'Université Laval, les **tirages** de ces journaux ont augmenté de façon significative depuis les années 1990. Les revenus publicitaires qu'ils génèrent dépassent ceux d'Internet, des magazines et de la radio.

3 **Les baisses de tirages des quotidiens payants**

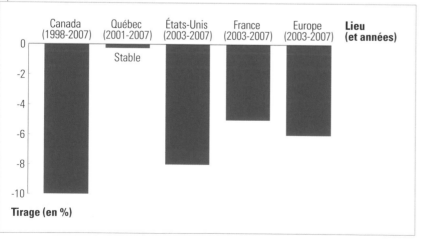

D'après Centre d'étude sur les médias, *Portraits sectoriels : Presse quotidienne* [en ligne], réf. du 13 février 2009.

Les magazines

Qu'il s'agisse de magazines grand public ou spécialisés, le contenu principal de ce type de publication est soit plus ludique soit plus approfondi que celui des journaux. Les magazines sont surtout des publications hebdomadaires, bimensuelles ou mensuelles.

De façon générale, le **lectorat** des magazines est en recul dans le monde. Au Québec, entre 1994 et 2004, la proportion de gens qui lisaient un magazine au moins une fois par mois est passée de 63 % à 53 %. De plus, le lectorat des magazines a diminué de 2003 à 2007, malgré l'arrivée sur le marché de nouvelles publications adaptées au goût du jour. Ailleurs au Canada et dans le monde, le lectorat de nombreux magazines importants est aussi en baisse.

La télévision

Dans les pays développés, des **chaînes généralistes** et des **chaînes spécialisées** se partagent la production télévisuelle. Leur propriété est soit publique soit privée. Les chaînes publiques, propriété de l'État, remplissent une mission essentielle : elles consacrent plus de temps et de ressources que les chaînes privées à l'information, aux émissions d'affaires publiques (approfondissement de l'actualité), à la culture et à l'éducation.

4 **Quelques magazines importants dans le monde**

Afrique
Jeune Afrique – L'intelligent
Canada
L'actualité
Maclean's
États-Unis
The Atlantic Monthly
The New Yorker
France
L'Express
Le Nouvel Observateur
Le Point
Royaume-Uni
The Economist

5 **Quelques chaînes de télévision publiques dans le monde**

Australie	France	Japon
ABC (Australian Broadcasting Corporation [ne pas confondre avec la chaîne privée américaine ABC])	France Télévisions, qui regroupe notamment : France 2, France 3, France 4, France 5	NHK (Nihon Hōsō Kyōkai)
Canada	**Francophonie**	**Royaume-Uni**
SRC (Société Radio-Canada) / CBC (Canadian Broadcasting Corporation) Télé-Québec TV Ontario TFO (Télévision franco-ontarienne)	TV5, une collaboration entre France 2, France 3, France 5, ARTE France, RTBF (Radio-Télévision belge de la Communauté française), TSR (Télévision suisse romande), Radio-Canada, Télé-Québec, RFO (Réseau France outre-mer)	BBC (British Broadcasting Corporation)
États-Unis		
PBS (Public Broadcasting Service)		

Lectorat Ensemble des lecteurs d'une publication.

Chaîne généraliste Chaîne de télévision qui offre une programmation diversifiée (émissions d'information, dramatiques, émissions pour enfants, etc.). Au Québec, les chaînes généralistes sont Radio-Canada, Télé-Québec, TQS, TVA, CTV et Global.

Chaîne spécialisée Chaîne de télévision dont la programmation est consacrée à un domaine précis (sports, musique, météo, etc.).

6 **La télévision : un média populaire**

En 2007, malgré la croissance d'Internet, les Québécois francophones écoutent près de 32 heures de télévision par semaine, soit presque 5 heures de plus que les autres Canadiens. Dans l'ensemble du Canada, la télévision demeure la source d'information la plus consultée.

8 **Le cinéma documentaire, une autre source d'information**

En 2006, l'Office national du film du Canada produit le documentaire *Les réfugiés de la planète bleue*. Ce film nous fait découvrir la situation de réfugiés environnementaux, des personnes qui, chaque année, sont forcées de se déplacer à cause de la détérioration de leur milieu.

Dans l'ensemble, les revenus publicitaires de la télévision sont en progression, mais la hausse est beaucoup plus marquée parmi les chaînes spécialisées. Au Québec, cette tendance menace les services d'information. À l'exception de RDI et de LCN, qui produisent de l'information en continu, seules les chaînes généralistes offrent des services de nouvelles. Cependant, produire de l'information coûte cher. Si les chaînes spécialisées continuent d'attirer les contrats publicitaires au détriment des chaînes généralistes, celles-ci pourront, selon certains, se voir obligées de restreindre les ressources consacrées à l'information.

La radio

Comme la télévision, la radio est partagée entre les chaînes publiques et les chaînes privées. Les chaînes de radio et de télévision publiques sont souvent liées : par exemple, Radio-Canada offre une programmation à la radio et une autre à la télévision. Le mandat des chaînes de radio publiques est axé sur l'information et la culture. Quant aux chaînes de radio privées, la plupart diffusent de la musique. D'autres, qu'on nomme les chaînes de radio « parlée », mettent l'accent sur l'information et le commentaire. Au Québec et au Canada, le nombre d'heures d'écoute diminue depuis l'an 2000.

7 **Le pourcentage d'heures d'écoute par type de chaîne, en 2007**

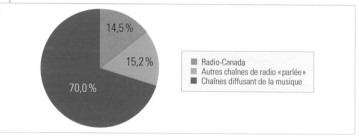

Statistique Canada, cité dans Centre d'étude sur les médias, *Portraits sectoriels : Radio* [en ligne], réf. du 13 février 2009.

Le cinéma documentaire

Le cinéma documentaire offre un regard en profondeur sur des sujets diversifiés. Certaines productions ressemblent à des reportages journalistiques fouillés. Les réalisateurs de films documentaires présentent la plupart du temps un point de vue particulier sur un sujet donné. De manière générale, ils cherchent avant tout à sensibiliser les spectateurs à des situations inacceptables (injustices, atteintes à l'environnement, etc.).

La concentration des médias

À l'exception des chaînes publiques, la majorité des médias appartiennent à des entreprises. Par exemple, une entreprise peut posséder des journaux, des magazines et des chaînes de télévision. C'est ce qu'on appelle la concentration des médias. Souvent, ces entreprises tentaculaires sont également présentes dans d'autres domaines d'affaires (câblodistribution, téléphonie, finances, etc.).

La concentration des médias provoque des inquiétudes chez certaines personnes à propos de la qualité et de l'objectivité de l'information. Selon elles, cette concentration pourrait faire en sorte que l'information rapportée par un média se retrouve au service des autres intérêts commerciaux de l'entreprise. Par exemple, un journal présente un article portant sur une émission produite par une chaîne qui appartient à la même entreprise. Les lecteurs de cet article pourraient se demander si le contenu du journal n'est pas, dans ce cas-ci, au service de l'entreprise qui est propriétaire.

Dans le même ordre d'idées, des journalistes pourraient en arriver à s'autocensurer, par crainte de représailles, s'ils produisent un reportage qui critique les façons de faire de l'entreprise. Dans un contexte de concentration des médias, les journalistes pigistes ou contractuels, qui ne peuvent compter sur la protection qu'ont leurs collègues permanents, deviennent particulièrement vulnérables à l'autocensure.

Enfin, la concentration des médias pourrait avoir des conséquences sur les services d'information. En effet, comme l'information exige un important budget de production, une entreprise pourrait choisir de miser plutôt sur les émissions de divertissement, qui génèrent plus de revenus publicitaires.

Au Québec, le journal *Le Devoir* et Radio-Canada sont les seuls médias indépendants. Au Canada, tous les grands médias, à l'exception de CBC, font partie d'entreprises de communication plus vastes.

9 **La concentration des médias, une tendance mondiale**

Silvio Berlusconi, président du Conseil (l'équivalent du premier ministre) de l'Italie (1994, 2001-2006, 2008-). Il a créé, depuis le début des années 1980, plusieurs chaînes de télévision privées qui dominent le paysage télévisuel italien. Il est aussi propriétaire de nombreux magazines, en plus d'investir dans le cinéma, la finance et le sport (il possède l'équipe de soccer A.C. Milan).

10 **Les plus importants groupes médiatiques au Canada, en 2009**

Groupe médiatique	Internet	Journaux	Magazines	Télévision	Radio	Cinéma	Autres intérêts commerciaux
Astral Média				•	•		•
BCE	•			•	•		•
Canwest	•	•		•			
Cogeco	•						•
Corus Entertainment				•	•		
CTVGlobemédia	•	•		•	•	•	
Groupe Transcontinental	•	•	•				•
Power Corporation	•	•	•				•
Quebecor	•	•	•	•		•	•
Remstar				•		•	•
RNC media				•	•		
Rogers Communications	•		•	•	•		•
Shaw Communications	•			•			•
Torstar	•	•		•			•

D'après Centre d'études sur les médias, « Propriété des médias » [en ligne], réf. du 13 février 2009.

Qui sont les professionnels de l'information ?

Derrière les bulletins télévisés et les articles de journaux se trouvent des professionnels de l'information qui rapportent l'actualité locale, nationale et internationale. Les plus connus sont les journalistes, mais bon nombre de professionnels exercent d'autres métiers essentiels à la production de l'information.

Les journalistes

Être journaliste, c'est être le témoin d'événements qu'il faut d'abord bien comprendre, puis rapporter le plus clairement et le plus fidèlement possible. Ce métier exige plusieurs compétences : sens de l'observation, jugement, esprit de synthèse et d'analyse, facilité à communiquer et à vulgariser l'information et, enfin, capacité à travailler rapidement. La polyvalence est un autre critère de plus en plus considéré. Ainsi, un reporter qui travaille dans un média écrit peut aussi être appelé à produire des vidéos destinés au site Internet de ce média.

Le métier est très diversifié. Certains journalistes couvrent des événements dans différentes sphères d'activité, alors que d'autres se spécialisent : politique, sport, culture, affaires criminelles, économie, etc.

Le contexte dans lequel s'exerce la profession varie : il peut s'agir de suivre un groupe de réfugiés en zone de guerre, de couvrir un conseil municipal, de faire des enquêtes approfondies à partir d'entrevues ou encore d'aller puiser des informations dans les dépêches des agences de presse internationales.

Les principaux supports du journalisme incluent le texte, le reportage vidéo et la photo. Certains journalistes choisissent en effet de rapporter l'information au moyen d'une caméra. Ces photojournalistes ont aussi le mandat de communiquer une information véridique et pertinente, qu'ils doivent « raconter » en images.

Les autres professionnels des médias

D'autres professionnels des médias contribuent au débat public. Les éditorialistes écrivent des textes d'opinion qui reflètent la position du journal. Les chroniqueurs forment un groupe disparate : certains se concentrent sur la collecte de faits et leur analyse, tandis que d'autres accordent une plus grande place à leurs opinions personnelles. Les animateurs d'émissions d'information (parfois eux-mêmes anciens journalistes) font des entrevues, stimulent les échanges entre participants, etc. Enfin, les critiques d'art émettent des opinions sur la valeur des œuvres qu'ils commentent. Ils doivent fournir des arguments, mais la subjectivité et les goûts personnels jouent un plus grand rôle dans leur travail.

---

1 **La proportion d'hommes et de femmes journalistes au Canada**

En 2006, le Canada comptait 13 320 journalistes, dont 55 % d'hommes et 45 % de femmes. Par ailleurs, la Fédération internationale des journalistes regroupe 600 000 membres.

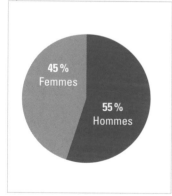

D'après Statistique Canada, Recensement 2006, *Classification nationale des professions* [en ligne], 2006.

---

2 **Les blogues**

Les blogueurs ne sont généralement pas des professionnels de l'information. Certains laissent une large place à l'opinion. Toutefois, ils mettent souvent en lumière des réalités qui autrement resteraient inconnues. Par exemple, à Cuba, un pays où la liberté de presse n'existe pas, le blogue *Generación Y*, de Yoani Sanchez, permet de découvrir la vie quotidienne sur l'île.

Quelles sont les relations entre les médias et leur public ?

Le rôle des médias est de rapporter des faits véridiques et dignes d'intérêt. Cette information permet aux citoyens de faire des choix éclairés, tant sur le plan individuel comme les choix de consommation que sur le plan collectif (les opinions politiques, par exemple). Le lien entre l'information et la démocratie est bien réel : il semble que les personnes qui suivent l'actualité ont tendance à participer plus activement à la vie politique.

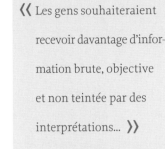

« Les gens souhaiteraient recevoir davantage d'information brute, objective et non teintée par des interprétations... »

Conseil de presse du Québec, 2008

Le public des médias

Les Canadiens sont friands d'information : dans une vaste enquête menée en 2003 par Statistique Canada, 89 % des personnes âgées de 19 ans et plus affirmaient suivre l'actualité tous les jours ou plusieurs fois par semaine.

Une confiance brisée ?

Pour que les médias puissent jouer leur rôle démocratique, il faut qu'ils aient la confiance du public. Cette confiance a été mise à l'épreuve ces dernières années. D'après une enquête menée par l'entreprise de sondages Léger Marketing en 2008, 41 % des gens font confiance aux journalistes. Il s'agit d'une baisse importante par rapport à 2002 (53 %). En France, un sondage publié en 2005 concluait que seulement 41 % des Français se fiaient à la presse écrite. La même année, aux États-Unis, l'opinion publique accordait sa confiance aux médias dans une proportion de 50 %.

Plusieurs facteurs contribuent à cette tendance, à commencer par les transformations survenues au cours des dernières années dans le monde des médias, dont une plus grande concentration de la presse. La pression liée à la quête de profits incite les propriétaires de médias à « vendre » l'information comme d'autres produits. Cette pression pousse notamment les médias vers l'information-divertissement, ce qui réduit leur crédibilité. Un autre facteur à considérer est le fait que les médias commettent parfois des erreurs importantes, aggravées par un traitement sensationnaliste. La question de l'éthique professionnelle de certains journalistes est alors soulevée.

Il reste que les gens souhaitent être informés. Afin de maintenir l'accès à une information de qualité qui permet de vraiment comprendre les enjeux de société, il importe que le public conserve un œil critique et qu'il se montre exigeant envers les médias, sans toutefois devenir cynique.

1 **Les sources d'information consultées au Canada**

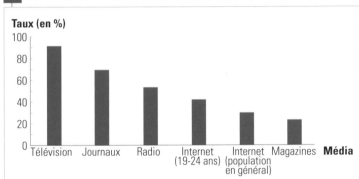

D'après Statistique Canada, *Enquête sociale générale*, 2003.

2 **Faute grave ou méprise tragique ?**

En 2006, à la suite d'une explosion, 13 mineurs se retrouvent prisonniers d'une mine aux États-Unis. Les premières informations confirment la mort d'un mineur. Puis, se basant sur les dires de certains responsables, des familles annoncent le sauvetage de tous les autres. Les médias diffusent cette nouvelle à des millions d'exemplaires. Mais en vérité, un seul mineur a survécu. Les journalistes, accusés d'avoir mal fait leur travail, rétorquent que leurs informations provenaient de sources crédibles.

Clé 1 Utiliser une démarche de recherche

Que ce soit pour approfondir un sujet, répondre à des questionnements ou vérifier des hypothèses en univers social, une démarche de recherche s'avère indispensable. Même si les étapes de cette démarche sont présentées ici dans un ordre précis, il faut souvent revenir sur ses pas pour revoir une hypothèse, ajuster son plan, introduire d'autres mots clés ou suivre la piste de nouveaux documents.

Utilité

Cette technique est utile pour :

- trouver des réponses à ses questions ;
- utiliser des stratégies d'apprentissage efficaces ;
- appuyer une interprétation ou une hypothèse ;
- présenter un travail de recherche bien planifié.

1. Prendre connaissance d'un thème ou d'un problème

- Déterminez le thème à explorer ou le problème à résoudre et expliquez-le dans vos mots.
- Faites appel à vos connaissances antérieures sur le sujet.
- Informez-vous sur le thème ou le problème (consultez votre manuel ou d'autres sources d'information, ou questionnez votre entourage).

2. S'interroger

- Choisissez des aspects précis du thème à explorer ou formulez des hypothèses, c'est-à-dire suggérez des explications possibles de ce problème.
- Formulez des questions (Quoi ? Qui ? Quand ? Pourquoi ? Où ? Depuis quand ? Comment ?).
- Organisez vos questions à l'aide de catégories (sous-thèmes).

7. Revenir sur la démarche

- En vous basant sur les commentaires de vos pairs et de votre enseignante ou enseignant, faites un retour sur votre travail.
- Les résultats de votre recherche vous satisfont-ils ? Quels en sont les points forts ? Les points faibles ?
- Vous posez-vous de nouvelles questions ?
- Si vous aviez à refaire votre démarche de recherche, que feriez-vous différemment ?

6. Communiquer les résultats de la démarche

- Prévoyez le matériel nécessaire à la présentation. Assurez-vous de maîtriser le fonctionnement de votre appareil (ordinateur, projecteur, etc.).
- Dans le cas d'un travail écrit, créez une page de titre et une table des matières.
- Dans le cas d'un exposé oral, maîtrisez votre sujet. N'ayez pas l'air de lire votre texte. Prévoyez une période de questions pour vos pairs.

3. Planifier la recherche

- Établissez un plan de recherche en organisant vos idées principales et secondaires.
- Dressez une liste de mots clés.
- Repérez des sources d'information pertinentes (manuel, atlas, encyclopédies, ouvrages d'histoire, sites Internet, journaux, magazines, etc.).
- Préparez des outils pour recueillir l'information (feuilles de notes, fiches, tableaux, tableur électronique, etc.).

4. Recueillir et traiter l'information

- Consultez les sources d'information repérées et sélectionnez les documents utiles à votre recherche.
- Vérifiez la fiabilité des documents sélectionnés.
- Recueillez les données qui vous permettent de répondre à vos questions ou de mieux comprendre votre sujet de recherche.
- Exercez votre jugement critique au moment de faire vos choix.
- Distinguez les faits des opinions.
- Transcrivez les documents et les données sélectionnés sur un support approprié (fiches, tableaux, etc.).
- Classez vos données en fonction de votre plan de recherche. Regroupez-les par mots clés, par exemple.

5. Organiser l'information

- Ajustez votre plan de recherche en fonction de l'information recueillie. Veillez à ce que l'organisation de vos données vous permette de répondre à vos questions de manière à confirmer ou à infirmer votre hypothèse.
- Choisissez un moyen de transmettre les résultats de votre collecte d'information.
- Rédigez soigneusement votre travail. Exposez clairement vos idées principales et secondaires. Utilisez le vocabulaire approprié. Évitez les répétitions. Préparez une introduction, rédigez votre développement et formulez votre conclusion.
- Prévoyez des documents visuels appropriés pour rendre votre travail dynamique (diagrammes, extraits de documents audiovisuels, repère temporel, etc.).
- Rédigez votre médiagraphie (voir la clé 9).
- Choisissez une forme de présentation : exposé oral, travail écrit, affiche, site Internet, diaporama numérique, reportage vidéo, etc.

Clé 2 Interpréter des documents écrits

Qu'il soit imprimé ou numérique, un texte nous renseigne non seulement sur un événement ou une idée, mais aussi sur la personne qui l'a produit et la société à laquelle elle appartient. Les caractéristiques des documents écrits influencent l'interprétation qu'on en fait. Ainsi, le caractère officiel ou personnel d'un texte, ou encore sa nature (texte de loi, article de presse, etc.) déterminent sa portée et sa signification. Dans le cadre d'un travail en univers social, il faut sélectionner, analyser et interpréter divers types de documents écrits.

Méthode d'interprétation

1. Préciser son intention

Quels buts visez-vous en interprétant le document ?

2. Identifier le document écrit

a) Quelle est la source du document (nom des auteurs, titre, date) ?

b) Quelle est la nature du document (texte de loi, rapport d'enquête, discours, article de journal, etc.) ?

c) À qui ce document s'adresse-t-il ?

3. Analyser le document écrit

a) Lisez le document avec attention. Y a-t-il des mots ou des expressions que vous ne comprenez pas ? Cherchez-en la définition.

b) Quelle est l'idée principale du document ? Repérez les passages qui permettent de faire ressortir cette idée principale.

c) Le document présente-t-il un fait ou une opinion ?

d) Dans quel contexte le document a-t-il été rédigé ?

4. Interpréter le document écrit

a) Selon vous, quel est le message du document ? Quel regard la personne qui l'a produit porte-t-elle sur son sujet ?

b) Quels renseignements ou précisions relevés dans le document vous aident à atteindre le but de votre recherche ?

5. Comparer des documents

a) Quelles similitudes ou différences constatez-vous entre les documents ? Quels éléments de continuité ou de changement pouvez-vous noter ?

b) Quelles précisions sur le thème à l'étude avez-vous trouvées ? Cette comparaison vous permet-elle de modifier votre interprétation du thème ?

Exemples d'interprétation

Document **1**

1. Le but est de s'informer sur les effets des changements climatiques dans l'Arctique.

2. a) Claude Villeneuve et François Richard, *Vivre les changements climatiques : quoi de neuf ?*, Sainte-Foy, Éditions MultiMondes, 2005, p. 345-346.

   b) Il s'agit d'un extrait de livre.

   c) Le document s'adresse à tous ceux qui sont intéressés à en apprendre davantage sur les effets des changements climatiques.

3. a) Le pergélisol est une couche de sol ou de roche dont la température est toujours inférieure à 0 °C pendant plusieurs années consécutives.

   b) Les changements climatiques entraînent la fonte du pergélisol, ce qui peut avoir des effets considérables sur les infrastructures et, par conséquent, sur les populations.

   c) Ce document présente essentiellement des faits. Toutefois, la dernière phrase du texte laisse transparaître l'opinion des auteurs.

   d) Ce document a été rédigé à un moment où la population est plus consciente que jamais des conséquences des changements climatiques sur les populations humaines.

4. a) La fonte du pergélisol aura des conséquences importantes sur le territoire et la population de l'Arctique.

   b) Le document nous apprend que les changements climatiques causeront la fonte du pergélisol dans l'Arctique, ce qui entraînera des glissements de terrain qui risquent de menacer les infrastructures.

---

1 Les effets des changements climatiques sur les infrastructures dans l'Arctique

« Les installations industrielles, commerciales et résidentielles aménagées dans les zones caractérisées par le pergélisol, comme dans le nord du Canada ou de la Russie, reposent littéralement sur un terrain glissant. La température agissant sur le pergélisol, ce dernier peut en effet se mettre à fondre jusqu'aux profondeurs où s'appuient normalement en toute sécurité les fondations des infrastructures.

La fonte du pergélisol causera alors des glissements de terrain, risquant le déplacement et même l'écroulement des infrastructures de services comme les égouts, les routes et les pipelines, et pourra provoquer la fonte de la couche de sol gelée jadis considérée comme imperméable, des bassins de résidus miniers et des lieux d'enfouissement.

[...] On n'ose imaginer les conséquences de ces événements sur la sécurité des populations. »

Claude Villeneuve et François Richard, *Vivre les changements climatiques : quoi de neuf ?*, Sainte-Foy, Éditions MultiMondes, 2005, p. 345-346.

Theo Allofs/Corbis, *Maisons colorées construites sur le pergélisol rocheux*, 19 juin 2006.
Les maisons du village inuit Ilulissat, au Groenland, sont construites sur le pergélisol.

« La région de l'Arctique figure au premier plan des débats sur la souveraineté canadienne. Elle suscite un regain d'intérêt en raison des effets qu'y exercent les changements climatiques, en particulier la fonte des calottes glaciaires. [...]

D'autres pays, tels que les États-Unis, la Russie, le Danemark, le Japon et la Norvège, de même que l'Union européenne, s'intéressent de plus en plus à la région et font valoir diverses revendications au regard du droit international. Selon nombre d'observateurs, la fonte des glaces entraînera au cours des prochaines décennies une intensification du trafic maritime dans le passage du Nord-Ouest, la voie de navigation qui traverse les eaux arctiques du Canada. La déclaration du Canada selon laquelle le passage fait partie de ses eaux intérieures (territoriales) est contestée par d'autres pays, dont les États-Unis, qui y voient un détroit international (c.-à-d. des eaux internationales). [...]

Si le passage était international, le Canada serait moins en mesure d'en contrôler les eaux et à plus forte raison d'y établir les règles environnementales et les pratiques en matière de transport maritime, car elles relèveraient alors vraisemblablement de l'Organisation maritime internationale. De l'avis de la plupart, pour s'assurer [le] contrôle du passage, le gouvernement du Canada devra maintenir une présence permanente dans la région afin de surveiller les allées et venues dans le passage et d'obliger ceux qui l'emprunteraient à y respecter la souveraineté qu'il revendique. »

Matthew Carnaghan et Allison Goody, « La souveraineté du Canada dans l'Arctique », *Service d'information et de recherche parlementaires, Bibliothèque du Parlement* [en ligne], 26 janvier 2006, réf. du 29 mars 2009.

Note : Les employés du Service d'information et de recherche parlementaires de la Bibliothèque du Parlement effectuent des recherches et fournissent des analyses et des conseils en matière politique aux sénateurs, aux députés et aux membres des comités de la Chambre des communes et du Sénat.

Document **2**

1. Le but est de s'informer sur les effets des changements climatiques dans l'Arctique.

2. a) Matthew Carnaghan et Allison Goody, « La souveraineté du Canada dans l'Arctique », *Service d'information et de recherche parlementaires, Bibliothèque du Parlement* [en ligne], 26 janvier 2006, réf. du 29 mars 2009.

b) Il s'agit d'un document d'information.

c) Ce document s'adresse aux parlementaires canadiens (sénateurs, députés et membres des comités de la Chambre des communes et du Sénat).

3. a) Les calottes glaciaires sont d'immenses glaciers. Les eaux internationales sont des zones maritimes sur lesquelles aucun État côtier n'a juridiction.

b) Ce document traite de la souveraineté canadienne dans l'Arctique, dans le contexte où la fonte des glaces entraînera une intensification du trafic maritime international dans le passage du Nord-Ouest.

c) Ce document présente essentiellement des faits.

d) Ce document a été rédigé pour permettre aux parlementaires canadiens de bien comprendre les enjeux de la souveraineté du Canada dans l'Arctique.

4. a) Si le gouvernement du Canada veut contrôler le passage du Nord-Ouest, il devra assurer une surveillance continue du territoire.

b) Dans le contexte actuel des changements climatiques, ce document précise les enjeux liés à la souveraineté canadienne dans l'Arctique.

Comparer les documents **1** et **2**

5. a) Le document 1 présente des conséquences des changements climatiques sur le territoire et les populations, alors que le document 2 nous informe sur les conséquences politiques de ces changements.

b) Les changements climatiques dans l'Arctique engendrent des conséquences sociales et politiques. Ainsi, il est essentiel de gérer les problèmes environnementaux dans une perspective de développement durable, car ils peuvent affecter les sociétés sur plusieurs plans.

Clé 3 Interpréter des documents iconographiques

Les documents iconographiques se présentent sous forme d'images. Ces types de documents varient selon les sociétés et les époques : peintures, affiches, photographies, caricatures, etc. Bien qu'on puisse percevoir l'ensemble d'une image au premier coup d'œil, les messages que communique le document iconographique sont souvent complexes ou symboliques.

Méthode d'interprétation

1. Préciser son intention

Quels buts visez-vous en interprétant le document ?

2. Identifier le document iconographique

a) De quel type de document s'agit-il (photographie, peinture, affiche, caricature, etc.) ?

b) Quelle est la source du document (nom des auteurs, titre, date, provenance) ?

3. Analyser le document iconographique

a) Décrivez ce que vous observez.
- Que remarquez-vous au plan rapproché ? au plan moyen ? à l'arrière-plan ?
- Quel lieu observez-vous ? Quels personnages sont représentés ? Que font-ils ?
- Quels liens pouvez-vous établir entre les éléments que vous observez ?

b) Y a-t-il des aspects du document que vous ne comprenez pas ? Effectuez une recherche afin de trouver une explication.

c) Quel est le contexte associé au document ?

4. Interpréter le document iconographique

a) Selon vous, quel est le message du document ? Quel regard la personne qui l'a produit porte-t-elle sur son sujet ?

b) Quels renseignements ou précisions relevés dans le document vous aident à comprendre le thème que vous étudiez ?

5. Comparer des documents

a) Quelles similitudes ou différences constatez-vous entre les documents ? Quels éléments de continuité ou de changement pouvez-vous noter ?

b) Quelles précisions sur le thème avez-vous trouvées ? Cette comparaison vous permet-elle de modifier votre interprétation du thème ?

Exemples d'interprétation

Document 1

1. Le but est d'analyser les tensions politiques entre le Pakistan et l'Inde, deux puissances qui possèdent des armes nucléaires.

2. a) Le document est une photographie.

b) AFP/Getty, *Soldat indien des forces de sécurité frontalière*, 23 novembre 2008.

1 Les élections au Cachemire (Inde), en 2008

AFP/Getty, *Soldat indien des forces de sécurité frontalière*, 23 novembre 2008.

3. a) b) Au plan rapproché, un policier armé monte la garde. Au plan moyen, des femmes et des hommes font la file pour aller voter dans cette partie du territoire du Cachemire administrée par l'Inde. Les policiers indiens surveillent les bureaux de vote pour protéger la population et empêcher des militants séparatistes musulmans de protester contre la tenue des élections.

c) Le territoire du Cachemire est administré par l'Inde depuis 1947, soit depuis que l'Inde et le Pakistan ont obtenu leur indépendance de l'Empire britannique. La majorité de la population indienne pratique la religion hindoue, alors que celle du Pakistan est surtout musulmane. Or, la population du Cachemire est principalement musulmane, comme celle du Pakistan. Depuis l'indépendance, l'Inde et le Pakistan se disputent le territoire du Cachemire. Des groupes de séparatistes musulmans militent contre les autorités indiennes au Cachemire. Lors des élections de l'automne 2008, le gouvernement indien a craint que de nouvelles tensions surviennent entre les communautés et, surtout, que des militants séparatistes musulmans se mobilisent contre les élections.

4. a) Le photographe a voulu témoigner du déroulement des élections dans une région du Cachemire maintenue sous haute surveillance armée par des policiers indiens. La population s'est rendue dans les bureaux de vote.

b) Les tensions entre l'Inde et le Pakistan sont toujours présentes dans la région du Cachemire. Il s'agit d'un conflit très dangereux pour les deux pays et pour le monde, car les deux pays possèdent des armes nucléaires.

2 Les élections au Cachemire (Inde), en 2008

Tauseef Mustafa/Getty, *Des manifestants scandent des slogans*, 7 décembre 2008.

Document 2

1. Le but est d'analyser les tensions politiques entre le Pakistan et l'Inde, deux puissances qui possèdent des armes nucléaires.

2. a) Le document est une photographie.

b) Tauseef Mustafa/Getty, *Des manifestants scandent des slogans*, 7 décembre 2008.

3. a) b) Au plan rapproché, des policiers indiens armés surveillent des manifestants. Au plan moyen, un groupe d'hommes et des enfants manifestent dans les rues. À l'arrière-plan se trouvent des boutiques fermées.

c) Voir Document 1, 3 c.

4. a) Le photographe a voulu témoigner du déroulement des élections dans une région du Cachemire maintenue sous haute surveillance armée par des policiers indiens. Certains groupes de musulmans s'opposent aux élections.

b) Les tensions entre l'Inde et le Pakistan sont toujours présentes dans la région du Cachemire. Il s'agit d'un conflit très dangereux pour les deux pays et pour le monde, car les deux pays possèdent des armes nucléaires.

Comparer les documents **1** et **2**

5. a) Les documents montrent deux aspects des élections qui ont eu lieu au Cachemire en décembre 2008 : le vote et certaines réactions au déroulement des élections.

b) Les élections ont eu lieu, mais les rapports entre la communauté musulmane et les autorités indiennes demeurent conflictuels. Les tensions qui existent entre l'Inde et le Pakistan, deux puissances nucléaires, sont toujours d'actualité.

Document **3**

1. Le but consiste à réfléchir aux types d'actions à adopter dans le cadre d'une gestion durable de l'environnement.

2. a) Il s'agit d'une caricature.

b) Pascal Elie, « Utiliser les sacs de plastique, c'est nocif pour l'environnement », *L'Express d'Outremont et de Mont-Royal*, 5 mars 2008.

3. a) b) Deux femmes sortent d'une épicerie avec leurs achats. L'une transporte des sacs de plastique dans un chariot. L'autre, des sacs en papier, qu'elle dépose dans un véhicule utilitaire sport dont le moteur est en marche. Cette dernière dit à la première que l'usage de sacs en plastique est nocif pour l'environnement.

c) La population se préoccupe de plus en plus des actions qui sont nuisibles à l'environnement.

4. a) Il importe de modifier plusieurs comportements pour agir de façon responsable envers l'environnement.

b) Les citoyens doivent envisager plusieurs possibilités d'action pour contribuer à la réduction de la pollution environnementale.

3 L'environnement, une question de point de vue

Pascal Elie, « Utiliser les sacs de plastique, c'est nocif pour l'environnement », *L'Express d'Outremont et de Mont-Royal*, 5 mars 2008.

Clé 4 Interpréter et réaliser des cartes

La carte est une représentation spatiale d'une réalité du présent ou du passé. Elle fournit de l'information géographique, mais peut aussi donner des renseignements sur l'économie, la population, la culture ou la situation politique dans un territoire donné, à une époque donnée.

Le cartogramme présente un autre regard sur la réalité. C'est une carte dans laquelle des territoires ont été représentés en prenant en compte une donnée particulière. Dans un cartogramme, les pays du monde occupent la même position que dans une carte thématique, cependant, leur forme est différente. Les déformations, plus ou moins importantes, représentent de façon proportionnelle la variation d'une donnée entre les pays et les régions du monde. Dans certains cartogrammes, le contour des pays peut même être ramené à des formes géométriques. Le cartogramme se situe donc à mi-chemin entre la carte et le diagramme. Il permet de saisir en un coup d'œil l'information (la population, l'empreinte écologique, etc.).

Il est à noter que le cartogramme ne comporte pas d'échelle parce que les territoires sont dessinés proportionnellement à la variable dont il est question et non selon leur superficie.

Le cartogramme se distingue donc de la carte thématique dans laquelle on tente de préserver les relations spatiales entre les pays ou les territoires. Ce type de carte n'est plus un modèle réduit du monde ou d'un territoire, mais une représentation des proportionnalités d'une donnée selon les pays ou les régions du monde.

Méthode d'interprétation

Utilité

Cette technique est utile pour :

- situer dans l'espace et dans le temps des événements ou de l'information ;

- traduire l'évolution d'un phénomène dans l'espace et le temps.

1. Préciser son intention

Quels buts visez-vous en interprétant la carte ?

2. Connaître et analyser la carte

a) Quel est le titre et, s'il y a lieu, quelle est la source de la carte ?

b) De quel type de carte (carte thématique, carte historique, cartogramme) s'agit-il ?

c) Que vous apprend la légende ?

d) Quel est l'espace géographique représenté ? À quelle date ?

e) Le territoire est-il représenté à petite ou à grande échelle ?

3. Interpréter la carte

a) Quelle information la carte vous donne-t-elle ? Au besoin, vous référez à une carte politique (par exemple, la carte 6, *Le monde politique*, de l'Atlas, p. 188 et 189) pour repérer les différents pays ou territoires qui se trouvent sur votre carte.

b) En quoi cette information vous aide-t-elle à comprendre le thème que vous étudiez ?

Méthode de réalisation

1. Précisez votre intention. Quels buts visez-vous en réalisant la carte ?

2. a) Déterminez le sujet de votre carte.

b) Sélectionnez l'information qui doit y apparaître.

c) Trouvez un fond de carte (une carte modèle).

d) Intégrez-y l'information en choisissant le moyen le plus adéquat (des symboles, des couleurs, etc.).

e) Rédigez le titre de la carte et la légende.

f) Indiquez la source de l'information qui a servi à réaliser la carte.

Exemples d'interprétation

1 La population dans le monde, en 2007

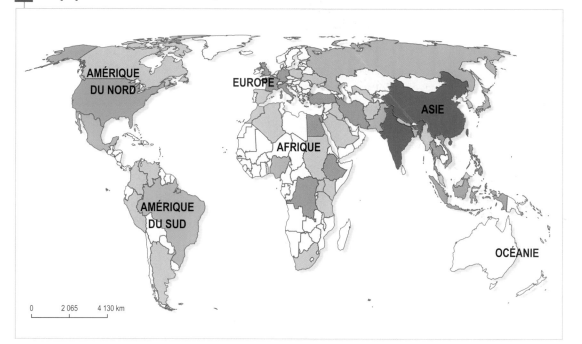

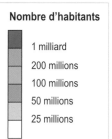

Nombre d'habitants

- 1 milliard
- 200 millions
- 100 millions
- 50 millions
- 25 millions

D'après Banque mondiale, *Key Development Data & Statistics* [en ligne], réf. du 5 mai 2009.

Document 1

1. Le but est d'interpréter la répartition de la population dans le monde.

2. a) La population dans le monde, en 2007. D'après Banque mondiale, *Key Development Data & Statistics* [en ligne], réf. du 5 mai 2009.

   b) Il s'agit d'une carte thématique.

   c) La légende indique le nombre d'habitants dans chaque pays.

   d) L'espace géographique représenté est le monde en 2007.

   e) Le territoire est représenté à petite échelle.

3. a) L'Asie est la région du monde la plus peuplée. La Chine et l'Inde sont les pays les plus peuplés sur la planète. En Amérique du Nord, les États-Unis et le Mexique sont les pays les plus populeux. En Amérique du Sud, c'est le Brésil qui est le pays le plus peuplé. L'Europe est relativement peu peuplée. En Afrique, le Nigeria compte le plus grand nombre d'habitants. L'Océanie est la région du monde la moins peuplée.

   b) Les pays les plus peuplés du monde se situent en Asie.

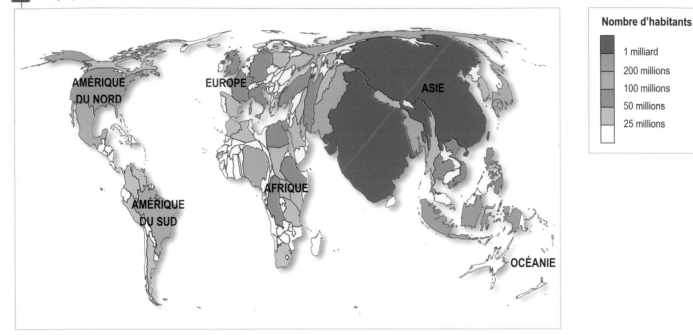

Nombre d'habitants
- 1 milliard
- 200 millions
- 100 millions
- 50 millions
- 25 millions

D'après Banque mondiale, *Key Development Data & Statistics* [en ligne], réf. du 5 mai 2009.

Document 2

1. Le but est d'interpréter la répartition de la population dans le monde.

2. a) La population dans le monde, en 2007. D'après Banque mondiale, *Key Development Data & Statistics* [en ligne], réf. du 5 mai 2009.

b) Il s'agit d'un cartogramme.

c) La légende indique le nombre d'habitants dans chaque pays.

d) L'espace géographique représenté est le monde en 2007.

e) Il n'y a pas d'échelle car il s'agit d'un cartogramme.

3. a) Les territoires des pays du monde sont représentés de façon proportionnelle à leur population. La Chine et l'Inde sont, de loin, les pays les plus peuplés sur la planète. L'Asie est nettement la région du monde la plus peuplée. En Amérique du Nord, les États-Unis et le Mexique sont les pays les plus populeux. La forme du Canada, peu peuplé, est très réduite sur le cartogramme. En Amérique du Sud, c'est le Brésil qui est le pays le plus peuplé. De toutes les régions du monde, c'est l'Amérique du Sud qui conserve le mieux ses proportions. En Afrique, le Soudan, le plus grand pays de cette région du monde, a une population moins nombreuse que le Nigeria, un pays dont la superficie est plus petite. L'Australie, qui possède le plus grand territoire dans la région du Pacifique, est très peu peuplée, contrairement à sa voisine l'Indonésie.

b) Les pays les plus peuplés ne possèdent pas la plus grande superficie terrestre.

Clé 5 Interpréter et réaliser des tableaux et des diagrammes

Les tableaux et les diagrammes sont des outils qui servent à organiser et à présenter de façon cohérente et dynamique des informations ou des données semblables ou comparables.

Les tableaux présentent des informations classées et organisées en lignes et en colonnes. Les titres des lignes et des colonnes définissent le sujet du tableau. Les autres lignes et colonnes détaillent des catégories d'information. Quant aux diagrammes, ils se présentent sous l'une ou l'autre des formes suivantes.

a) Le diagramme à bandes représente des données quantitatives à l'aide de bandes verticales ou horizontales. Ces bandes illustrent des catégories de données. Leurs différentes valeurs peuvent être comparées en un seul coup d'œil.

b) Le diagramme circulaire représente les proportions de chacune des parties d'un ensemble. Chaque secteur illustre la valeur d'une partie. Généralement, les données y sont exprimées en pourcentages.

c) Le diagramme linéaire met en évidence les fluctuations, à la hausse ou à la baisse, d'un phénomène. La courbe relie une suite de points qui représentent une valeur à un moment donné.

Méthode d'interprétation

1. Préciser son intention

Quels buts visez-vous en interprétant le diagramme ?

2. Connaître et analyser le diagramme

a) De quel type de diagramme s'agit-il ?

b) Déterminez le sujet du diagramme à l'aide du titre et de la légende, s'il y a lieu.

c) Quelle est la source du diagramme ?

d) Quelles sont les données présentées ? Repérez les axes (x et y) et les unités de mesure.

3. Interpréter le diagramme

a) Quelles données le diagramme met-il en relation ?

b) Que vous apprend le diagramme ? En quoi ces données vous aident-elles à comprendre le sujet de votre recherche ?

Méthode de réalisation

1. Précisez votre intention. Quels buts visez-vous en réalisant le diagramme ?

2. a) Déterminez le sujet du diagramme.

b) Sélectionnez les données qui doivent apparaître dans le diagramme.

c) Déterminez le type de diagramme qui convient le mieux pour représenter vos données.

d) Établissez le rapport de proportion entre vos données ou déterminez les unités de mesure qui les représenteront.

e) Dessinez le diagramme choisi en répartissant les données sur les axes des x et des y.

f) Utilisez différents moyens (couleurs ou symboles) pour faciliter la compréhension de votre diagramme.

g) Titrez votre diagramme, indiquez la ou les sources de vos données et créez une légende, s'il y a lieu.

Utilité

Cette technique est utile pour :

- classer et représenter des informations et des données ;

- établir rapidement des relations entre des informations et des données ;

- constater au premier coup d'œil l'évolution d'un facteur dans le temps.

Exemples d'interprétation

1 **La composition de la population mondiale, en 2005**

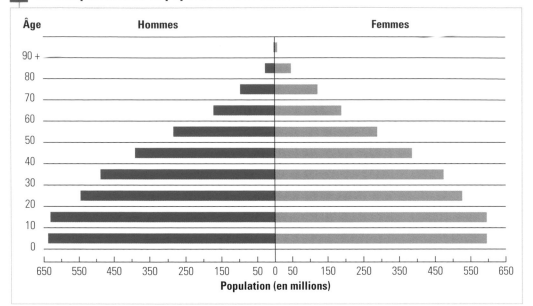

D'après ONU, *World Population Prospects : The 2008 Revision* et *World Urbanization Prospects : The 2007 Revision* [en ligne], réf. du 14 mars 2009.

Document **1**

1. Le but est de mieux comprendre la composition de la population mondiale au début du XXIe siècle.

2. a) Il s'agit d'une pyramide des âges composée de deux diagrammes à bandes inversés et accolés.

b) Le diagramme illustre la composition de la population mondiale, en 2005.

c) ONU, *World Population Prospects : The 2008 Revision* et *World Urbanization Prospects : The 2007 Revision* [en ligne], réf. du 14 mars 2009.

d) L'axe des x présente le nombre de personnes, en millions, et l'axe des y, l'âge des personnes par tranches de 10 ans.

3. a) Ce diagramme met en relation le nombre d'hommes et de femmes sur la Terre en 2005 et leur répartition selon leur âge.

b) Ces données nous apprennent qu'en 2005, les hommes étaient plus nombreux que les femmes entre 0 et 50 ans, mais que les femmes étaient plus nombreuses que les hommes à partir de 50 ans. Ceci démontre que les femmes vivent en moyenne plus longtemps que les hommes.

Document 2

1. Le but est de mieux comprendre l'origine des réfugiés aux États-Unis, en 2007.

2. a) Il s'agit d'un diagramme circulaire.

   b) Il traite de la répartition des réfugiés aux États-Unis en 2007 par pays d'origine.

   c) J. Kelly Jefferys et Daniel C. Martin, « Refugees and Asylees : 2007 », *Annual Flow Report, U.S. Department of Homeland Security, Office of Immigration Statistics* [en ligne], juillet 2008, réf. du 5 avril 2009.

   d) Les pourcentages représentent la proportion de réfugiés par pays d'origine.

3. a) Ce diagramme circulaire met en relation la proportion d'immigrants arrivés aux États-Unis en 2007 et leur pays d'origine.

   b) Ces données nous apprennent que les trois plus grands contingents d'immigrants aux États-Unis, en 2007, proviennent de la Birmanie (Myanmar), de la Somalie et de l'Iran. Ce sont tous des pays qui connaissaient alors des tensions et des conflits politiques.

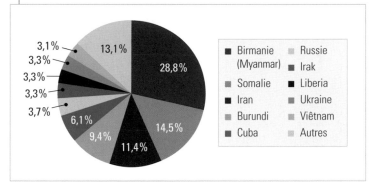

2 L'origine des réfugiés aux États-Unis, en 2007

D'après J. Kelly Jefferys et Daniel C. Martin, « Refugees and Asylees : 2007 », *Annual Flow Report, U.S. Department of Homeland Security, Office of Immigration Statistics* [en ligne], juillet 2008, réf. du 5 avril 2009.

Document 3

1. Le but est de comprendre les composantes de l'évolution de la croissance démographique au Canada, au XXe siècle.

2. a) Il s'agit d'un diagramme linéaire.

   b) Le diagramme illustre les composantes de l'évolution de la croissance démographique au Canada entre 1901 et 2001, par période de recensement. Il montre l'évolution du solde naturel et du solde migratoire.

   c) Statistique Canada, *Population et composantes de la croissance démographique (Recensements de 1851 à 2001)* [en ligne], 2005, réf. du 3 mai 2009.

   d) L'axe des x indique les années par période de recensement, et l'axe des y, le solde migratoire ou naturel, exprimé en millions de personnes.

3. a) Ce diagramme linéaire met en relation le solde naturel et le solde migratoire au Canada entre 1901 et 2001, par période de recensement.

   b) Ces données nous apprennent que le solde naturel a été toujours été positif et que le solde migratoire a été négatif seulement durant la période allant de 1931 à 1941. Elles nous apprennent également que la croissance de la population était essentiellement due à l'accroissement des naissances jusqu'en 1991. Pour la première fois, entre 1991 et 2001, c'est l'apport de l'immigration qui a permis à la population de croître.

3 Les composantes de la croissance démographique au Canada entre 1901 et 2001, par périodes de recensement

D'après Statistique Canada, *Population et composantes de la croissance démographique (Recensements de 1851 à 2001)* [en ligne], 2005, réf. du 3 mai 2009.

Clé 6 Interpréter et réaliser des repères temporels

Les repères temporels servent à ordonner une suite d'événements afin de situer une réalité historique dans le temps. Il existe différentes représentations graphiques du temps :

a) La ligne du temps est un simple trait qui permet de situer des événements de façon chronologique dans la durée.

b) Le ruban du temps est représenté par une bande sur laquelle on peut facilement délimiter des périodes historiques, à l'aide de couleurs ou de hachures.

c) La frise du temps consiste en une superposition de rubans du temps qui permet de situer, dans une même durée, des faits survenus dans des contextes (politique, culturel, économique, etc.) ou des lieux différents.

Méthode d'interprétation

1. **Préciser son intention**

   Quels buts visez-vous en interprétant le repère temporel ?

2. **Interpréter un repère temporel**

   a) Déterminez le thème général du repère temporel à l'aide de son titre ou de sa légende.

   b) Relevez la ou les périodes représentées sur le repère temporel.

   c) Situez les périodes ou les événements les uns par rapport aux autres et par rapport au temps présent.

Méthode de réalisation

1. Choisissez un thème. Sélectionnez les aspects que vous jugez essentiels pour représenter le thème (événements, personnages, durée d'un événement) et datez chacun des aspects.

2. Tracez et orientez de façon chronologique une ligne, un ruban ou une frise.

3. Calculez la durée à représenter. Pour vous aider, posez-vous ces questions :

   a) Quel est l'élément le plus éloigné dans le temps ?

   b) Quel est l'élément le plus récent ?

4. Déterminez une unité de mesure ou d'intervalle adéquate (par exemple, 10 ans, 50 ans, un siècle, un millénaire, etc.) et divisez votre repère selon l'unité de temps ou l'intervalle choisi.

5. Inscrivez, dans l'ordre chronologique, les renseignements que vous avez sélectionnés.

6. Donnez un titre à votre repère temporel.

Exemples d'interprétation

Document 1

1 Des dates marquantes de l'histoire occidentale

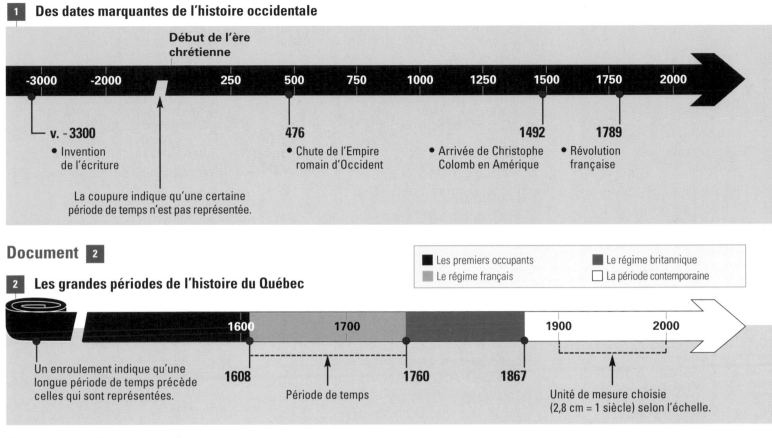

Document 2

2 Les grandes périodes de l'histoire du Québec

- ■ Les premiers occupants
- ■ Le régime britannique
- ▨ Le régime français
- □ La période contemporaine

Document 3

3 L'entrée en vigueur des accords de libre-échange du Canada et de la Communauté européenne, de 1988 à 2008

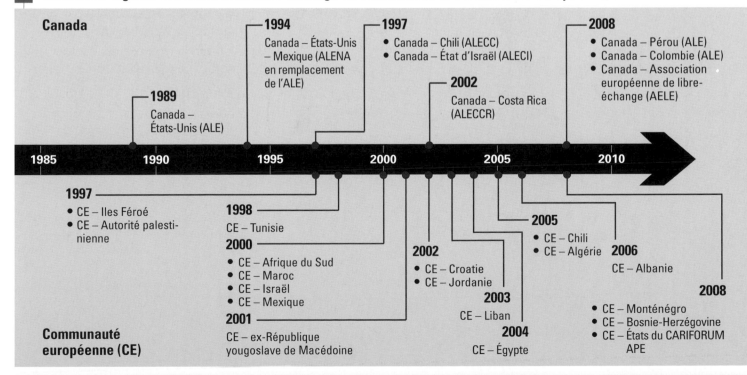

Clé 7   Actualiser des données

Certains problèmes et enjeux du monde contemporain évoluent très rapidement. Les données qui s'y rapportent peuvent donc en peu de temps devenir désuètes, sans compter que de nouvelles publications rapportent régulièrement de nouvelles données. Dans une démarche de recherche, il importe donc de s'assurer d'avoir en main les données les plus récentes.

Méthode d'actualisation

1. **Préciser son intention**

   Quelles sont les données que vous voulez actualiser ?

2. **Chercher les données pertinentes et récentes**

   Faites une recherche dans Internet ou à la bibliothèque pour trouver des organismes qui pourraient vous fournir des données pertinentes ou encore vous permettre d'actualiser celles que vous avez déjà en main. Consultez des rapports annuels, des données de recensement, des bases de données d'organismes internationaux (ONU, OCDE, UNESCO, etc.), des statistiques publiées par les gouvernements, etc.

3. **Déterminer la provenance des données**

   a) Quel organisme a produit les données ?

   b) En quelle année les données ont-elles été produites ?

   c) Cet organisme produit-il des données fiables ? Utilisez les données d'organismes reconnus (organisme international, site gouvernemental, musée, centre de recherche, etc.). Les organismes peuvent varier selon le thème à l'étude.

   d) Précisez s'il s'agit de données provenant d'une source primaire ou secondaire.

   - Si les données proviennent d'une source primaire, vérifiez si l'organisme a produit les données les plus récentes. Certains organismes publient de nouvelles données annuellement, d'autres tous les cinq ans et d'autres encore effectuent des mises à jour ponctuelles.

   - Si les données proviennent d'une source secondaire, vérifiez si elles ont fait l'objet d'une mise à jour par l'organisme qui les a produites initialement.

   e) Vérifiez si d'autres organismes ont produit des données similaires qui seraient plus récentes.

Clé 8 Exercer son jugement critique en lien avec les médias

Les médias diffusent divers types de contenus, entre autres du divertissement, de la publicité et de l'information. L'information peut être produite par des professionnels des médias (par exemple, des journalistes), par des organismes (par exemple, l'ONU), ou encore par des citoyens (par exemple, des blogueurs). Il importe de connaître la provenance de l'information consultée et de reconnaître les choix qui ont été faits par les auteurs qui ont produit cette information. Il faut également consulter plusieurs sources d'information afin de pouvoir juger de leur pertinence et de leur véracité.

Méthode pour exercer son jugement critique

Afin de s'informer correctement, il est nécessaire de consulter plusieurs types de médias (presse écrite, radio, télévision, Internet, etc.) et de repérer des documents pertinents.

1. **Déterminer la provenance de chaque document consulté**
   a) De quel type de média provient le document ?
   b) Quel organisme diffuse le document ? Qui a produit le document ?
   c) Quelle est l'intention de la personne qui a produit le document ?

2. **Déterminer le traitement de l'information**
   a) Déterminez le type de document consulté (nouvelle, reportage, éditorial, caricature, texte d'opinion, etc.).
   b) S'il y a lieu, allez aux sources de l'information (par exemple, en consultant les nouvelles diffusées par les agences de presse) pour découvrir comment celle-ci est traitée dans les différents médias.

3. **Déterminer, pour chaque document consulté, si le contenu présente des faits ou des opinions**
   a) L'information produite vise-t-elle à informer le public ou à diffuser un point de vue sur un sujet en particulier ?
   b) Le document présente-t-il de l'information haineuse ou des préjugés ?

4. **Comparer des documents**
   a) Quelles similitudes ou différences constatez-vous entre les documents ? Quels éléments de continuité ou de changement pouvez-vous noter ?
   b) Quelles précisions sur le thème avez-vous trouvées ? Cette comparaison vous permet-elle de modifier votre interprétation du thème ?

5. **Compléter la documentation en diversifiant les sources d'information.**

Exemples d'exercice de son jugement critique

1 « Les insurgés afghans sont là pour rester, croit Harper »

« Le premier ministre Stephen Harper affirme que les forces occidentales ne parviendront pas à vaincre seules les talibans en Afghanistan. Lors d'une entrevue diffusée par CNN, dimanche, M. Harper a indiqué que l'Afghanistan avait été affligé par des insurrections d'une forme ou d'une autre pendant la majeure partie de son histoire.

L'objectif visé doit maintenant être de mettre en place un gouvernement afghan en mesure de "gérer" la présente situation.

M. Harper a également affirmé que si le président américain Barack Obama souhaitait que les autres pays en fassent davantage au niveau militaire, il lui faudrait répondre à des "questions difficiles".

Selon le premier ministre, les alliés de l'Organisation du Traité de l'Atlantique-Nord (OTAN) voudront savoir de quelle façon le succès de la mission sera mesuré et quelle sorte de stratégie de sortie sera en place.

Jusqu'à présent, M. Harper s'est en tenu à son engagement de retirer d'Afghanistan les forces combattantes canadiennes d'ici à la fin de 2011. »

La Presse canadienne, « Les insurgés afghans sont là pour rester, croit Harper », *Cyberpresse* [en ligne], 1er mars 2009, réf. du 9 avril 2009.

Document 1

1. a) Le document provient de la presse écrite, mais il a été diffusé dans Internet.

b) Le document provenant de l'agence de presse La Presse canadienne est diffusé par le site Internet *Cyberpresse*.

c) L'intention de l'agence de presse qui a produit le document est de fournir de l'information objective aux lecteurs.

2. a) Le document est une nouvelle.

b) L'information provient de l'agence de presse La Presse canadienne. Elle a été reprise par plusieurs médias, dont Cyberpresse et Radio-Canada. Elle a aussi été commentée sur plusieurs blogues.

3. a) Le document présente des faits. L'information produite vise à informer le public des propos tenus par le premier ministre du Canada sur la mission canadienne en Afghanistan, dans une entrevue diffusée sur la chaîne de télévision américaine CNN.

b) Le document ne présente pas d'information haineuse ou de préjugés.

Cyberpresse, *Les insurgés afghans sont là pour rester, croit Harper*, 1er mars 2009.

Document 2

1. a) Le document provient de la presse écrite.

   b) Le document est diffusé par le journal Le Devoir. La personne qui a produit le document est le chroniqueur politique Norman Spector.

   c) L'intention de la personne qui a produit le document est d'analyser une nouvelle politique et de diffuser son point de vue.

2. a) Le document est un texte d'opinion.

   b) L'auteur de ce texte d'opinion s'est servi d'une entrevue donnée par le premier ministre du Canada, Stephen Harper, sur la chaîne de télévision américaine CNN. Il fait une interprétation du contenu de cette entrevue.

3. a) Le document présente une opinion. L'information produite vise à diffuser le point de vue de l'auteur concernant les propos tenus par Stephen Harper sur la mission canadienne en Afghanistan dans une entrevue diffusée sur la chaîne de télévision américaine CNN.

   b) Le document ne présente pas d'information haineuse ou de préjugés.

2 « Harper, le pragmatique »

« Après avoir regardé l'entrevue du premier ministre à la télé américaine pour une deuxième fois, je me demande à quoi rimait toute cette agitation. Après tout, M. Harper n'a dit rien de nouveau à Fareed Zakaria de la chaîne CNN au sujet de notre mission en Afghanistan. Depuis longtemps, il soutient que le rôle du Canada est de former des forces afghanes puis de leur remettre la responsabilité de la sécurité de leur pays. [...]

En vérité, la seule chose que nous avons apprise, c'est que M. Harper avait lu des livres sur l'histoire afghane. Il nous dit maintenant que le pays a toujours connu et connaîtra probablement toujours une insurrection.

[...] N'empêche, les partis de l'opposition et certains journalistes ont insisté sur le fait que le premier ministre a franchi un nouveau pas. Je diffère d'opinion. À Bucarest l'année dernière, où il a informé nos alliés de la décision du Parlement canadien de quitter l'Afghanistan, le premier ministre a clairement dit : "Nous ne croyons pas que le succès final du côté militaire viendra de l'augmentation par l'OTAN des niveaux de troupes jusqu'au point où nous étouffions la résistance. Ce n'est pas réaliste." Il a également déclaré que l'OTAN devrait former les soldats afghans "de sorte qu'ils puissent finalement contrôler l'environnement de sécurité dans l'avenir - contrôler et pas nécessairement éliminer l'insurrection". »

Norman Spector, « Harper, le pragmatique », *Le Devoir* [en ligne], 12 mars 2009, réf. du 9 avril 2009. Il est à noter que Norman Spector est aussi chroniqueur politique pour le quotidien *The Globe and Mail*.

Comparer les documents 1 et 2

4. a) Les deux documents traitent du même sujet, soit des propos tenus par le premier ministre du Canada sur la mission canadienne en Afghanistan, dans une entrevue diffusée sur la chaîne de télévision américaine CNN en mars 2009.

   Le document 1 est une nouvelle provenant d'une agence de presse qui présente les propos tenus par le premier ministre canadien. Le document 2 est un texte d'opinion où l'auteur, un chroniqueur politique, commente les propos tenus par le premier ministre canadien. Il nous apprend que Stephen Harper aurait tenu des propos similaires lors d'une rencontre à Bucarest l'année précédente.

   b) Le canada maintient sa décision de se retirer de la présente intervention en Afghanistan.

Clé 9 Présenter une médiagraphie

Un travail de recherche doit être accompagné d'une médiagraphie, c'est-à-dire de la liste complète des ouvrages qui ont servi à faire le travail. Ceux-ci peuvent provenir de diverses sources (documents imprimés, Internet, cédérom, etc.). Lorsque la liste des références comprend uniquement des documents imprimés, il s'agit plutôt d'une bibliographie.

Méthode de présentation

1. Faites une fiche bibliographique pour chacun des documents que vous consultez durant votre travail de recherche (voir la clé 1).

2. Dressez la liste des différents types de documents que vous avez consultés : ouvrages de référence, articles de revue, sites Internet et autres (voir la clé 1).

3. Citez les documents en suivant le modèle approprié parmi les exemples ci-dessous.

Exemples de présentation

Dans le cas d'un ouvrage de référence (dictionnaire, encyclopédie, atlas) :

NOM, Prénom de chaque auteur. « Titre de l'article », *Titre de l'ouvrage*, Ville d'édition, Nom de la maison d'édition, année de publication, tome ou volume, page(s) où l'article a été consulté.

BAUD, Pascal, Serge BOURGEAT et Catherine BRAS. « Migration », *Dictionnaire de géographie*, Paris, Hatier, 2003, p. 256-269.

Dans le cas d'un livre :

NOM, Prénom de chaque auteur. *Titre : sous-titre*, Ville d'édition, Nom de la maison d'édition, année de publication.

SACQUET, Anne-Marie. *Atlas mondial du développement durable*, Nouvelle édition, Paris, Éditions Autrement, 2002.

Dans le cas d'un article de presse :

NOM, Prénom de chaque auteur. « Titre de l'article », *Titre du journal*, date de publication, Nom du cahier (s'il y a lieu), pages du journal où l'article a été consulté.

BELLAVANCE, Joël-Denis. « Nombre record de demandeurs d'asile mexicains », *La Presse*, 26 mars 2009, p. A14.

Dans le cas d'un article de revue ou de magazine :

NOM, Prénom de chaque auteur. « Titre de l'article », *Titre du périodique*, volume ou numéro (s'il y a lieu), date ou numéro de parution, pages de la revue où l'article a été consulté.

PESANT, François. « Les réfugiés du climat », *L'actualité*, 1er décembre 2008, p. 53-55.

Dans le cas d'un site Internet :

NOM, Prénom de chaque auteur. *Titre du site* [en ligne], adresse URL, date à laquelle le site a été consulté.

UNION EUROPÉENNE, *Europa : le portail de l'Union européenne* [en ligne], http://europea.eu/index_fr.htm, réf. du 14 mars 2009.

Dans le cas d'un article dans un site Internet :

NOM, Prénom de chaque auteur. « Titre de l'article », *Titre du site* [en ligne], adresse URL, date à laquelle l'article a été consulté.

CLAESSENS RIVEST, Maxime-Rock. « Signature d'un accord entre le Mexique et Cuba : Le problème de l'immigration clandestine », *Perspective Monde, Université de Sherbrooke* [en ligne], http://perspective.usherbrooke.ca/bilan/servlet/BMAnalyse?codeAnalyse= 846, réf. du 14 mars 2009.

Clé 10 Préparer un débat et y participer

Le débat est une occasion de faire ressortir différents points de vue sur des enjeux de société. Pour être vraisemblable, une opinion ou un point de vue doit reposer sur des arguments solides et être appuyé par des documents ou des témoignages.

Méthode de préparation et de participation

1. Organiser et préparer le débat

a) Choisissez le sujet du débat et énoncez-le clairement.

b) Quelle est votre position par rapport à l'enjeu du débat ?

c) Quels sont les arguments qui justifient votre point de vue ? Dressez une liste de tous les arguments possibles, en pensant aux avantages et aux inconvénients de chacun.

d) Résumez vos arguments en des phrases simples et courtes que vous pourrez noter sur une fiche.

e) Appuyez vos arguments sur des faits, des documents ou des témoignages.

2. Participer au débat

a) Organisez les équipes selon le point de vue des participantes et des participants (pour ou contre) sur le sujet du débat ou selon les solutions envisagées.

b) Choisissez une médiatrice ou un médiateur qui animera le débat (par exemple, en posant des questions) et qui veillera à ce que le temps accordé à chacune des équipes soit respecté.

c) Expliquez et appuyez clairement votre position au moyen de vos arguments.

d) Prévoyez, si possible, un temps de réplique pour chacune des équipes.

3. Conclure le débat

a) Dressez un bilan des forces et des faiblesses des arguments exposés.

b) Quels ont été les arguments les plus convaincants ? Résumez-les.

c) À la suite du débat, votre point de vue a-t-il changé ?

Thierry Zoccolan/AFP/Getty, *People form the OGM (French for GMO) log,* 29 mars 2008.

Exemple de préparation et de participation à un débat

1. Sujet à débattre : Êtes-vous en faveur de l'utilisation des organismes génétiquement modifiés (OGM) en agriculture ?

2.

Arguments pour :	Arguments contre :

Arguments pour :

- Les OGM permettent d'améliorer la productivité agricole (les cultures sont plus résistantes aux infestations de ravageurs et aux intempéries, ce qui limite les pertes). Les récoltes plus abondantes contribuent à l'éradication de la faim dans le monde.
- Les OGM aident à réduire la pollution de l'environnement. Les agriculteurs utilisent moins de pesticides et d'engrais chimiques lorsque les cultures sont plus résistantes aux insectes nuisibles et aux maladies.
- Grâce aux OGM, il est possible de cultiver des terres moins fertiles ou endommagées, augmentant ainsi les superficies cultivables, en particulier dans les pays en développement.
- Les modifications génétiques des fruits et des légumes permettent d'augmenter leur durée d'entreposage, ce qui peut fournir plus de possibilités pour le commerce, tout en empêchant le gaspillage durant le transport.
- Les OGM réduisent la durée du cycle de croissance des végétaux et des animaux, ce qui diminue le temps nécessaire à l'obtention d'une récolte ou d'une portée.

Arguments contre :

- Les OGM présentent des dangers de contamination accidentelle de l'environnement. Les gènes modifiés pourraient être transmis à d'autres organismes. Les organismes transgéniques pourraient constituer un danger pour la biodiversité et faire disparaître des espèces indigènes. Les gènes pourraient muter et engendrer des effets nocifs sur l'environnement.
- L'état actuel des connaissances scientifiques ne permet pas de dire si oui ou non les OGM sont nocifs pour la santé.
- Certains OGM contiennent des gènes susceptibles de leur permettre de résister aux antibiotiques, ce qui pourrait avoir des incidences sur la santé humaine.
- Les semences d'OGM coûtent plus cher que les semences traditionnelles et sont donc peu accessibles pour les paysans des pays en développement.
- Les semences d'OGM sont créées par des multinationales qui en conservent la propriété. Seules quelques multinationales contrôlent le marché. Les agriculteurs doivent donc racheter de nouvelles semences chaque année, ce qui coûte cher et les rend dépendants.

3. Conclusion du débat

a) b) L'utilisation des OGM, si elle est bien encadrée, peut être bénéfique pour l'humanité.

Elle permet de lutter contre la faim et la pauvreté. Par contre, des mesures devraient être prises afin que les agriculteurs des pays en développement puissent avoir accès à des semences à des prix abordables.

L'utilisation des OGM permet également de réduire la pollution causée par les pesticides et les engrais. D'un autre côté, elle peut présenter des risques pour la biodiversité.

c) Compte tenu des risques potentiels sur la santé et l'environnement, l'utilisation des OGM devrait être encadrée par une réglementation rigoureuse. Avant d'autoriser une entreprise à vendre des semences d'OGM, il faudrait pouvoir s'appuyer sur une étude scientifique qui tienne compte des conséquences de l'utilisation des OGM sur la santé et l'environnement. De plus, des mécanismes devraient être mis en œuvre pour assurer, s'il le faut, un suivi à long terme des impacts des gènes modifiés sur la biodiversité et la santé.

STATISTIQUES
des pays du monde

La plupart des données présentées dans les chapitres du manuel sont tirées des sites de divers organismes de l'ONU. En effet, l'ONU et ses organismes établissent souvent des projections de données (par exemple, jusqu'en 2050), ce qui permet de faire des analyses à long terme et de s'assurer que les données soient valides le plus longtemps possible.

Toutefois, comme l'ONU se concentre sur l'analyse de statistiques, elle produit moins de nouvelles données annuellement. L'ONU met à jour périodiquement les données qu'elle utilise : ces intervalles varient de 2 à 5 ans, selon le type de données. Par ailleurs, les statistiques qu'elle compile lui sont transmises par les États membres de l'ONU. Il arrive donc que des données ne soient pas disponibles ou fiables en ce qui regarde certains États, en particulier ceux qui vivent des conflits (par exemple, l'Afghanistan) ou qui sont dirigés par un régime fermé (par exemple, la Birmanie [Myanmar]).

Nous présentons donc dans ce tableau des données de l'ONU, afin d'assurer une cohérence avec celles qui apparaissent dans le manuel. Dans le cas de pays pour lesquels les statistiques de l'ONU ne sont pas disponibles, nous avons inséré les données provenant de CIA – *The World Fact Book*, qui sont mises à jour régulièrement.

* Toutes les données ou catégories de données marquées d'un astérisque sont tirées de CIA – *The World Fact Book*.

Drapeau	Pays (capitale)	Population*	Superficie (en km²)*	Taux d'urbanisation (en %)	Langue(s) principale(s)	Espérance de vie (en années)	PIB/hab. selon la PPA (en $US)	Empreinte écologique (en ha globaux/ personne)
	Afghanistan (Kaboul)	33 609 937	647 500	22,9	pashto, dari	44	800*	0,5
	Afrique du Sud (Pretoria, Le Cap)	49 052 489	1 219 912	59,3	afrikaans, anglais, langues africaines	52	11 110	2,1
	Albanie (Tirana)	3 639 453	28 748	44,8	albanais	77	5 316	2,2
	Algérie (Alger)	34 178 188	2 381 740	63,3	arabe	72	7 062	1,7
	Allemagne (Berlin)	82 329 758	357 021	73,4	allemand	80	29 461	4,2
	Andorre (Andorre-la-Vieille)	83 888	468	90,3	catalan, français	83*	42 500*	n/d
	Angola (Luanda)	12 799 293	1 246 700	54,0	portugais	47	2 335	0,9
	Antigua-et-Barbuda (Saint John's)	85 632	443	30,7	anglais	75*	12 500	n/d
	Arabie saoudite (Riyad)	28 686 633	2 149 690	81,0	arabe	73	15 711	2,6
	Argentine (Buenos Aires)	40 913 584	2 766 890	91,4	espagnol	75	14 280	2,5
	Arménie (Erevan)	2 967 004	29 800	64,1	arménien	74	4 945	1,4
	Australie (Canberra)	21 262 641	7 686 850	88,2	anglais	82	31 794	7,8
	Autriche (Vienne)	8 210 281	83 870	66,5	allemand	80	33 700	5,0

Sources : The World Flag Database [en ligne] ; CIA – *The World Fact Book*, 2008 [en ligne] ; ONU, *World Urbanization Prospects* : The 2007 Revision [en ligne] ; ONU, *World Population Prospects* : The 2008 Revision [en ligne] ; UNDP, *Human Development Report*, 2007/2008 [en ligne] ; WWF, *Rapport Planète Vivante*, 2008 [en ligne].

Drapeau	Pays (capitale)	Population*	Superficie (en km²)*	Taux d'urbanisation (en %)	Langue(s) principale(s)	Espérance de vie (en années)	PIB/hab. selon la PPA (en $US)	Empreinte écologique (en ha globaux/ personne)
	Azerbaïdjan (Bakou)	8 238 672	86 600	51,5	azéri	70	5 016	2,2
	Bahamas (Nassau)	309 156	13 940	83,1	anglais	73	18 380	n/d
	Bahreïn (Al-Manāma)	727 785	665	88,4	arabe	76	21 482	n/d
	Bangladesh (Dakha)	156 050 883	144 000	25,7	bengali	66	2 053	0,6
	Barbade (Bridgetown)	284 589	431	38,4	anglais	77	19 300*	n/d
	Belgique (Bruxelles)	10 414 336	30 528	97,3	néerlandais, français, allemand	80	32 119	5,1
	Belize (Belmopan)	307 899	22 966	50,2	anglais	76	7 109	n/d
	Bénin (Porto-Novo)	8 791 832	112 620	40,0	français	61	1 141	1,0
	Bhoutan (Thimphu)	691 141	47 000	31,0	dzonkha	66	5 600*	1,0
	Biélorussie (Minsk)	9 648 533	207 600	72,2	biélorusse, russe	69	7 918	3,9
	Birmanie [Myanmar] (Nay Pyi Taw)	48 137 741	678 500	30,6	birman	61	1 200*	1,1
	Bolivie (La Paz)	9 775 246	1 098 580	64,2	espagnol, quechua, aymara	66	2 819	2,1
	Bosnie-Herzégovine (Sarajevo)	4 613 414	51 129	45,7	serbo-croate	75	6 500*	2,9
	Botswana (Gaborone)	1 990 876	600 370	57,3	anglais, tswana	55	12 387	3,6
	Brésil (Brasília)	198 739 269	8 511 965	84,2	portugais	72	8 402	2,4
	Brunei (Bandar Seri Begawan)	388 190	5 770	73,5	malais	77	53 100*	n/d
	Bulgarie (Sofia)	7 204 687	110 910	70,2	bulgare, turc	73	9 032	2,7
	Burkina Faso (Ouagadougou)	15 746 232	274 200	18,3	français	53	1 213	2,0
	Burundi (Bujumbura)	8 988 091	27 830	9,5	kirundi, français	50	699	0,8
	Cambodge (Phnom Penh)	14 494 293	181 040	19,7	khmer	60	2 727	0,9
	Cameroun (Yaoundé)	18 879 301	475 440	54,3	anglais, français	51	2 299	1,3
	Canada (Ottawa)	33 487 208	9 984 670	80,1	anglais, français	81	33 375	7,1
	Cap-Vert (Praia)	429 474	4 033	57,4	portugais, créole	71	5 803	n/d
	Chili (Santiago)	16 601 707	756 950	87,6	espagnol	79	12 027	3,0
	Chine (Beijing [Pékin])	1 338 612 968	9 596 960	40,4[1]	chinois (mandarin)	73	6 757	2,1
	Chypre (Nicosie)	796 740	9 250	69,3	grec, turc, anglais	80	22 699	n/d

[1] Excluant Hong Kong et Macao.

Drapeau	Pays (capitale)	Population*	Superficie (en km²)*	Taux d'urbanisation (en %)	Langue(s) principale(s)	Espérance de vie (en années)	PIB/hab. selon la PPA (en $US)	Empreinte écologique (en ha globaux/personne)
	Colombie (Bogotá)	45 644 023	1 138 910	73,6	espagnol	73	7 304	1,8
	Comores (Moroni)	752 438	2 170	27,9	arabe, français	65	1 993	n/d
	Congo (Brazzaville)	4 012 809	342 000	60,2	français	54	1 262	0,5
	Corée du Nord (Pyongyang)	22 665 345	120 540	61,6	coréen	67	1 700*	1,6
	Corée du Sud (Séoul)	48 508 972	98 480	80,8	coréen	79	22 029	3,7
	Costa Rica (San José)	4 253 877	51 100	61,7	espagnol	79	10 180	2,3
	Côte d'Ivoire (Yamoussoukro)	20 617 068	322 460	46,8	français	57	1 648	0,9
	Croatie (Zagreb)	4 489 409	56 542	56,5	croate	76	13 042	3,2
	Cuba (La Havane)	11 451 652	110 860	75,6	espagnol	79	9 500*	1,8
	Danemark (Copenhague)	5 500 510	43 094	85,9	danois	78	33 973	8,0
	Djibouti (Djibouti)	516 055	23 000	86,1	français, arabe	55	2 178	n/d
	Dominique (Roseau)	72 660	754	72,9	anglais	76*	6 393	n/d
	Égypte (Le Caire)	83 082 869	1 001 450	42,6	arabe	70	4 337	1,7
	Émirats arabes unis (Abou Dhabi)	4 798 491	83 600	77,7	arabe	77	25 514	9,5
	Équateur (Quito)	14 573 101	283 560	63,6	espagnol	75	4 341	2,2
	Érythrée (Asmara)	5 647 168	121 320	19,4	tigrina, arabe	59	1 109	1,1
	Espagne (Madrid)	40 525 002	504 782	76,7	espagnol, galicien, basque, catalan	81	27 169	5,7
	Estonie (Tallinn)	1 299 371	45 226	69,4	estonien	73	15 478	6,4
	États-Unis (Washington)	307 212 123	9 826 630	80,8	anglais	79	41 890	9,4
	Éthiopie (Addis-Abeba)	85 237 338	1 127 127	16,1	amharique	55	1 055	1,4
	Fidji (Suva)	944 720	18 270	50,8	anglais, fidjien	69	6 049	n/d
	Finlande (Helsinki)	5 250 275	338 145	62,4	finnois, suédois	80	32 153	5,2
	France (Paris)	64 057 792	547 030	76,7	français	81	30 386	4,9
	Gabon (Libreville)	1 514 993	267 667	83,6	français	60	6 954	1,3
	Gambie (Banjul)	1 782 893	11 300	53,9	anglais	56	1 921	1,2
	Géorgie (Tbilissi)	4 615 807	69 700	52,5	géorgien	72	3 365	1,1

Drapeau	Pays (capitale)	Population*	Superficie (en km²)*	Taux d'urbanisation (en %)	Langue(s) principale(s)	Espérance de vie (en années)	PIB/hab. selon la PPA (en $US)	Empreinte écologique (en ha globaux/ personne)
	Ghana (Accra)	23 832 495	239 460	47,8	anglais	57	2 480	1,5
	Grèce (Athènes)	10 737 428	131 940	60,4	grec	79	23 381	5,9
	Grenade (Saint George's)	90 739	344	30,6	anglais	75	7 843	n/d
	Guatemala (Guatemala)	13 276 517	108 890	47,2	espagnol	70	4 568	1,5
	Guinée (Conakry)	10 057 975	245 857	33,0	français	58	2 316	1,3
	Guinée-Bissau (Bissau)	1 533 964	36 120	29,6	portugais	48	827	0,9
	Guinée équatoriale (Malabo)	633 441	28 051	38,9	espagnol, français	50	7 874	n/d
	Guyana (Georgetown)	772 298	214 970	28,2	anglais	67	4 508	n/d
	Haïti (Port-au-Prince)	9 035 536	27 750	42,7	créole, français	61	1 663	0,5
	Honduras (Tegucigalpa)	7 792 854	112 090	46,5	espagnol	72	3 430	1,8
	Hongrie (Budapest)	9 905 596	93 030	66,3	hongrois	73	17 887	3,5
	Inde (New Delhi)	1 166 079 217	3 287 590	28,7	hindi, anglais	64	3 452	0,9
	Indonésie (Jakarta)	240 271 522	1 919 440	48,1	indonésien	71	3 843	0,9
	Iran (Téhéran)	66 429 284	1 648 000	66,9	persan	71	7 968	2,7
	Irak (Bagdad)	28 945 657	437 072	66,9	arabe	67	4 000*	1,3
	Irlande (Dublin)	4 203 200	70 280	60,5	irlandais, anglais,	80	38 505	6,3
	Islande (Reykjavik)	306 694	103 000	92,2	islandais	82	36 510	n/d
	Israël (Jérusalem)	7 233 701	20 770	91,6	hébreu, arabe	81	25 864	4,8
	Italie (Rome)	58 126 212	301 230	67,6	italien	81	28 529	4,8
	Jamaïque (Kingston)	2 825 928	10 991	52,7	anglais	72	4 291	1,1
	Japon (Tōkyō)	127 078 679	377 835	66,0	japonais	83	31 267	4,9
	Jordanie (Amman)	6 342 948	92 300	78,3	arabe	73	5 530	1,7
	Kazakhstan (Astana)	15 399 437	2 717 300	57,1	kazakh, russe	65	7 857	3,4
	Kenya (Nairobi)	39 002 772	582 650	20,7	swahili, anglais	54	1 240	1,1
	Kirghizistan (Bichkek)	5 431 747	198 500	35,8	kirghiz, russe	68	1 927	1,1
	Kiribati (Tarawa)	112 850	811	43,6	anglais	63*	3 200*	n/d

Drapeau	Pays (capitale)	Population*	Superficie (en km²)*	Taux d'urbanisation (en %)	Langue(s) principale(s)	Espérance de vie (en années)	PIB/hab. selon la PPA (en $US)	Empreinte écologique (en ha globaux/ personne)
	Kosovo (Pristina)	1 804 838	10 887*	n/d	albanais, serbo-croate, turc	n/d	2 300*	n/d
	Koweït (Koweït)	2 691 158	17 820	98,3	arabe	78	26 321	8,9
	Laos (Vientiane)	6 834 942	236 800	27,4	lao	65	2 039	1,1
	Lesotho (Maseru)	2 130 819	30 355	23,3	anglais, sotho	45	3 335	1,1
	Lettonie (Riga)	2 231 503	64 589	68,0	letton, russe	73	13 646	3,5
	Liban (Beyrouth)	4 017 095	10 400	86,6	arabe	72	5 584	3,1
	Liberia (Monrovia)	3 441 790	111 370	58,1	anglais	58	500*	0,9
	Libye (Tripoli)	6 310 434	1 759 540	77,0	arabe	74	14 400*	4,3
	Liechtenstein (Vaduz)	34 761	160	14,5	allemand	80*	118 000*	n/d
	Lituanie (Vilnius)	3 555 179	65 200	66,6	lituanien	72	14 494.	3,2
	Luxembourg (Luxembourg)	491 775	2 586	82,8	luxembourgeois, allemand, français	80	60 228	n/d
	Macédoine (Skopje)	2 066 718	25 333	65,4	macédonien	74	7 200	4,6
	Madagascar (Antananarivo)	20 653 556	587 040	28,5	français, malgache	60	923	1,1
	Malaisie (Kuala Lumpur)	25 715 819	329 750	67,6	malais	74	10 882	2,4
	Malawi (Lilongwe)	14 268 711	118 480	17,3	chichewa, anglais	53	667	0,5
	Maldives (Malé)	396 334	300	33,9	divehi	71	5 000*	n/d
	Mali (Bamako)	12 666 987	1 240 000	30,5	français	48	1 033	1,6
	Malte (La Valette)	405 165	316	93,6	maltais, anglais	80	19 189	n/d
	Maroc (Rabat)	34 859 364	446 550	55,0	arabe	71	4 555	1,1
	Marshall (Majuro)	64 522	11 854	70,0	anglais, marshallien	71*	2 500*	n/d
	Maurice (Port-Louis)	1 284 264	2 040	42,3	anglais	72	12 715	2,3
	Mauritanie (Nouakchott)	3 129 486	1 030 700	40,4	arabe, français	57	2 234	1,9
	Mexique (Mexico)	111 211 789	1 972 550	76,3	espagnol	76	10 751	3,4
	Micronésie (Palikir)	107 434	702	22,3	anglais	69	2 200*	n/d
	Moldavie (Chisinau)	4 320 748	33 843	42,6	moldave	68	2 100	1,2
	Monaco (Monaco)	32 965	2	100,0	français	80*	30 000*	n/d

Drapeau	Pays (capitale)	Population*	Superficie (en km²)*	Taux d'urbanisation (en %)	Langue(s) principale(s)	Espérance de vie (en années)	PIB/hab. selon la PPA (en $US)	Empreinte écologique (en ha globaux/ personne)
	Mongolie (Oulan-Bator)	3 041 142	1 564 116	56,7	khalkha	66	2 107	3,5
	Monténégro (Podgorica)	672 180	14 026	61,2	serbo-croate	74	9 700*	n/d
	Mozambique (Maputo)	21 669 278	801 590	34,5	portugais	48	1 242	0,9
	Namibie (Windhoek)	2 108 665	825 418	35,1	anglais, afrikaans	61	7 586	3,7
	Nauru (Yaren)	14 019	21	100,0	nauruan	64*	5 000*	n/d
	Népal (Kathmandu)	28 563 377	147 181	15,8	népalais	67	1 550	0,8
	Nicaragua (Managua)	5 891 199	129 494	55,9	espagnol	73	3 674	2,0
	Niger (Niamey)	15 306 252	1 267 000	16,3	français	51	781	1,6
	Nigeria (Abuja)	149 229 090	923 768	46,2	anglais	48	1 128	1,3
	Norvège (Oslo)	4 660 539	323 802	77,3	norvégien	81	41 420	6,9
	Nouvelle-Zélande (Wellington)	4 213 418	268 680	86,2	anglais, maori	80	24 996	7,7
	Oman (Mascate)	3 418 085	212 460	71,5	arabe	76	15 602	4,7
	Ouganda (Kampala)	32 369 558	236 040	12,5	anglais, swahili	52	1 454	1,4
	Ouzbékistan (Tachkent)	27 606 007	447 400	36,7	ouzbek	68	2 063	1,8
	Pakistan (Islamabad)	176 242 949	803 940	34,9	ourdou, anglais	66	2 370	0,8
	Palaos [Palau] (Melekeok)	20 796	458	77,1	palauen, anglais	71*	8 100*	n/d
	Panamá (Panamá)	3 360 474	78 200	70,8	espagnol	76	7 605	3,2
	Papouasie-Nouvelle-Guinée (Port Moresby)	6 057 263	462 840	12,6	anglais, pidjin, motu	61	2 563	1,7
	Paraguay (Asunción)	6 995 655	406 750	58,5	espagnol, guarani	72	4 642	3,2
	Pays-Bas (Amsterdam)	16 715 999	41 526	80,2	néerlandais, frison	80	32 684	4,0
	Pérou (Lima)	29 546 963	1 285 220	71,1	espagnol, quechua	73	6 039	1,6
	Philippines (Manille)	97 976 603	300 000	62,7	philippin, anglais	72	5 137	0,9
	Pologne (Varsovie)	38 482 919	312 685	61,5	polonais	76	13 847	4,0
	Portugal (Lisbonne)	10 707 924	92 391	57,6	portugais	79	20 410	4,4
	Qatar (Doha)	833 285	11 437	95,4	arabe	76	103 500*	n/d
	République centrafricaine (Bangui)	4 511 488	622 984	38,1	français, sangho	47	1 224	1,6

Drapeau	Pays (capitale)	Population*	Superficie (en km²)*	Taux d'urbanisation (en %)	Langue(s) principale(s)	Espérance de vie (en années)	PIB/hab. selon la PPA (en $US)	Empreinte écologique (en ha globaux/ personne)
	République démocratique du Congo (Kinshasa)	68 692 542	2 345 410	32,1	français, anglais	48	714	0,6
	République dominicaine (Saint-Domingue)	9 650 054	48 730	66,8	espagnol	72	8 217	1,5
	République tchèque (Prague)	10 211 904	78 866	73,5	tchèque	77	20 538	5,3
	Roumanie (Bucarest)	22 215 421	237 500	53,7	roumain	73	9 060	2,9
	Royaume-Uni (Londres)	61 113 205	244 820	89,7	anglais	79	33 238	5,3
	Russie (Moscou)	140 041 247	17 075 200	72,9	russe	67	10 845	3,7
	Rwanda (Kigali)	10 473 282	26 338	17,5	kinyarwanda, français	50	1 206	0,8
	Saint-Kitts-et-Nevis (Basseterre)	40 131	261	32,2	anglais	73*	13 307	n/d
	Saint-Marin (Saint-Marin)	30 324	61	94,1	italien	82*	41 900*	n/d
	Saint-Vincent-et-les-Grenadines (Kingstown)	104 574	389	45,9	anglais	72	6 568	n/d
	Sainte-Lucie (Castries)	160 267	616	27,6	anglais	76*	6 707	n/d
	Salomon (Honiara)	595 613	28 450	17,0	anglais	66	2 031	n/d
	Salvador (San Salvador)	7 185 218	21 040	59,8	espagnol	71	5 255	1,6
	Samoa (Apia)	219 998	2 944	22,4	samoan, anglais	72	6 170	n/d
	Sao Tomé-et-Principe (Sao Tomé)	212 679	1 001	58,1	portugais	66	2 178	n/d
	Sénégal (Dakar)	13 711 597	196 190	41,6	français	55	1 792	1,4
	Serbie (Belgrade)	7 379 339	88 361	51,5	serbo-croate	74	10 900*	n/d
	Seychelles (Victoria)	87 476	455	52,9	créole	73*	16 106	n/d
	Sierra Leone (Freetown)	6 440 053	71 740	36,8	anglais	47	806	0,8
	Singapour (Singapour)	4 657 542	693	100,0	malais, mandarin, anglais, tamoul	80	29 663	4,2
	Slovaquie (Bratislava)	5 463 046	48 845	56,2	slovaque	75	15 871	3,3
	Slovénie (Ljubljana)	2 005 692	20 273	49,5	slovène	78	22 273	4,5
	Somalie (Mogadiscio)	9 832 017	637 657	35,2	somali, arabe	50	600*	1,4
	Soudan (Khartoum)	41 087 825	2 505 810	40,8	arabe	58	2 083	2,4
	Sri Lanka (Colombo)	21 324 791	65 610	15,1	cinghalais	74	4 595	1,0
	Suède (Stockholm)	9 059 651	449 964	84,3	suédois	81	32 525	5,1

Drapeau	Pays (capitale)	Population*	Superficie (en km²)*	Taux d'urbanisation (en %)	Langue(s) principale(s)	Espérance de vie (en années)	PIB/hab. selon la PPA (en $US)	Empreinte écologique (en ha globaux/ personne)
	Suisse (Berne)	7 604 467	41 290	73,3	allemand, français, italien, romanche	82	35 633	5,0
	Suriname (Paramaribo)	481 267	163 270	73,9	néerlandais	69	7 722	n/d
	Swaziland (Mbabane)	1 123 913	17 363	24,1	siswati, anglais	46	4 824	0,7
	Syrie (Damas)	20 178 485	185 180	53,2	arabe	74	3 808	2,1
	Tadjikistan (Douchanbe)	7 349 145	143 100	26,4	tadjik	67	1 356	0,7
	Taiwan (Taipei)	22 974 347	35 980	n/d	chinois (mandarin)	78*	31 900*	n/d
	Tanzanie (Dodoma)	41 048 532	945 087	24,2	swahili, anglais	55	744	1,1
	Tchad (N'Djamena)	10 329 208	1 284 000	25,3	français, arabe	49	1 427	1,7
	Thaïlande (Bangkok)	65 905 410	514 000	32,3	thaï	69	8 677	2,1
	Timor oriental (Dili)	1 131 612	15 007	26,1	tétum, portugais	61	2 400*	n/d
	Togo (Lomé)	6 019 877	56 785	39,9	français, éwé, kabyé	62	1 506	0,8
	Tonga (Nuku'alofa)	120 898	748	24,0	tonguien, anglais	72	8 177	n/d
	Trinité-et-Tobago (Port of Spain)	1 229 953	5 128	12,2	anglais	70	14 603	2,1
	Tunisie (Tunis)	10 486 339	163 610	65,3	arabe	74	8 371	1,8
	Turkménistan (Achgabat)	4 884 887	488 100	47,3	turkmène	65	3 838	3,9
	Turquie (Ankara)	76 805 524	780 580	67,3	turc	72	8 407	2,7
	Tuvalu (Fonga Fale)	12 373	26	48,1	anglais, tuvaluan	69*	1 600*	n/d
	Ukraine (Kiev)	45 700 395	603 700	67,8	ukrainien	68	6 848	2,7
	Uruguay (Montevideo)	3 494 382	176 220	92,0	espagnol	76	9 962	5,5
	Vanuatu (Port-Vila)	218 519	12 200	23,5	bislarna, français, anglais	70	3 225	n/d
	Vatican (Cité du Vatican)	826	0,44	100,0	latin, italien	n/d	n/d	n/d
	Venezuela (Caracas)	26 814 843	912 050	92,3	espagnol	74	6 632	2,8
	Viêtnam (Hanoï)	86 967 524	329 560	26,4	vietnamien	74	3 071	1,3
	Yémen (Sanaa)	23 822 783	527 970	28,9	arabe	63	930	0,9
	Zambie (Lusaka)	11 862 740	752 614	35,0	anglais	45	1 023	0,8
	Zimbabwe (Harare)	11 392 629	390 580	35,9	anglais	44	2 038	1,1

GLOSSAIRE-index

A

Accord international (ou multilatéral) **(p. 8)** Accord conclu entre plusieurs États.

Accréditation (p. 55) Acte attestant que les exigences et les normes établies par une autorité reconnue sont respectées.

Accroissement naturel (p. 79) Augmentation de la population par les naissances.

Acte antisocial (p. 209) Acte qui peut causer du tort à la société, tout en étant légal.

Agence de presse (p. 208) Organisation qui vend de l'information (nouvelles, reportages, images, etc.) à des médias. Les agences les plus connues sont : La Presse canadienne, l'Agence France-Presse (AFP), Reuters et l'Associated Press.

B

Banlieue (p. 104) Quartier résidentiel en périphérie des grands centres.

Bolchevik (p. 154) Nom de l'aile du Parti ouvrier social-démocrate russe qui s'empare du pouvoir et qui ouvre la voie à la révolution communiste.

C

Capital naturel (p. 40) Ensemble des ressources naturelles essentielles au développement des activités économiques.

Chaîne généraliste (p. 215) Chaîne de télévision qui offre une programmation diversifiée (émissions d'information, dramatiques, émissions pour enfants, etc.). Au Québec, les chaînes généralistes sont Radio-Canada, Télé-Québec, TQS, TVA, CTV et Global.

Chaîne spécialisée (p. 215) Chaîne de télévision dont la programmation est consacrée à un domaine précis (sports, musique, météo, etc.).

Communisme (p. 168) Idéologie et action politique proposant la prise du pouvoir par des moyens révolutionnaires et la dictature du prolétariat. Son but est d'instaurer une société sans classe et sans État, fondée sur la propriété collective des moyens de production.

Contemporain (p. XI) Relatif à l'époque actuelle, au monde d'aujourd'hui.

D

Darwinisme social (p. 164) Adaptation de la théorie de l'évolution des espèces de Charles Darwin, prônant la supériorité de la civilisation européenne et qui justifie les inégalités raciales et sociales.

Démocratie libérale (p. 168) Système politique fondé sur les concepts de liberté et d'égalité, dans lequel les citoyens disposent du droit de vote.

Discrimination positive (p. 131) Mesure favorisant les membres de certains groupes sociaux afin de contrer la discrimination fondée sur le sexe, un handicap ou l'appartenance ethnique.

Dissidence (p. 92) Différence profonde d'opinion par rapport à l'autorité politique ou religieuse en place.

Doctrine Truman (p. 173) Politique qui vise à freiner l'expansion communiste en offrant une aide militaire et financière aux pays désirant résister aux pressions communistes.

Droit de l'environnement (p. 64) Droit qui a pour objet d'élaborer des règles juridiques concernant la protection, la gestion et la préservation de l'environnement. Ce droit s'exprime par des lois environnementales créées par certains États. Les jugements mènent la plupart du temps à des recommandations publiques.

E

Empreinte écologique (p. 4) Indicateur qui mesure la surface productive terrestre nécessaire pour répondre aux besoins d'une population.

Épuration ethnique (p. 92) Ensemble de politiques hostiles (émigration forcée, déportation, etc.) à l'égard d'un groupe ethnique pour des motifs religieux ou idéologiques.

État-providence (p. 159) État qui intervient sur les plans social et économique dans le but d'assurer un certain bien-être à l'ensemble de la population.

Exclusion sociale (p. 120) Ségrégation, mise à l'écart de personnes dont le statut économique ou social (chômeurs, sans-abri, homosexuels, etc.) ne correspond pas aux valeurs dominantes de la société dans laquelle elles vivent.

Exode rural (p. 85) Déplacement de population de la campagne vers la ville.

F

Fascisme (p. 159) Idéologie et mouvement politique anti-communiste et ultranationaliste ayant conduit à des régimes autoritaires.

Fiscalité (p. 136) Ensemble des lois, des mesures relatives à l'impôt.

Flux migratoire (p. 82) Mouvement, déplacement de personnes d'un point d'origine à un point d'arrivée, selon un trajet donné.

Front populaire (FP) (p. 159) Coalition de partis de gauche et d'extrême gauche au pouvoir en France de 1936 à 1938. Né d'abord pour contrer la montée du fascisme et du nazisme, le FP implante des réformes sociales pour tenter de remédier à la Crise.

G

Génocide (p. 92) Extermination systématique d'un groupe ethnique, religieux ou social.

Ghettoïsation (p. 130) Processus par lequel une communauté culturelle est exclue ou s'isole volontairement du reste de la société.

Guerre civile (p. 91) Conflit armé entre des groupes militaires ou civils d'un même État.

I

Impérialisme (p. 152) Politique d'un État qui cherche à amener d'autres États, sociétés ou territoires sous sa dépendance politique ou économique. L'impérialisme désigne souvent la vague de colonialisme européen qui a cours entre 1880 et 1914.

Information continue (p. 211) Information offerte 24 heures sur 24 par les chaînes d'information continue dans la presse électronique.

Intelligentsia (p. 169) Classe sociale désignant les artistes, les intellectuels ou les écrivains au service du régime et du Parti communiste.

Islamisme (p. 176) Idéologie et mouvement politique ayant pour but l'instauration d'un État régi par les règles du Coran et dirigé par les chefs religieux.

L

Label (p. 55) Marque distinctive apposée sur un produit pour en certifier l'origine, en garantir la qualité ou la conformité avec des normes déterminées.

Lectorat (p. 215) Ensemble des lecteurs d'une publication.

Ligne éditoriale (p. 210) Position des propriétaires d'un journal sur les grands enjeux sociaux, par exemple le débat sur la souveraineté au Québec. Selon la tradition nord-américaine, la ligne éditoriale s'exprime dans la page éditoriale.

Management environnemental (p. 56) Ensemble des méthodes de gestion servant d'abord à mesurer les effets des activités de production sur l'environnement, puis à éliminer ou à réduire leur impact sur celui-ci.

Mandat (p. 155) En droit international, mission confiée à un État d'assister ou d'administrer un territoire se trouvant en difficulté.

Média (p. 208) Moyen de communication qui sert à transmettre un contenu à une personne ou à un groupe. Les principaux médias sont : Internet, la presse écrite, les livres, les affiches, la télévision, la radio, le cinéma et le téléphone cellulaire.

Médias électroniques (p. 208) Radio et télévision. Les termes « nouveaux médias électroniques » ou « nouveaux médias » s'appliquent au réseau Internet et aux appareils portables qui véhiculent de l'information, tel le téléphone cellulaire.

Nationalisme (p. 152) Idéologie politique qui reconnaît en tant que nation un groupe d'individus partageant des caractéristiques communes. Ce terme désigne aussi le sentiment d'appartenance d'un individu à une nation.

Nazisme (p. 154) Idéologie et mouvement politique du parti d'Adolf Hitler, au pouvoir de 1933 à 1945 en Allemagne.

Norme environnementale (p. 8) Règle, principe, mesure spécifique, directive ou standard destiné à uniformiser des méthodes ou des moyens d'action dans un souci de protection de l'environnement.

O

OCDE (p. 25) Acronyme pour Organisation de coopération et de développement économiques. L'organisme regroupe les gouvernements de 30 pays attachés aux principes de la démocratie et de l'économie de marché.

Organisation internationale (p. 8) Organisation fondée en vertu d'un traité ou d'un accord intergouvernemental, et qui rassemble des représentants des gouvernements nationaux.

Organisation non gouvernementale (ONG) (p. 9) Organisation sans but lucratif, généralement présente sur la scène internationale, et qui ne relève ni d'un État ni d'une organisation internationale.

OTAN (p. 91) Acronyme pour Organisation du traité de l'Atlantique Nord. Il s'agit d'une alliance de 26 pays d'Amérique du Nord et d'Europe qui a pour rôle de préserver les valeurs communes (liberté, démocratie, etc.) des pays membres et d'assurer leur sécurité.

P

Pavillonnaire (p. 104) Qui regroupe des pavillons d'habitation, c'est-à-dire des maisons unifamiliales.

Pays aligné (p. 171) Terme désignant le rapprochement idéologique entre un pays et une superpuissance, en l'occurrence les États-Unis ou l'URSS pendant la Guerre froide.

Pays émergent (p. 25) Pays dont le PIB par habitant est inférieur à celui des pays développés, mais qui connaît une importante croissance économique. Il en résulte une amélioration du niveau de vie de sa population et de ses infrastructures, qui se rapprochent de ceux des pays développés.

Périurbain (p. 104) Relatif à ce qui est aux abords, en périphérie d'une ville.

Politique interventionniste (p. 156) Politique d'intervention de l'État dans divers domaines (social, culturel et économique, notamment).

Population active (p. 81) Partie de la population en âge de travailler et disponible à l'emploi.

Protectorat (p. 165) Régime juridique selon lequel un État puissant contrôle un autre État. L'État contrôlé abandonne partiellement sa souveraineté à l'autre État pour ce qui est des relations extérieures ou de l'administration intérieure, mais bénéficie en revanche de sa protection.

Q

Quota (p. 98) Limite, pourcentage déterminé.

R

Remilitarisation (p. 160) Rétablissement progressif du potentiel militaire.

Résident permanent (p. 98) Personne qui a obtenu le droit de résider dans un pays sans en avoir la citoyenneté.

Ressortissant (p. 122) Personne protégée par les autorités diplomatiques d'un pays donné et qui réside à l'étranger.

S

Sanction (p. 58) Peine infligée à ceux qui désobéissent aux lois, commettent une infraction ou ont un comportement répréhensible.

Services écologiques fournis par les écosystèmes (p. 22) Bienfaits que les êtres humains obtiennent des écosystèmes.

Solution finale (p. 163) Plan nazi d'élimination systématique des Juifs par les camps de travail, les chambres à gaz ou les exécutions systématiques.

Spéculation (p. 157) Opération financière qui consiste à acheter des biens ou des titres dans le but de les revendre pour en tirer profit.

Stalinisme (p. 169) Régime politique, mis en place par Joseph Staline entre 1929 et 1953, caractérisé par la centralisation du pouvoir, la répression et le culte de la personnalité.

Subsaharien (p. 78) Relatif à la partie de l'Afrique située au sud du Sahara.

T

Tirage (p. 214) Nombre d'exemplaires d'une publication (livre, journal, magazine, etc.).

Traite des humains (p. 101) Commerce illégal de personnes à des fins d'exploitation (prostitution, travail forcé, etc.).

Transnational (p. 110) Qui dépasse le cadre national et concerne plusieurs nations.

Tsar (p. 154) Titre porté par l'empereur de Russie, qui est à la tête d'un régime autocratique.

U

UNESCO (p. 86) Acronyme pour Organisation des Nations Unies pour l'éducation, la science et la culture.

Urbanisme (p. 118) Étude de l'aménagement des villes.

V

Ville centre (p. 104) Noyau urbain autour duquel se développent les banlieues.

Visa (p. 98) Autorisation de séjour temporaire ou permanent délivrée par un pays d'accueil.

Y

Yougoslavie (p. 92) Ancien État du sud-est de l'Europe qui correspond aujourd'hui à la Slovénie, à la Croatie, à la Serbie, à la Bosnie-Herzégovine, au Monténégro et à la Macédoine.

SOURCES

Photographies

Couverture

Première de couverture (hg): Scott E Barbour /Getty Images; (hd): Getty Images; (dc): Grzegorz Michalowski/epa/Corbis; (bd): Getty Images; (bg): AP Photo/Rafiq Maqbool, **P. XI**: World Perspectives /Getty Images; **P. XII** (b): Getty Images; **P. XIII** (hd): AFP/Getty Images; (bd): James Marshall/CORBIS; **P. XIV** (bg): Getty Images; (bd) REUTERS/Chip East (CHAD)

Chapitre 1

Ouverture: **P. 2**: CHRISTINNE MUSCHI/Reuters/Corbis; **P. 3** (hg): Tyrone Turner/National Geographic Image Collection; (hd): Getty Images; **P. 4**: Ashley Cooper/Corbis, **P. 6** (g): Getty Images; (bd): Club of Rome; **P. 7**: Éditions du Fleuve; **P. 8**: NASA/Goddard Space Flight Center Scientific Visualization Studio; **P. 9**: 2008 UNEP Children's Conference; **P. 10**: AP Photo/MaxVision; **P. 12** (d): Greenpeace Canada; (bd): Gracieuseté du Réseau québécois des groupes écologistes (logo); **P. 13**: AFP/Getty Images; **P. 14**: Image courtesy Jacques Descloitres, MODIS Land Rapid Response Team at NASA GSFC; **P. 17** (d): NASA; (bd): NASA/Corbis; **P. 18**: Atlantide Phototravel/Corbis; **P. 20**: Ville de Baie-Saint-Paul, Agenda 21; **P. 22**: JUAN CARLOS ULATE/Reuters/Corbis; **P. 23**: AP Photo/Alastair Grant; **P. 24** (g): Credit: U.S. Geological Survey; (d): Credit: U.S. Geological Survey; **P. 25**: Peter Essick/Aurora Photos/Corbis; **P. 26**: George Steinmetz/Corbis; **P. 27**: (h): © Greenpeace; (b) AP Photo/Steven Senne; **P. 30**: CP PHOTO/Jacques Boissinot; **P. 31**: CHRISTINNE MUSCHI/Reuters/Corbis; **P. 32**: AP Photo/Dita Alangkara; **P. 33**: Getty Images; **P. 34** (g): JIM RICHARDSON/National Geographic Stock; (d): JIM RICHARDSON/National Geographic Stock; **P. 35**: (hg): JIM RICHARDSON/National Geographic Stock; (hc): JIM RICHARDSON/National Geographic Stock; (hd): Getty Images; (b): Getty Images; **P. 36** (hg): JIM RICHARDSON/National Geographic Stock; (bd): Motoring picture library; **P. 38**: AFP/Getty Images; **P. 39**: AFP/Getty Images; **P. 40** (c): NASA/Corbis; **P. 42**: Tyrone Turner/National Geographic Image Collection; **P. 43** (hd): Hydro-Québec; **P. 44**: Didier Bergounhoux; **P. 45**: Ryan Pyle/Corbis; **P. 46** (hg): © FSC (Forest Stewardship Council) logo; (bg): National Geographic/Getty Images; **P. 48**: avec l'autorisation de Kim Conway/ NRC; **P. 49**: Ville de Montréal (édifice de la TOHU); **P. 50**: Richard T. Nowitz/Corbis; **P. 53**: Getty Images; **P. 55** (g): MICHAEL NICHOLS/National Geographic Stock; logo BIO (reproduit avec l'autorisation de CARTV); logo ECO CERT (reproduit avec l'autorisation de Ecocert Canada); logo COSMÉTIQUE BIO - CHARTE COSMÉBIO; **P. 56**: gracieuseté de Rio Tinto Alcan; **P. 57**: Philip Harvey/CORBIS; **P. 59** (g): Getty Images; (d): Stefan Wermuth / Reuters; **P. 61**: Globo /Getty Images; **P. 62**: AFP/Getty Images; **P. 63**: SuperStock /maXx images; **P. 64**: Getty Images; **P. 65** (hg): logo Marché climatique de

Montréal (MCex); (hd): les Amis de la Terre/Carl Pezin; **P. 66 et 67**: Getty Images; **P. 68**: Publiphoto; **P. 69** (g): reproduit avec l'autorisation du PEFC; **P. 71** (g): Getty Images; (c): Getty Images; (d): AFP/Getty Images; **P. 72**: Megapress /Pharand; **P. 73**: Toru Yamanaka/Pool/epa/Corbis

Chapitre 2

Ouverture: **P. 76**: Frédéric Soltan/Sygma/Corbis; **P. 77** (hg): CLOPET/ SIPA; (hc): AFP/Getty Images; (hd): Atlantide Phototravel/Corbis; **P. 78**: Frédéric Soltan/Sygma/Corbis; **P. 80**: NIR ELIAS / Reuters; **P. 81**: NIR ELIAS / Reuters; **P. 82** (bg): AP Photo/Kirsty Wigglesworth; (bd): Reuters/ Corbis; **P. 83**: Bettmann/CORBIS; **P. 84**: LEVINE HEIDI/SIPA; **P. 85**: Daniel Berehulak/Getty Images; **P. 86**: NABIL MOUNZER/epa/Corbis; **P. 87**: Getty Images; **P. 88**: Rémi Larivée / La Presse; **P. 89**: Susan Meiselas / Magnum; **P. 90** (g): Michael Macor/San Francisco Chronicle/Corbis; (d): Arshad Arbab/epa/Corbis; **P. 92**: AFP/Getty Images; **P. 93** (g): Guy Delisle, Pyonyang, Paris, L'Association, 2003, p. 47; (d): AFP/Getty Images; **P. 95** (c): REUTERS/JENNIFER SZYMASZEK; (b): Getty Images; **P. 98**: Plantu, Le Monde, 15 mars 2007; **P. 99** (c): AP Photo/Rick Rycroft; (b) SETH WENIG/Reuters/Corbis; **P. 100**: Bibliothèque et Archives Canada: PA-034014; **P. 101**: Christopher Morris/Corbis; **P. 102**: Jack Kurtz/ ZUMA/Corbis; (b): AFP/Getty Images; **P. 103**: GEORGE ESIRI/Reuters/ Corbis; **P. 104**: JACKY NAEGELEN/Reuters/Corbis; **P. 105**: Getty Images; **P. 106**: REVELLI/SIPA; **P. 107** (h): Getty Images; (b): CP PHOTO/Andrew Vaughan; **P. 108** (h): CP PHOTO/Peter Mccabe; (b): Gobierno de Aragon; **P. 109**: Toan Vu-Huu; **P. 112**: Piyal Adhikary/epa/Corbis; **P. 113** (bg): Christopher Morris/Corbis; (bd): AFP/Getty Images; **P. 114**: CP PHOTO/Chuck Stoody; **P. 115**: Karen Kasmauski/Corbis; **P. 116**: AFP/Getty Images; **P. 117**: © Abahlali baseMjondolo; **P. 118**: Getty Images; **P. 120**: REUTERS/Supri Supri; **P. 121**: John Hrusa/epa/Corbis; **P. 123**: Kim Ludbrook/epa/Corbis; **P. 124**: Guy Dubé; **P. 125**: Getty Images; **P. 126**: Martin Harvey/Corbis; **P. 127**: REVELLI/SIPA; **P. 128**: Basurama (Pablo Rey Mazón). Creative Commons 3.0" Madrid. 2005; **P. 129** (cg): Minimum Cost Housing Group, École d'architecture, Université McGill; (cd): © Conseil Jeunesse de Montréal, 2007; (b): Gracieuseté de Mano a Mano; **P. 131**: Gideon Mendel/Corbis; **P. 132**: THE AGE picture by Michael Clayton-Jones; **P. 134**: Camille Ratia, e-migrinter; **P. 135**: Tim Pannell /Corbis/Jupiter images; **P. 137**: Fayolle/Sipa; **P. 138**: Jo Tuckman/Guardian News & Media Ltd 2007; **P. 139**: © Chapatte - **www.globecartoon.com**; **P. 140**: AFP/Getty Images; **P. 141**: AFP/Getty Images; **P. 142**: SW Productions / maXx images; **P. 143**: Emmaus International; **P.146**: AFP/Getty Images; **P. 147**: Piyal Adhikary/epa/Corbis; **P. 148**: Antoine Grondeau; **P. 149**: Reproduit avec la permission du CARI. Photo: Stéphanie Colvey

Survol de l'histoire du XXᵉ siècle

Ouverture: **P. 150 et 151**: AP Photo; **P. 150** (hg): AP Photo; (hc): Finbarr O'Reilly/Reuters/Corbis; **P. 151** (hg): AP Photo/Max Desfor; **P. 152**: The Granger Collection, New York; **P. 153**: Private Collection / Photo © Christie's Images / The Bridgeman Art Library; **P. 154**: Photos.com; **P. 156**: CORBIS; **P. 158** (h): Bettmann/CORBIS; (b): NARA (SPB); **P. 159**: Bettmann/CORBIS; **P. 160**: Bettmann/CORBIS; **P. 161**: Nicholas Morant / Office national du film du Canada. Photothèque / Bibliothèque et Archives Canada / PA-116064; **P. 162**: AP Photo; **P. 163** (h): CORBIS; (b): Bibliothèque et Archives Canada: PA-116064; **P. 164**: akg-images;

P. 166: Hulton-Deutsch Collection/CORBIS; **P. 167**: AP Photo/Max Desfor; **P. 168 et 169**: Michael Nicholson/Corbis; **P. 170** (hg): Getty Images; (hd): Image ID: 52112 New York Public Library; (b): Peter Turnley/CORBIS; **P. 171**: Libor Hajsky/epa/Corbis; **P. 172** (g): Bettmann/CORBIS; (d): Hulton-Deutsch Collection/CORBIS; **P. 174**: Bettmann/CORBIS; **P. 175** (h): Getty Images; (bg): Bettmann/CORBIS; (bd): AP Photo; **P. 177**: MARTIAL TREZZINI/epa/Corbis; **P. 178**: Getty Images; **P. 179** (h): Peter Turnley/CORBIS; (b): Sean Adair/Reuters/CORBIS

Les clés de l'info

Ouverture: **P. 206 et 207**: AFP/Getty Images; **P. 206** (hg): AFP/Getty Images; (hc): AFP/Getty Images; **P. 207** (hg): REUTERS/Ezequiel Scagnetti; **P. 208**: AFP/Getty Images; **P. 209**: Mads Nissen /Getty Images; **P. 210** (h): Par John W. MacDonald /johnwmacdonald.com; (bg): MANUELLE TOUSSAINT/Gamma/Eyedea/Ponopresse; (bd): CP PHOTO/Andrew Vaughan; **P. 211**: CP PHOTO/David Boily; **P. 212**: AP Photo/Files; **P. 214**: AFP/Getty Images; **P. 215**: Marc Romanelli /Jupiter Images; **P. 216**: ONF, Productions Virage et Point du jour, 2006; **P. 217**: AFP/Getty Images; **P. 219**: epa/Corbis; **P. 223**: Theo Allofs/Corbis; **P. 226** (h) **et P. 227** (h): AFP/Getty Images; **P. 226** (b) et **227** (c): AFP/Getty Images; **P. 227** (b): © Pascal Élie; **P. 238**: La Presse; **P. 242**: AFP/Getty

Textes

Chapitre 1

P. 7: COMMISSION MONDIALE SUR L'ENVIRONNEMENT ET LE DÉVELOPPEMENT, *Notre avenir à tous*, Éditions du Fleuve, Les Publications du Québec, 1988, p. 2. **P. 9**: AGORA 21, *Les 27 principes de la Déclaration de Rio*, 2009. [En ligne] **P. 12**: DEARDEN, Philip, « Greenpeace », *L'Encyclopédie canadienne*, 2009. [En ligne] **P. 14**: IELEMIA, Apisai, « Le point de vue du Tuvalu sur le changement climatique », *Chronique de l'ONU*, 2007. [En ligne] **P. 16**: ONU, Conférence de presse des ONG et leur contribution aux débats sur le développement durable, dans le cadre du Sommet mondial pour le développement durable de Johannesburg, 26 août 2002. [En ligne]; LE PRESTRE, Philippe, « La Convention sur la diversité biologique à un tournant », *Le Devoir*, 6 septembre 2005. [En ligne] **P. 19**: ONU, *Le Pacte mondial*, 2009. [En ligne]; NESTLÉ, « Nestlé et l'environnement : une culture d'entreprise », 2009. [En ligne] **P. 25**: LEPELTIER, Serge, « Mondialisation : une chance pour l'environnement ? », *Rapport d'information n° 233 (2003-2004) fait au nom de la délégation du Sénat pour la planification*, 3 mars 2004. [En ligne] **P. 26**: CHUDNOVSKY, Daniel, « Investir dans l'environnement », *Our planet*, 2003. [En ligne] **P. 29**: EUROPA, « Stratégie sur le changement climatique : mesures de lutte jusqu'en 2020 et au-delà », 2007. [En ligne]; RADIO-CANADA, « Un scénario catastrophe, selon John Baird », 19 avril 2007. [En ligne] **P. 30**: GOUVERNEMENT DU QUÉBEC, ministère du Développement durable, de l'Environnement et des Parcs, « Motion sur les changements climatiques », 28 novembre 2007. [En ligne] **P. 32**: BARNÉOUD, Lise, « Poznan : quel plan de route pour la planète ? », *Science Actualités*, 19 décembre 2008. [En ligne] **P. 33**: TRIOMPHE, Catherine, « Les dirigeants de l'UE s'entendent sur le plan climat », *Cyberpresse*, 12 décembre 2008. [En ligne]; CANOË, « 100 dirigeants de multinationales réclament un accord post-Kyoto », 20 juin 2008. [En ligne] **P. 37**: *Atlas du Monde diplomatique*, Armand Colin, Paris, 2008; SACQUET, Anne-Marie, *Atlas mondial du développement durable*, 2002. **P. 39**: ACDI, *La politique environnementale de l'ACDI en matière de développement durable*, 2006. [En ligne]; BANQUE MONDIALE, *Actualités Médias*, « Développement durable », 2009. [En ligne]; AGENCE INTERNATIONALE DE L'ÉNERGIE, *World Energy Outlook 2007*, 2009. [En ligne] **P. 41**: BANQUE MONDIALE, *La foire aux questions*, 2007. [En ligne]; SUKHDEV, Pavan, *L'économie des*

biosystèmes et la biodiversité, 2008. [En ligne] **P. 43**: PROGLIO, Henri (dir.), *Les 100 mots de l'environnement*, PUF, 2007. **P. 44**: LENGLET, Roger et TOULY, Jean-Luc, *L'eau des multinationales : les vérités inavouables*, Fayard, Paris, 2006. **P. 46**: GREENPEACE, *Journée nationale de mobilisation des groupes locaux de Greenpeace : Citoyens et consommateurs ne doivent pas cautionner le pillage des forêts africaines*, 11 mai 2007. [En ligne]; CHOPRA, Mickey, GALBRAITH, Sarah et DARNTON-HILL, Ian, *À problème mondial, réponse mondiale : l'épidémie de suralimentation*, 2002. [En ligne] **P. 47**: ORGANISATION DES NATIONS UNIES POUR L'ALIMENTATION ET L'AGRICULTURE, *Conférence internationale sur l'agriculture biologique et la sécurité alimentaire 2007*. [En ligne] **P. 49**: CNW TELBEC, *Recyclage des matières résiduelles : l'avenir du centre de tri de Montréal reste incertain*, janvier 2009. [En ligne] **P. 51**: LARSSON, Jörgen, « La simplicité volontaire, mode d'emploi », *Courrier International*, 3 janvier 2008. [En ligne]; ROBBINS, Richard, *Global Problem and the Culture of Capitalism*, Prentice Hall, 1999; CHAUVIN, Louis et GRENIER, Pascal, « La crise financière et la simplicité volontaire », *Le Devoir*, 8 janvier 2009 [En ligne]; KEMPF, Hervé, « Comment les riches détruisent le monde », *Le Monde Diplomatique*, juin-juillet 2008. [En ligne] **P. 53**: MERCURE, Philippe, « Du bois équitable chez Rona », *Cyberpresse*, 22 novembre 2008. [En ligne]; AGENCE FRANCE-PRESSE, « Énergies renouvelables : l'avenir est en mer », *Cyberpresse*, 3 décembre 2008. [En ligne] **P. 55**: PNUE, IIDD, *Guide de l'environnement et du commerce*, 2001, p. 5. [En ligne] **P. 57**: MINISTÈRE DES AFFAIRES MUNICIPALES ET DES RÉGIONS, *Pouvoirs réglementaires des municipalités locales et régionales en regard de la problématique de la prolifération des cyanobactéries*, septembre 2007. [En ligne] **P. 58**: MCCANN, Pierre, « François Cardinal questionne le rôle des médias relativement aux problématiques environnementales », Colloque sur la gouvernance en environnement : l'impact des décideurs, *Université de Sherbrooke*, 2009. [En ligne]; GUEYE, Mohamed, « Pollution – Conformité aux normes légales : l'industrie sénégalaise à l'épreuve du Code de l'environnement », *Le Quotidien*, 27 mars 2009. [En ligne] **P. 59**: ENVIRONNEMENT CANADA, *La société J.D.Irving Limited plaide coupable à des accusations portées en vertu de la Loi sur la convention concernant les oiseaux migrateurs du gouvernement fédéral et est condamnée à payer une amende de 60 000 $*, 2008. [En ligne] **P. 61**: *Atlas du Monde diplomatique : l'atlas de l'environnement*, Armand Colin, Paris, 2008, p. 16; FÉRONE ET AUTRES, *Ce que le développement durable veut dire*, Éditions d'Organisation et ENSAM, 2004, p. 188. **P. 62**: LEPELTIER, Serge, « Rapport d'information n° 233 (2003-2004) », *Délégation du Sénat pour la planification*, 2004. [En ligne] **P. 63**: APE, *Créons l'Organisation mondiale de l'environnement*, 2009. [En ligne]; TUBIANA ET AUTRES, « Gouvernance internationale de l'environnement : les prochaines étapes », *IDDRI*, 2005. [En ligne] **P. 64**: PROGLIO, Henri (dir.), *Les 100 mots de l'environnement*, PUF, 2007, p. 70. **P. 65**: *Atlas du Monde diplomatique : l'atlas de l'environnement*, Armand Colin, Paris, 2008, p. 16. **P. 67**: Ambassade des États-Unis d'Amérique en France, *La protection de l'environnement aux États-Unis*, 2009. [En ligne]; KI-MOON, Ban, PNUE, *Géo 4, L'environnement pour le développement*, 2007, p. XVI. [En ligne]; ARMANET, François et ANQUETIL, Gilles, « Vers une gouvernance mondiale ? », *Les débats de l'Obs., Le Nouvel Observateur*, février 2007. [En ligne]; SAMSON, Jennifer, « Création d'un organisme mondial sur l'environnement », Colloque sur la gouvernance en environnement : l'impact des décideurs, *Université de Sherbrooke*, 2008. [En ligne] **P. 69**: MOTEUR NATURE, *Des normes anti-pollution mondiales ?*, 2009. [En ligne]

Chapitre 2

P. 85: BANQUE MONDIALE, News and Broadcast, « Selon un rapport de l'ONU, plus de la moitié de la population mondiale vit désormais à la ville », 11 juillet 2007. [En ligne] **P. 86**: CONVENTION DE GENÈVE RELATIVE AU STATUT DE RÉFUGIÉS, Article premier, 1951. **P. 92**: FARKONDEH, Sepideh, « Sangatte mai 2002, témoignages de migrants », *Confluences Méditerranée*, n° 42, été 2002, p. 50. **P. 94**: UNFPA, *Grandir en* *milieu urbain*, État de la population mondiale 2007 (supplément jeunesse), p. 11-13. [En ligne] **P. 98** : LCI, « Immigration – Quotas or not quotas ? », 21 septembre 2007. [En ligne] **P. 101** : UNFPA, *Vers l'espoir. Les femmes et la migration internationale*, État de la population mondiale 2006, p. 44. **P. 105** : OTCHET, Amy, « Lagos, la métropole du « système D » », *Le Courrier de l'Unesco*, juin 1999. [En ligne] **P. 106** : UNFPA, *Libérer le potentiel de la croissance urbaine*, État de la population mondiale 2007, p. 18. [En ligne] **P. 108** : NAMAZIE, Maryam, citée dans « Launch of One Law for All- Campaign against Sharia law in Britain », *Womensgrid*, 2 décembre 2008. [En ligne] **P. 109** : ELKOURI, Rima, « Gaspillage de capital humain », *La Presse*, 14 février 2009. [En ligne] **P. 111** : DURAND, Monique, « Une seconde à Haïti », *Le Devoir*, 27-28 décembre 2008. [En ligne] **P. 116** : UNFPA, *Libérer le potentiel de la croissance urbaine*, État de la population mondiale 2007, p. 17. [En ligne] **P. 117** : BANQUE MONDIALE, *Urbanisation rapide de la Chine : avantages, défis et stratégies*, 18 juin 2008. [En ligne] ; PARSONS, Robert James, « Quand les bidonvilles reculent », *Le Courrier*, 30 novembre 2004. [En ligne] **P. 119** : RNCREQ, « Étalement urbain : Quand allons-nous afin stopper l'hémorragie ? », 28 mai 2007, Communiqué [en ligne] ; BERGERON, Richard, cité par Antoine Robitaille, « L'étalement urbain, c'est les autres », *Le Devoir*, 22 janvier 2005. [En ligne] **P. 120** : ONU-HABITAT, « La criminalité et la violence en hausse partout dans le monde : ONU-Habitat lance un cri d'alarme », 1er octobre 2007. [En ligne] **P. 121** : SUD ÉDUCATION 86, « Violences urbaines : les vrais casseurs sont au gouvernement ! », 8 novembre 2005. [En ligne] ; BOULEY, Barbara, « Violences urbaines : Qui est responsable ? La famille, l'école ou l'État ? », Construire un monde solidaire, 9 novembre 2005. [En ligne] **P. 122** : « Xenophonic Violence : Western Cape Emergency Civil Society Task Team Established ; WC Security Forum established », 21 mai 2008. [En ligne] **P. 123** : GAS, Valérie, « Violences urbaines : comment gérer la crise », *RFI*, 2 novembre 2005. [En ligne] **P. 124** : CHAMBRE DE COMMERCE DU CANADA, *L'immigration : Nouveau visage du Canada*, 2009, p. 5. [En ligne] ; THE BRITISH COUNCIL, Living Together Programme : Migrant Cities, *Intercultural Dialogue in South-East Europe and the UK*, 2008, p. 15. [En ligne] **P. 125** : ROSENCZVEIG, Jean-Pierre, « L'école sans voile », *Les droits des enfants vus par un juge des enfants*, 6 décembre 2008. [En ligne] **P. 127** : RNCREQ, « Étalement urbain : Quand allons-nous enfin stopper l'hémorragie ? », 28 mai 2007. [En ligne] ; BRUEGMANN, Robert, « In Defense of Sprawl », *Forbes*, 11 juin 2007. [En ligne] ; DEPARTMENT OF ENVIRONMENTAL AFFAIRS AND TOURISM, Republic of South Africa, 2005. [En ligne] ; MINISTÈRE DE L'ÉCOLOGIE, DU DÉVELOPPEMENT ET DE L'AMÉNAGEMENT DU TERRITOIRE, « Quelques exemples de maîtrise de l'étalement urbain en France », 2009. [En ligne] **P. 130** : BOUCHARD, Gérard et TAYLOR, Charles, *Fonder l'avenir. Le temps de la conciliation*, Rapport, Gouvernement du Québec, 2008, p. 225. [En ligne] **P. 131** : OCDE, *Les immigrés et l'emploi (vol. 2) : L'intégration sur le marché du travail en Belgique, en France, aux Pays-Bas et au Portugal. Synthèse et recommandations : France*, 2008, p. 4. [En ligne] **P. 133** : MORIN, Marie-Claude Élie, « Exode des cerveaux : Vue de l'esprit », *Art de vivre – Canoe.com*,

22 septembre 2008. [En ligne] ; EMEAGWALI, Philip, dans Arno Tanner, « Brain drain and beyond : returns and remittances of highly skilled migrants », *Global Migration Perspectives*, n° 24, janvier 2005, p. 4. [En ligne] **P. 134** : MÉNARD, Sébastien, « Il faut les obliger à rester », *Le Journal de Montréal*, 18 mars 2009. [En ligne] **P. 135** : ATTARAN, Amir et WALKER, Roderick B., « Pharmaprix ou Pharmabraconnage ? », *Journal de l'Association médicale canadienne*, vol. 178, n° 3, 29 janvier 2008. [En ligne] **P. 136** : « Vidéotron répond à ses clients depuis l'Égypte », *La Presse Affaires*, 25 octobre 2007. [En ligne] **P. 137** : BEAUCLAIRE, Jordan, « Des bienfaits des délocalisations », *Le Journal du Net*, 26 juillet 2006. [En ligne] **P. 138** : THIERRY, Jazz, « L'immigration en Irlande : une arme contre les délocalisations ? », *Equinox*, 19 juin 2007. [En ligne] **P. 139** : « Legislation to stop outsourcing receives bipartisan and labor support », Catalyst, cite dans BNet, 1er mai 2004. [En ligne] **P. 141** : NEW ZEALAND VISA BUREAU, « INZ to lower New Zealand immigration requirements », 19 mars 2009. [En ligne] ; BAKER, Luke, « Nuclear workers strike over foreign labour », *Reuters UK*, 2 février 2009. [En ligne] ; OHANIAN, Lee E., « Good policies can save the economy », *The Wall Street Journal*, 8 octobre 2008. [En ligne] **P. 143** : EMPLOI-QUÉBEC, *Programme d'aide à l'intégration des immigrants et des minorités visibles en emploi*, 2009. [En ligne]

Survol de l'histoire du XXᵉ siècle

P. 153 : GUENO, Jean-Pierre et LAPLUME, Yves, *Parole de Poilus, lettres et carnets du front, 1914-1918*, Livrio, Paris, 1998. **P. 157** : REYNAUD, Paul, interview pour *Le Temps*, 15 octobre 1929, cité dans *Histoire Première*, Bordas, Paris, 1997, p. 32. **P. 166** : OTAN, *Déclaration de principe diffusée par le Président des États-Unis et le Premier Ministre du Royaume-Uni* (« Charte de l'Atlantique »), 2009. [En ligne] **P. 168** : LÉNINE, Vladimir Ilitch, *L'état et la révolution : la doctrine marxiste de l'État et les tâches du prolétariat dans la révolution*, 2ᵉ éd., Éditions sociales, 1976. **P. 173** : CHURCHILL, Winston, discours prononcé au Westminster College de Fulton (Missouri), 5 mars 1946. [En ligne] **P. 176** : « Discours du président américain George Bush au Congrès », *Le Monde diplomatique*, 11 septembre 1990. [En ligne]

Les clés de l'info

P. 211 : REPORTERS SANS FRONTIÈRES, *Chine – Rapport annuel 2008*, 2008. [En ligne] **P. 212** : INSTITUT CANADIEN D'INFORMATION JURIDIQUE, CANLII, « Loi constitutionnelle de 1982 », 1982. [En ligne] ; THE CHARTERS OF FREEDOM, Constitution des États-Unis, 2009. [En ligne] **P. 223** : VILLENEUVE, Claude et RICHARD, François, *Vivre les changements climatiques : quoi de neuf ?*, Sainte-Foy, Éditions MultiMondes, 2005, p. 345-346. **P. 224** : CARNAGHAN, Matthew et GOODY, Allison, « La souveraineté du Canada dans l'Arctique », *Service d'information et de recherche parlementaires, Bibliothèque du Parlement*, 26 janvier 2006. [En ligne] **P. 238** : LA PRESSE CANADIENNE, « Les insurgés afghans sont là pour rester, croit Harper », *Cyberpresse*, 1ᵉʳ mars 2009. [En ligne] **P. 239** : SPECTOR, Norman, « Harper, le pragmatique », *Le Devoir*, 12 mars 2009. [En ligne]